The Simulation Hypothesis

AI社会のその先の未来を描く「シミュレーション仮説」

われわれは仮想世界を生きている

リズワン・バーク［著］ 竹内薫［監訳］ 二木夢子［訳］

徳間書店

本書は、私たちはコンピューターが生成した現実の中にいると提唱したフィリップ・K・ディックの発言をまじめに受け取らなければならない理由として、コンピューターシミュレーションの技術的側面と、神秘主義的な側面の両方を説明している。この世界は完全な現実とはいえないというディックのビジョンは、彼の多くの作品の源になっている。

――テッサ・B・ディック
（〈もうひとつの現実〉を扱ったSF作家、フィリップ・K・ディックの妻）

私は、人類がかりそめの仮想世界で生き、教え、学び、愛していることを知った。リズ・バークは本書で、科学者のマインドと神秘思想家の心を融合させ、ビデオゲームを用いて私たちの住む仮想現実について説明している。

――ダニオン・ブリンクリー
（ベストセラー『未来からの生還』、『続・未来からの生還』著者）

本書は、いま通用している現実のモデルに対し、大胆な代案を提示する。物理学分野の最新の予測は、私たちが認識している世界が、五感によってはアクセスできない層に存在するパターンによって生成されている、つくられた存在である可能性を示している。宗教的ビジョン、臨死体験、超能力、さらにはUFOまで、現代科学に拒否、あるいは無視されている多くの領域を、リズ・バークが提唱するフレームワークの下に統合することができる。それは、コンピューターサイエンスにおける最新の知見と、リズならではのデジタルゲーム設計経験に裏付けられている。その結果起こるのは、無限の宇宙において人間である意味の、驚くべき再評価だ。

——ジャック・ヴァレ

（ベンチャーキャピタリスト、元・ＮＡＳＡおよびスタンフォード大学研究所所属サイエンティスト）

ビデオゲームの歴史、カルマのしくみ、量子物理学の意味を1冊で説明できる著者はなかなかいない。リズ・バークはそのひとりで、彼の著書は教育的であるのと同じくらい冒険的だ。読者は二度と現実を同じ目で見られなくなるだろう。

——アダム・カリー

（Entangled創業者、元プリンストン大学PEAR Lab研究員）

本書は、ビデオゲームの歴史、自然科学の予測、そしてＳＦへの言及を、幅広い知識をもとに巧みにブレンドしている。人類はみなシミュレーションの中に住んでいると信じるか否かを問わず、魅力的で楽しい書だ。

——ノア・ファルシュタイン

（ＩＧＤＡ元会長、元Googleチーフゲームデザイナー）

本書で、リズ・バークは、現在のトレンドであるビデオゲームやパーソナライズされたエンターテインメントを、その論理的帰結へと導く。すなわち、私たちが日常生活での経験と同じくらいリアルなシミュレーションをどうやって構築するか、という問題だ。人間がいくつの〈残機《ライフ》〉を持っているのかを断言できる者は誰もいないが、私としては『残機1のゲーム』と考えて、自分の〈人生《ライフ》〉でベストを尽くすことをお勧めしたい。

——ブレント・ブッシュネル
（Two Bit Circus創業者兼CEO）

私たちはシミュレーションの中にいるかもしれない、というのは、巷でも最も興味深く、挑発的なアイデアのひとつだ。リズ・バークの筆による本書は重要な1冊である。なぜなら、私たちを取り巻くものはすべてシミュレーションである、というアイデアに、真剣に、深く踏み込んでいるからだ。経歴からも、まさに本書の執筆に適任といえる。中核的アイデアについてどのような意見を持っているとしても、本書はそれをもう一度考えるきっかけを与えてくれるだろう。だからこそ、本書は注目に値するのだ。

——ジミー・ソニ
（『A MIND AT PLAY: How Claude Shannon Invented the Information Age』著者）

このすばらしい統合的な作品で、リズ・バークは、夢ヨガから計算既約性まで幅広いアイデアに向き合い、現代の学問分野と古代の伝統を一緒に織り上げる。バークは、唯物主義から神秘主義までさまざまな哲学的観念を統合することのできる、マルチプレイヤーゲームのモデルを提示する。物理学分野に関しては、その驚くべき意味合いについても、恐れることなく洞察力を発揮する。さらに、私たち人類が高度な文明として自ら『グレート・シミュレーション』を創り出せるシミュレーション・ポイントがいつごろ実現するか、ロードマップを描いてくれる。シミュレーション仮説の学際的な概観は一読の価値がある。

——トーマス・ブロフィー
（物理学博士、カリフォルニア人文科学研究所共同代表）

自分の脳を数時間にわたって刺激したい読者は、この知的な作品を楽しめるだろう。綿密に練られたシミュレーション議論は、予想外に説得力がある。

——Kirkus Reviews

リズワン・バークの著書は、自分がおそらくシミュレートされた宇宙に住んでいるだろうと私を説得できた作品のひとつだ。バークの幅広い知識は、宗教史、哲学、大衆文化、現代物理学、コンピューターテクノロジーを網羅し、互いに関連付けることで、彼の理論が実現可能であるだけでなく、おそらく正しいことを示す。

宗教学の研究者として、私はあらゆる宗教が取り組む太古からの問題、つまり物質性によって提示される謎にバークが提示した、説得力のある新たな答えに魅入られた。もし、この宇宙が物質ではなく計算で成り立っているのなら、神秘的伝統と科学のあいだの橋渡しとなることができる。突拍子もないと感じただろうか。そのとおりだ。本書はきわめておもしろく、かつ魅力的だ。ポップカルチャーやビデオゲームへの数々の言及によって、哲学と科学を楽しめるようになっている。本書を強くお勧めする——私の脳の帯域幅を拡大してくれた！

――ダイアナ・ウォルシュ・パスルカ
（ノースカロライナ・ウィルミントン大学教授〈哲学・宗教学〉）

リズ・バークによる本書は、ビデオゲームの歴史と、世界一高度なゲーム『グレート・シミュレーション』を構築するためのロードマップの両方を提示する。グレート・シミュレーションは、我々流の『スター・トレック』のホロデッキだ。ＡＩと高解像度映像の発達に由来する哲学的な問題にまで深入りできるテクノロジストはほとんどいない。本書は、未来がどうなるのか思案するすべてのテクノロジストにとって、魅力的な１冊だ。

――ラジーヴ・スラーティ
（ＭＩＴ博士、Scalable Display Technologies創業者）

目次

第6章 並行世界、未来の自分、そしてビデオゲーム 199

第7章 ピクセル、量子、時空の構造 222

第12章 グレート・シミュレーションとその意味

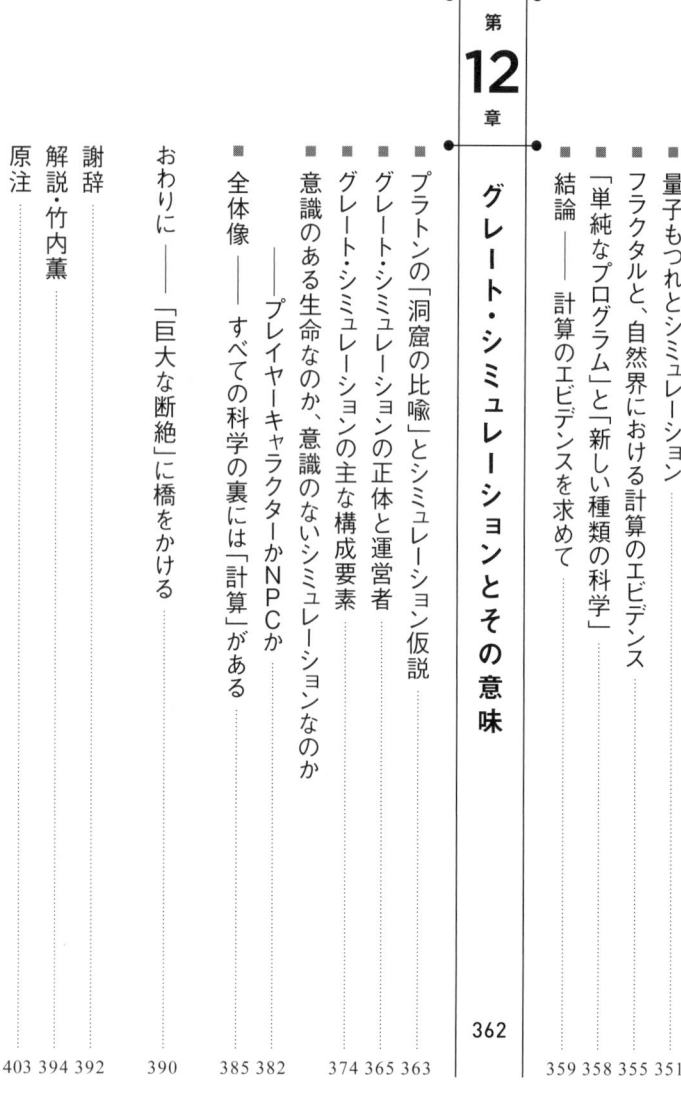

パート

0

概観

非常にしつこいものではあるが、現実は幻想にすぎない。

——アルベルト・アインシュタイン

あらゆる現象は、本質的に存在するものではなく、鮮明な鏡に映る姿のようなものである。

——仏陀

はじめに

シミュレーション仮説

我々はコンピューターによってプログラミングされた現実の中に住んでいる。その手がかりを得られるのは、何らかの変数に手が加えられ、現実が改変されたときだけである。

——フィリップ・K・ディック

メッツ（フランス）で行われた国際SFコンベンションにて（1977年）

1980年代前半に米国中西部で育った私は、ビデオゲームが大好きだった。ゲームとともに育った、と言っても過言ではない。友達とD&Bピザに行っては、（自分たちより25セント玉をたくさん持っている）大きなお兄さんたちがアーケードゲームで遊ぶのを見物していた。そこにあったゲームは、いまや古典となっている『スペースインベーダー』『ドンキーコング』『パックマン』などなど。さらに『ドラゴンズレア』まであって、これには一同、とまどいながらも大興奮だった。アニメなのかゲームなのか、さっぱり見分けがつかなかったからだ【訳注：『ドラゴンズレア』は、米国シネマトロニクス社が開発したLDゲーム。LDゲームとは、レーザーディスクで動画を再生し、映像に合わせて決められた操作をするというジャンルで、おもにコンピューターグラフィックスが貧弱だった1980年代に大量に制作された】。

家族がついにアタリ社の家庭用ゲーム機（アタリ2600）を買ってくれると、友達が家に来ては、最新のカートリッジ式ゲームで遊んでいくようになった。そのころ、友達のプレイを見ながら、私はゲームプレイそのものだけではなく、ある〈幻想〉に魅せられるようになった。わが家のテレビに映る〈ゲームの中〉に独立した世界がある、という感覚だ。この独立した世界という観念がいつどこで頭に浮かんだのかは、正確にはわからない。だが、それはリアルさを目指しているゲームをプレイする際によく起こった。

たとえば、ドライブゲームをプレイしていると、車がコースを回っているあいだに、観客席に座っている仮想の観客たちに目が惹きつけられた。観客席の向こう側では、空に雲が浮かび、街や田園の風景がほんの少しだけ見える。私はいつのまにか考えていた。この〈シミュレートされた世界〉は、コースの各方向のどれくらい先まで広がっているのだろう。誰もプレイしていないときは、何が起こっているのだろう。キャラや建物はそれでも存在しているのだろうか、それとも消滅してしまうのだろうか。

それからまもなく、両親が兄と私にコモドール64（そして後にAppleⅡ）を買ってくれたので、初歩的なビデオゲームを自分でプログラミングすることを学んだが、こうした問いに答えられるくらい十分にゲームの開発について理解したのはずっと先のことだった。

初めて作ったゲームは〈○×ゲーム〉だった。基本的には、まず画面に縦と横の線を引いて、それからプレイヤーが選択したマスにコンピューターで○か×を描く。最初は兄と対戦していたが、兄が飽きると、コンピューターと対戦してみようと考え、どの時点でも最善の手を判定するサブルーチンを考える作業に取りかかった。

時は流れ、１９８０年代にはＭＩＴ（マサチューセッツ工科大学）でコンピューターサイエンスを専攻するようになり、ＡＩやゲームプレイのアルゴリズムについて学び、コンピューターを強くすることができるようになった。また同時に、ビデオゲームがどんどん現実に近づいていくのも見てきた。８ビットから16ビットに移行すると、ゲームの中の世界もますますリアルになってきた。

さらに10年以上経って、シリコンバレーに引っ越した。ちょうどモバイルゲーム革命の黎明期だった。そこでは、仮想水族館アプリ『タップ・フィッシュ』をはじめとする各種のゲームを開発した。このゲームは、リソース管理ゲーム、あるいはシミュレーションゲームのジャンルの中でかなりの人気を博し、ｉＰｈｏｎｅの初期に３０００万ダウンロードを達成した。その後、人気のテレビ番組『ペニー・ドレッドフル』や『グリム』を題材にしたマルチプレイヤー対戦ゲームをデザインし、現在は多くのビデオゲームメーカーを対象にアドバイザーや投資家を務めている。

この間、ゲームはシンプルなアドベンチャーゲームやアーケードゲームから、『ウルティマ・オンライン』『ワールド・オブ・ウォークラフト』のようなフル３Ｄの超大型ＭＭＯＲＰＧ（マルチプレイヤー・オンライン・ロールプレイングゲーム）に進化していった。文字どおりの仮想世界といえるゲームも登場した。『セカンドライフ』や『ザ・シムズ』は、モンスターとの戦闘ではなく、生活のシミュレーションを目的としたゲームである。

こうした進化によって、初めてアタリのゲームをプレイしたときから心の奥に潜んでいる疑問はふくれ上がるばかりだった。

ゲームを誰もプレイしていないときは、何が起こっているのだろう。シミュレートされたキャラは、やはりそこにいるのだろうか。地形は変化したり、発達したりするのだろうか。複数のプレイヤーが同じゲームをオンラインでプレイしている場合、各プレイヤーは自分のコンピューターとは独立して存在する共通世界にいるということだろうか。だとしたら、それはどこなのか。サーバーなのか。そうではなく、〈サイバースペース〉の中にある何らかの形而上学的な環境なのか。それとも、プレイヤーのローカルコンピューターに描画されているときにだけ、世界は存在するのだろうか。

私たちはみなビデオゲームの中に住んでいるのか

ここ10年ほどのあいだに、ビデオゲーム世界に関するこうした基本的な疑問が、科学者、テクノロジー起業家、コンピュータープログラマー、哲学者、SF作家、そして言うまでもなく一般の人々のあいだで大きな盛り上がりを見せる、もっと大きな議論の礎となった。この議論は、ビデオゲームテクノロジーにとどまらない。私たちの現実の本質とはどのようなものか、そして〈外〉の世界が、実際には私たちが以前に思っていたより〈中〉の世界と似通っているかもしれないということだ。

自分たちが〈現実〉と呼んでいるのは、実際には超高度なビデオゲームである——この考え方を、一般に〈シミュレーション仮説〉という。シミュレーション仮説が提起する根本的な問いは、次のようなものだ——私たちは実のところ、何らかの超巨大マルチプレイヤーオンラインゲームの中に住んでいるキャラクターで、シミュレートされた現実があまりにうまく描画されているために、物理的な現実と見分けがついていないだけなのではないだろうか。

オックスフォード大学の哲学者、ニック・ボストロムが、画期的な論文の中で〈シミュレーション議論〉という用語を考案したのは2003年のことだが、シミュレートされた現実の中に住むという考え方自体は、科学、宗教、フィクションの中に長年存在していた。

私たちを取り巻く世界の現実は、長いあいだ、哲学者の議論の的になってきた。数千年前には、プラトンが『国家』で〈洞窟の比喩〉を提示している。この洞窟では、住人は壁に鎖でつながれているので、外の世界を見ることはできない。彼らが知覚できるのはせいぜい、外の光によって壁に映る、現実世界の〈影〉である。洞窟の住民は、考えに考えて現実のイメージを作り上げる。プラトンは、私たちはこの洞窟の住民と同じで、現実世界の影しか見ていないのだと推測した。

世界の伝統宗教の多くは、この世界を、人間が便宜上作り上げた幻だとしている。東洋の伝統宗教である仏教やヒンドゥー教では、この点が特に顕著だ。ヒンドゥー教によれば、私たちが見ているこの世界は〈マーヤー〉、つまり幻であるという。これは暗に、幻の向こうに何かがあることを意味している。西洋の宗教にも、現実世界（この世）と、それとは別に存在する永遠の世界

（あの世）という概念は存在する。
カール・ユングなどの精神科医は、精神的な〈投影〉に関する疑問を深く掘り下げている。ひとりひとりの人間は、その人の脳の働きに基づいて、世界の見方がわずかに異なるというのである。この見解によれば、私たちが〈外〉にあると考えている現実世界の大部分は心の〈中〉にあり、夢と同じようなもので、客観的な物理的現実は存在しないという。

最近では、世界的に有名な起業家でテスラ・モーターズ社とスペースＸ社を創業したイーロン・マスクが、シミュレーション仮説の発想はきわめて有力だと発言した。マスクは、私たちが〈基底現実《ベースリアリティ》〉にいる（つまり、シミュレーションの中にいない）可能性を、わずか「数十億分の１」であるとしたのだ。この発言をきっかけに、真剣な議論に火がついた。

マスクがいま、この議論を提唱するのには、妥当な理由がある。数年前、私はＭＩＴで、最新のビデオゲームテクノロジーを活用するスタートアップ企業を対象に、〈プレイ・ラボ〉という成長促進プログラムを立ち上げた。そこで、最新のＶＲ（仮想現実）やＡＲ（拡張現実）が実現することのできる高い忠実度を目撃した。

このままのペースでビデオゲームが進化していけば、人間はどれほど高度なゲームを作れるようになるのだろうか。いつの日か、現実と区別がつかないほど高い解像度のゲームを送り出すことができるようになるのだろうか。だとしたら、私たちはすでにそのようなビデオゲームの中にいる、とは考えられないだろうか。

そう気づいたことで、私はシミュレーション仮説について詳しく調べるようになった。そして悟った。シミュレーション仮説には、コンピューターサイエンスとビデオゲームの分野をはるかに超え、真実を探求するさまざまな道筋の核心を突く意味合いがある、と。

私たちが〈科学〉と呼ぶ営みのゴールは、現実というものの本質を理解することである。もし、本当にビデオゲームの中にいるのなら、科学とはこのゲームのルールを〈発見〉する営みだということになる。多くの著名な物理学者が、コンピューターで生成されたシミュレーション世界という考え方によって、量子物理学の中でもとりわけ奇妙ないくつかの発見を説明できると信じている、ということも知った。

科学という分野が成り立つ前、こうした真理の探究は、宗教家や哲学者の領域だった。彼ら、特に東洋の神秘主義者の考える宇宙のしくみのモデルを掘り下げれば掘り下げるほど、シミュレーション仮説が古代の教えを科学的に説明してくれていることを、私は明確に認識するようになった。

SF——シミュレーション仮説はいかにして一般に広まったか

話を少し戻そう。ビデオゲームのプレイと制作だけではなく、SFを観たり読んだりしたことも（親には観すぎ、読みすぎだと言われたが）、シミュレーション仮説をめぐる推測に私を導いてくれた。

私たちはみなシミュレートされた現実の中に住んでいる、という発想について初めて自分なりに考えたのは、『新スター・トレック』のエピソードで、作中に登場する仮想空間〈ホロデッキ〉

の中のキャラクターが、自分はシミュレーションの中にいて、まわりの人物は〈外〉の世界にいると気づいたときだった。ホロデッキはあらゆる環境をシミュレートできる超高度な部屋で、エンタープライズ号のクルーはこれを使ってあらゆる現実あるいは架空の環境を体験することができた。問題のエピソードで、クルーたちはシャーロック・ホームズ作品のミステリーのシミュレーションを実行していた。そして、自分がシミュレーションにいると気づいたキャラクターは、ホームズ作品で最も有名な敵役、モリアーティ教授だった。

この場合、〈外〉とはホロデッキの外、つまりエンタープライズ号のことである。私は考えた。自分たちもホロデッキのような空間にいて、〈外〉に別の世界が存在するなどということは、果たしてありうるのだろうか。

シミュレーション仮説との初めての出会いがテレビ番組であったことは、偶然ではない。シミュレーション仮説の概念は、少し前のSFと非常に深く結びついていて、SFに言及しないと首尾一貫した説明をするのは難しい。実際、私たちがシミュレートされた現実の中に住んでいるという発想が西欧の一般社会に初めてもたらされたのは、SFを通じてのことだった。

シミュレーション仮説を一般の人が意識するようになるうえで最大の影響を与えたのが、1999年の映画『マトリックス』だ。この映画で、キアヌ・リーブス演じるアンダーソンは、私たちとよく似た世界に住んでいるが、夜になるとネオという名前のハッカーとしてネットを渡り歩く。ある日、ネオは〈マトリックス〉への謎めいた言及を見つける。そして、ハッカーのグループに会い、自らの世界観を覆される。

いまや有名になったシーンでは、ローレンス・フィッシュバーン演じるモーフィアス（その名はギリシア神話の夢と眠りの神、モルフェウスに由来する）から、〈赤い薬〉と〈青い薬〉のどちらを飲むかの選択を迫られる。赤い薬を飲めば目を覚ますことになるが、青い薬を飲めば〈マトリックス〉という夢の世界で生き続けられるという。

赤い薬を飲んだネオは目を覚まし、現実だと思っていた世界が、実はコンピューターのシミュレーションであったことを知る。現実の世界では、すべての人間がポッドの中に住み、〈マトリックス〉に接続していた。〈マトリックス〉とはビデオゲームのような忠実度の高いシミュレーションで、登場人物たちはそこで一生を過ごしていたのだ。続編では、シミュレートされた現実が作られた目的が明らかになる。非常に高度な機械群が、人間の脳が作り出す微量の電気を利用して邪悪な目的を果たすために、シミュレーション世界を作り出して脳をその情報で占有させていた。

『マトリックス』はシミュレーション仮説を題材にしたフィクションの中でおそらく最も有名な作品だが、脚本と監督を務めたウォシャウスキー姉妹は、このアイデアを初めて提唱したSF作家とは程遠い。姉妹は、著名なSF作家、フィリップ・K・ディックの影響を受けたと公言している。〈もうひとつの現実〉を扱った多くの小説が、本人の死後になって大きな人気を博した作家だ。

ディックは1982年に逝去しているが、妻のレスリー（テッサ）とは本書の執筆中に話した。テッサは、もうひとつの現実が、映画化された作品だけではなく、ディックが著した数多くの小説に繰り返し現れるテーマだと教えてくれた。私たちの身体的現実について、あるいは人間性について、何が本当で何が嘘なのかという問いは、イマジネーションあふれるディックのさまざまな作品の中心となっている。

2011年に公開された映画の原作にもなった短編『アジャストメント』（当初の邦題は『調整班』）では、主人公のエド・フレッチャーがある日会社に遅刻し、建物全体とその中の人々が〈調整〉されているところに出くわす。調整のあいだ、あらゆるものは〈脱力化〉される。これは、〈調整班〉が建物と人に改変を加えるあいだ、すべてをその場に留め置くためのプロセスである。いわば、動画やビデオゲームでポーズボタンを押してシーンを一時停止するようなものだ。

フレッチャーの職場の人と上司を含む、調整対象の人々は、調整が完了して初めて新たな記憶を持つ。だが、フレッチャーは〈調整前〉の世界を覚えていた。本来、彼は現実のカーテンの向こうを覗くはずではなかった。すでに会社に着いていて、他の人と一緒に調整されているはずだったからである。

こうした、現実のカーテンの向こう、偽の記憶、別の時間軸といった概念は、フィリップ・K・ディック作品の顕著な特徴となっている。栄誉あるヒューゴー賞に輝き、アマゾンのテレビドラマシリーズにもなった『高い城の男』は、枢軸国のドイツと日本が第2次世界大戦に勝利した時間軸を描いている。両国はいま、米国を分割統治している。登場人物のひとりが〈別の現実〉を認識することによってはじめて、連合国が勝利した〈もうひとつの世界〉を見いだすことができた。つまり、今の私たちの世界である。

ディックの物語の中には、人工知能や偽の記憶がもっと直接に扱われているものもある。どちらも、シミュレーション仮説で重要な役割を果たす概念だ。名作映画『ブレードランナー』(ハリソン・フォード主演、リドリー・スコット監督)の元となった『アンドロイドは電気羊の夢を見るか』では、人間らしい外観を備え、行動をとる人造ロボットに埋め込まれた偽の記憶という概念が登場する。アンドロイドたちは、自分たちが人造人間であることすら知らない場合もある。この作品は、人間であるとはどういうことか、シミュレートされた生物やつくられた意識とどう違うのかという点について、重大な問題をつきつける。これは、本書で追求するテーマでもある。

テッサは小説よりもさらに踏み込んだ話をしてくれた。いわく、ディックは実生活で、私たちがみな何らかのシミュレーションの中にいるのだと確信するに至る、さまざまな体験をしたのだという。シミュレーションの変数を変え、私たちの時間軸を改変することのできる存在あるいは人間がいる、とディックは主張していた。小説の登場人物のように、〈調整前〉の時間軸の一部を覚えているとさえ言っていたという。

ディックの読者なら、このテーマにはなじみがあるだろう。ディックは、1977年にフランスのメッツで行われたSFコンベンションの、いまや有名になったスピーチで、この見解を述べた。いわく、私たちはコンピューターによって生成された現実の中にいる。その現実は、〈ポーズ〉〈バックアップ〉して変数を修正してから、再開して前に進めることができる。そして、これらの〈修正された変数〉が、私たちがシミュレーションにいることを知覚できる唯一の方法だ、というのである。

量子物理学と、〈客観的現実〉の概念

ディックの時代からビデオゲームやコンピューターがめざましい進歩を遂げたことを考えると、私たちがみなシミュレーションの中に住んでいると信じているのは、おそらくSF作家だけではないだろう。多くの名だたる学者や物理学者が、人類は高度なシミュレーションに住んでいるのだという信念を口にしている。高名な物理学者で『ホーキング、宇宙を語る』の著者でもあるスティーブン・ホーキングは、私たちがシミュレーション現実の中にいる確率を50パーセントと推測した。そのように考える著名な物理学者は他にもいる。テレビ番組『コスモス』の新シリーズでホストを務めるニール・ドグラース・タイソンは、この宇宙がシミュレーションである可能性はかなり高いと述べている。こうした科学者の主張は実に興味深く、そのおかげで私は、量子物理学がシミュレーション仮説についてどのようなことを明らかにしてくれる可能性があるかを探求するようになった。

この分野を掘り下げていくうちに学んだのは、量子物理学は私たちがある種のシミュレーション現実の中にいるという重要なヒントを与えてくれているということだ。量子物理学の基礎となるのは、宇宙は連続しているのではなく、〈量子〉つまり不連続の値として存在するという考え方である。電子など、原子より小さい粒子には、ひとつの状態から別の状態へ飛び、そのあいだの値はとらないように見えるものがある。この現象を〈量子跳躍〉と呼ぶ。コンピューターシミ

ユレーションも量子跳躍的である。不連続の値に基づくからだ。

量子物理学が提唱するとりわけ有名でやっかいな考え方に、私たちは物理的な世界ではなく、確率の世界に住んでいる可能性がある、というものがある。原子より小さい粒子は、確率の波――量子確率の波と呼ばれる――が収縮して単一の現実になるまで、確率の波として存在する、というのだ。この波は、複数の座席を備えた映画館に例えることができるだろう。〈波〉は、あなた（粒子）がどの席に座っているかという確率を表す。

確率の波がどのようにして収縮する（値が複数の候補からひとつに決まる）かについて量子物理学者が提唱した最善の説明は、観測という行動を通じた〈意識〉が中心的な役割を果たす、というものである。実際、理論物理学者のフレッド・アラン・ウルフなどは、確率の波の収縮には意識の役割が不可欠だと考えている。観測こそが宇宙の座席案内係として、特定の席に案内してくれる役割を果たすのだという。

これは衝撃的だ。一般的に、フランスの哲学者、数学者、科学者であるルネ・デカルトの時代から、科学は唯物論的な世界観を支持してきた。その世界観によれば、物理的現実と意識はまったく無関係であり、相互に作用することはない。観測者と独立した観測対象の宇宙という考えは、量子物理学には存在しない。量子物理学は、客観と主観という概念そのものを打ち壊すだけでなく、多くの物理学者が釈然としていなかった認識のドアを開ける。やはり、私たちは〈客観的な〉現実に生きているわけではないのかもしれない。実際、私たちの意識は現実との相互作用が大きすぎる。もしかしたら、私たちは作用しあうたくさんの主観的現実の中に住んでいるかもしれないのだ。

〈量子不確定性〉と呼ばれるこの現象は、物理学、そしてあらゆる科学における最大の謎のひとつで、現実というものの本質について、いくつかの重大な疑問を提起する。さらに大きな謎は〈量子もつれ〉だ。これは、2つの粒子が時間と空間を超えてつながっている可能性があるという考え方で、正確な理由は誰もわかっていない。

こうした疑問のいくつかは、ビデオゲームについて私が生まれてからずっと考えていたことと、驚くほど似通っている。こうした〈起こりうる現実〉は実際に存在しているのだろうか。それとも、それらは〈起こりうる確率〉にすぎないのか。共有された現実が実際に存在しているのか、それともばらばらの観測デバイス上に生成されているだけなのか。誰も見ていないときにも〈客観的な世界〉が実際に存在しているのか、それとも、誰かが見ているとき、つまり「ログインしている」ときだけ存在するようになるのか。

そしてもちろん、最大の疑問は、選択（あるいは観測）を行うことで、確率の波がひとつの時間軸あるいは可能性に収束するような〈確率の世界〉に私たちがいるのはなぜなのか、ということだ。

この最後の疑問をある程度深く調べていくうちに、○×ゲームやもっと高度なビデオゲームのアルゴリズムをめぐる自分の経験を思い出した。ビデオゲームデザイナーは、ゲームの中で起こりうる複数の〈未来〉をマッピングする必要がある。ゲームにおけるシンプルなＡＩの多くは、〈ありうる未来〉として多くの手（動き）をシミュレートして、それらに基づいて〈最善手〉を選ぶ。

この〈ありうる未来〉は、確率の波の発想に似ている。実際、確率の分野そのものが、もとはといえばゲームに行きつく。かつて、確率という言葉が生まれる前、ダイス（サイコロ）を振った結果は〈ありうる未来〉であると考えられていた。1個の6面ダイスには6種類の未来が考えられ、（重心に偏りがないとすると）それぞれの出現確率は等しい。2個の6面ダイスには、6×6＝36種類の未来が考えられる。こうして、ゲームの中で〈ありうる未来〉について論じるための新しい方法として、統計が生まれた。

量子物理学では、確率の波が収縮してひとつの未来に収束する現象は、意識的な観測または測定に基づいて起こっているように見える。ビデオゲームでは、プレイヤーがたどる道は、自分のコンピューター（自身の〈意識の機械〉であるとも考えられる）の上で意識的に行う選択と、その選択がもたらす描写によって変わってくる。

さらにビデオゲームでは、世界のうち、そのプレイヤーに関係のある一部のみが、プレイヤーのログイン中の選択に基づいて描写される。〈描写の共有〉はない。描写は各々のコンピューターで行われるからである。そうすると、まわりの世界を観測した結果に基づいて、私たちそれぞれがわずかに異なる現実を経験しているのかもしれない、という考えが浮かぶ。

さらに大きな疑問が2つある。量子ゆらぎはなぜ存在し、具体的にどうやって実装されているのか。またもや、ビデオゲームが答えを与えてくれているかもしれない。そう、情報の圧縮だ。

シミュレーション仮説は、特にこの世界がビデオゲームだと考える場合に、ビデオゲームにおいてコンピューターシステムが情報を処理し、描写する方法について考察することにより、量子不確定性と量子もつれの両方に新たな視点を与えてくれる。

アインシュタインは量子物理学の業績以外に相対性についても論じているが、この相対性もまた、異なる場所で起こっているできごとに同時性はないことを教えてくれる。これもまた、超高速で接続されているコンピューターネットワークを思い起こさせる。プレイヤーはそれぞれの慣性座標系で動いていて、コンピューターは最善を尽くして同時性と順序の両方を満たすような〈錯覚〉を作り出す。

相対性や量子物理学にまつわる発見には、純粋に唯物的な世界観、つまり、私たちは変えることのできない物理的宇宙に住んでいるという世界観では説明のつかないものが多くある。むしろ、情報から構成された物理的宇宙に住んでいると考えたほうがしっくりくる。

ＭＩＴにいたころ、次のようなことを教わった。科学の大部分は、世界のしくみに関するモデルを考案することである。そして、より優れたモデルが見つかった場合、そのモデルはこれまでのモデルでは説明できないように思えた部分を説明してくれる、と。

たとえば、ニュートンの古典物理学は、従来のモデルよりもうまく世界を説明していた。それからアインシュタインが相対性理論を提唱した。このモデルは、光と高速移動についてニュートンのモデルよりも優れた説明をしてくれた。同様に、量子物理学でミクロの世界を表すための確率モデルも、ボーアによる従来の〈惑星モデル〉より観測結果をうまく説明していた。これらのアイデアはすべて、当初は科学界の主流派から疑いの目で見られていたが、より優れたモデルだったので現代科学に受け入れられている。

シミュレーション仮説と、それによって記述される世界のモデル、つまり人工的につくられた世界の中でキャラクターが活動する高度なマルチプレイヤービデオゲームというモデルは、物理学者が問うのを恐れる大きな問いに答えを与えてくれる可能性がある。つまり、世界のしくみはどうなっているのか、なぜそのように機能するのか、というものだ。

東洋の神秘主義、西洋の死後の世界

起業家兼テクノロジストとして量子物理学とシミュレーション現実のあいだのつながりを探求するのと同時並行的に、私は意識のさまざまな状態を探求する道もたどりはじめた。

まず、瞑想のようなシンプルなテクニックから取りかかった。そのおかげで、プログラマーとしての集中力を高め、スタートアップ創業者としてもより大きく成功することができた。やがて、ヨガや仏教思想をはじめとする古代東洋の伝統を詳しく調べるようになり、科学によって認められているよりも多くの現象が私たちの物理的世界で起こっていると確信するに至った。こうした体験の一部は、私の初めての著書『Zen Entrepreneurship』（未邦訳）に記している。

古代の仏教やヒンドゥー教の経典や哲学の研究を進めるうち、これらは唯物論的世界観と比較して、はるかにシミュレーション仮説との相性が良いことに気づいた。東洋の伝統は、私たちを取り巻く世界が〈本物の世界ではない〉という発想の上に構築されている。実際、東洋人は、この世界を、人間が選択を積み重ねながら、意識の中で作り上げているものだと信じている。私たちは、ビデオゲームにはまった人のようにこの世界に深く入り込んでしまっているので、この〈マーヤー〉の世界、幻の世界で迷子になっているのだ。

多くの西洋人は〈カルマ（業）〉を、因果応報の法則くらいに思っているが、実際には見かけよりもずっと複雑で、それでいて一定の法則に基づいている。実のところ、カルマは私たちが行う必要のあるタスクと結果のリストとしてモデル化できる。私たちが何かを行うと、新しい〈タスク〉が、この物質的世界の外に保存された仮想の目録に掲載される。将来的に生まれ変わるとき、これまで積んできたカルマのうち、新たな人生において取り組みたいことを選ぶことができる。仏陀の終わりなき〈輪廻転生〉は、生まれ変わりの目的を私たちに教えてくれる。私たちが何度も生まれ変わるのは、現在と過去の人生で定義した〈ミッション〉を達成するためなのだ。

私のようなビデオゲームデザイナーの目から見ると、カルマと輪廻転生という一対の概念は、複数の残機《ライフ》があり、課題《クエスト》が継続的に与えられ、達成項目《アチーブメント》が記録されるゲームによく似ている。ひとつのタスク、あるいはクエストを達成すると、新たなクエストが加わる。これは、仏教において新たなカルマが作られるプロセスにかなり似ている。考えるに、高度なビデオゲームのアーキテクチャをいくつもの人生《ライフ》にわたって過ごすことは、仏陀の終わりなき輪廻転生の思想に重なる。

さらに、仏教で悟りを開くためのあまたの手法は、私たちを取り巻く世界が幻であると認識することである。チベットに〈夢ヨガ〉という手法があり、修行者は自分を取り巻く世界を一種の夢と認識するように訓練する。これは、明晰夢を見るという、より現代的な手法の習得に近い。修行者は、眠っているあいだに、今見ている映像は現実ではなく夢にすぎないと認識することを学ぶ。現実のような夢を見ているとき、体はベッドで横になって眠っている。夢ヨガの目的は、現実世界という幻の外、全員で見ている夢の外に、自分の一部が別にあるのではないかと問うことである。

世界が夢であるという隠喩は、シミュレーション仮説の発想と絡み合っている。毎晩見る夢は、基本的に小型のシミュレーション仮説のようなものなのだ。

私たちがシミュレーションの中に住んでいるという考え方を裏付けるのは、東洋の宗教的あいは霊的な伝統だけではない。西洋の、いわゆるアブラハムの宗教（ユダヤ教、キリスト教、イスラム教）では、はっきり記してこそいないものの、シミュレートされた現実に生きる私たちを〈超越者〉が見守っているということが暗示されている。これらの宗教にも、それぞれ因果応報のような考え方があり、さらに、私たちの選択は見守られ、行動は記録されていると考えられている。死後の世界に入ると、神は行動の記録を用いて審査する。

では、行動を記録しているのは誰なのだろうか。宗教によっては、こうした超越者は〈天使〉であるということになっている。しかし、自動的に行動を監視、記録し、後で再生してくれるAIのようにも思える。

現代のビデオゲームには、プレイ中の動きを記録し、後で確認できる機能がある。さらに、ゲーム後に行動を〈リプレイ〉するという発想は、臨死体験をした人々による死後の世界の説明や、コーランや聖書の記述とも、かなり似通っている。死の間際には、ライフレビュー（人生回顧）といって、若いころのことを次々思い出す体験があるという。コーランには、自分の行状が記された帳簿が存在するということがかなり詳しく書かれている。そして、聖書には、天国に入る人の名簿である〈いのちの書〉が存在する。

これらすべての霊的な考え方――夢のような幻の世界、カルマ、生まれ変わり、仏陀の終わりなき輪廻転生、天使、永遠の死後の世界などなど――は、他のどんな科学的思考の枠組みよりも、シミュレーション仮説のモデルにフィットする。こうした伝統は、私たちがシミュレートされた現実の中に住んでいると語っているかのように思える。ただ、つい最近まで、自らこのような結論を導くだけのテクノロジーの教養がなかっただけなのだ。

シミュレートされた現実の外に住んでいる生命体は、少なくともシミュレーション内部の住人からは、超自然的な生命体、天使、さらには神のように思える。

仮想現実、人工知能、シミュレートされた意識

シミュレーション仮説は、量子物理学と、東洋と西洋の神秘的伝統に妥当な説明を加えるが、まず何よりも計算に関する仮説である。ビデオゲームは、コンピューターグラフィックスなしでは成り立たない。この比較的新しい科学分野の発展によって、シミュレーション仮説がＳＦの世界を抜け出て、真剣に検討されるようになったのだ。

コンピューターサイエンスにおいては、ビデオゲームとエンターテインメントはハードウェアとソフトウェアの発展を促す独特の役割を果たした。たとえば、レンダリングの最適化を実現するGPU（グラフィックス・プロセッシング・ユニット、画像処理に特化した半導体）、CGI（コンピューター・ジェネレーテッド・イメジェリー、CGによる映像技術）、CAD（コンピューター支援設計）、そして人工知能やバイオインフォマティクスなどの発達が挙げられる。

完全没入型のエンターテインメントテクノロジーを具体化した最新のテクノロジーが、VRである。私は長年にわたってシミュレーション仮説について思案してきたが、VRとAIが現状の洗練度に達して初めて、『マトリックス』に描かれているような、すべてを包含したシミュレーションを開発する可能性について、明確な道筋が見えるようになった。それが本書を著すに至った理由である。

2016年には、VRゴーグルとモーションコントローラーを装備して、VR卓球ゲームをプレイする機会に恵まれた。このゲームの物理エンジンと応答はあまりに真に迫っていたので、私はVRを設定した部屋に立っているだけなのを忘れ、頭の片隅で本当に卓球をやっている気がしてきた。

ゲームが終わると、ふと何も考えずに〈ラケット〉を〈卓球台〉に置いて、仮想の卓球台に寄り掛かろうとした。もちろん、卓球台もラケットもなかったので、コントローラーが床に落ちただけだった。あやうく自分も転ぶところだったが、寄り掛かるものがないことにギリギリで気づいた。

ここで『マトリックス』の有名なシーンを思い出した。ネオが、シミュレーションの中にいる人間がどうやったらスプーンのような物体を曲げられるのか考えるところだ。実は、スプーンもシミュレーションの一部であり、ピクセルの集合にすぎなかった。ネオは言われる、「スプーンはないんだ」。私の場合、卓球台もラケットも「なかった」わけだ。

コンピューターサイエンスの進歩により、非常に高度なシミュレーションというアイデアが現実味を増してくると、私たち自身に関する興味深い（そして悩ましい）問いが持ち上がってくる。たとえば、グーグルのレイ・カーツワイルのようなフューチャリストは、いつの日か自分の意識をシリコンベースのデバイスにダウンロードし、永遠の命を得られる日が来るかもしれないと示唆している。このことはある意味、私たちがデジタル情報にすぎないのだと示している。

デジタルな意識がありうるという考え方によって、シミュレーション仮説の中でもおそらく最も悩ましい側面のひとつが明らかになる。もし私たちが、何らかの〈基底現実〉にいる現実の生命体によって創られたシミュレーションの中にいるのなら、そのようなシミュレーションが多数存在する可能性がある。シミュレーションとしてのビデオゲームにNPC（ノンプレイヤーキャラクター、プレイヤー以外のキャラクター）がいるように、もしシミュレーションの中にいるのなら、私たち自身が現実の生命体ではなく、人造の意識だったりはしないだろうか。

自分がデジタルの意識体であり、記憶すらも嘘かもしれないと考えていると、フィリップ・K・ディックの問いに引き戻される。現実とは何か。本物の人間であることは、偽物の人間であることに対してどういう意味があるのか。

私たちがデジタルの意識、そして人間らしいAI（第3章で説明するチューリングテストに合格するようなAI）に近づくほど、私たちがシミュレーションの中にいる可能性は高くなる。これは、私たちすべてがシミュレートされた生命体であるという意味ではない。実際、私が本書でビデオゲームのメタファー（たとえ）を用いている理由のひとつは、PC（プレイヤーキャラクター、本物のプレイヤーが操作するキャラクター）とNPC――シミュレートされたキャラクターを区別できるようにするためだ。

シミュレーション、計算、カオス

デジタルテクノロジーと計算の進歩は、他のあらゆる科学の理解に影響を与えた。かつて、数学は宇宙に関するあらゆる問いに答えを出せると考えられていた。ある時間に惑星がどこにあるか、天気がこれからどうなるか、といったあらゆる疑問には、方程式に値を代入しさえすれば、答えが求められると思われていた。

1960年代から1970年代にかけて、〈カオス理論〉という科学の新たな理論が登場した。これは、方程式だけでは結果の予測に不十分で、入力や変数のわずかな違いが、複雑な自然現象の結果に大きな違いをもたらすという認識から生まれた。こうした自然現象には、惑星や恒星の運行、複雑な天候予測、動物の個体数の変化、そして多くの生物学的プロセスが含まれる。

数式処理システム〈マセマティカ〉の考案者であるスティーブン・ウルフラムは、これらをはじめとする多くの実生活上の問いは、計算的に既約である（より単純な形で記述できない）と指摘した。つまり、ある惑星の位置を割り出したり、粒子が乱流の中でどう動くかを計算したり、生物学的集団が数年後にどうなるかを予測したりするには、多くの異なるステップからなるコンピュータープログラムを実行しなければならない。実際、多くの自然現象、たとえば海岸線のジグザクや、動脈や葉脈の樹形構造などは、フラクタル幾何学に従う。

カオス理論では、パラメーターをわずかに変更したことによる正確な結果は、計算やシミュレーションを行わなければわからないとしている。このような、初期状態によって最終結果に大きく出る性質（初期値鋭敏性）を、俗にバタフライ効果という。蝶が羽ばたくと、その一見小さな動きが、世界のどこかでトルネードやハリケーンを起こすなど大きな影響を与えるという考え方だ。

フラクタルや、自然界のカオス過程への深い理解は、さまざまなフラクタル方程式のシミュレーションをコンピューターで実行できるようになってはじめて可能になった。コンピューターシミュレーションは、この新しい科学の根本だともいえる。

シミュレーションを実行するたびに、判断を行う必要があり、それらの判断がシミュレーションの結果に影響を与える。カオス理論によって、直感に反するあることが発見された。それは、一見ランダムな判断が含まれるプロセスであっても、最終的には似たような複雑さのパターンに従うということだ。

これは、フィリップ・K・ディックのビジョンによく似ている。時と場合によってはコンピューターシミュレーションを「巻き戻し」て再実行し、別の変数を代入して確認しなければ、最終的な結果は正確にわからないというものだ。

もし、意識のある個体（ビデオゲームに例えるとプレイヤー）が判断を行っているとすれば、問題となっているシミュレーションは、自然界のカオス過程の決定論的手法よりもはるかに複雑なのかもしれない。このビデオゲームのプレイヤーに自由意志のようなものがあるなら、とりうる入力値によって大幅に異なる結果が生じる場合がある。シミュレーションの結果を知るには、実行するしかない。私たちの世界は、計算的に既約なのかもしれないのだ。

ウルフラムらは、計算はこの物理的な世界の一部であり、その他すべての生物学的、化学的、物理的プロセスに組み込まれているのだと主張する。この、計算と情報科学の普遍性という発見によって、私たちが一種のコンピューターシミュレーションの中にいる可能性はさらに高まる。そして、次のような問いが生まれる――このシミュレーションは何のためにあるのだろう？

グレート・シミュレーション――私たちみんなが住むビデオゲーム

物心づいてからずっと、こうした問いに対する答えを追求し、コンピューターサイエンス、ビデオゲーム、そして霊的な伝統を掘り下げていくうちに、私は人類が巨大なビデオゲームの中で生きていると信じるようになった。

このビデオゲームを私は〈グレート・シミュレーション〉と呼んでいる。仮想現実が物理的な現実と区別がつかないように思えるからだ。

もしそんなシミュレーションの中に住んでいるのなら、それは人類がこれまでに創った、さらには想像したどんなビデオゲームよりも高度なものに違いない。おそらく、MMORPGの要素を、私たちがまだ完全にわかっていない技術的基盤と、現実あるいはシミュレートされた意識の側面の上に構築されたVRあるいはAR（拡張現実）の要素と組み合わせているのだろう。

本書では、全体を通じて、ビデオゲームとコンピューターサイエンスの進化、物理学者がこの世界について発見した説明不可能な数々の謎、そして東洋の神秘的な伝統、さらには西洋の宗教など、この章で紹介してきたさまざまな概念をさらに掘り下げる。考察を進めながら、科学、宗教、SFなどを引用しつつ、それらすべてが、私たちがグレート・シミュレーションに住んでいると示唆していることを論じたい。

まず、グレート・シミュレーションのようなしくみの開発に必要なテクノロジーを創り出すためにコンピューターサイエンスが発展しうる道筋を検討することから取りかかる。〈マトリックス〉のようなものを作るために必要なテクノロジー能力を育んだ社会は、私が〈シミュレーション・ポイント〉と呼ぶ重要なポイントに到達している。本書のパート1では、現在の立ち位置からシミュレーション・ポイントに到達しうる方法について詳しく論じる。要するに、私たち自身の〈マトリックス〉である〈グレート・シミュレーション〉を構築する方法のロードマップだ。

シミュレーション仮説
——説明不可能なものを、情報を用いて説明する

コンピューターサイエンス、シミュレーションテクノロジー、そしてＡＩの進歩は、生物学的アルゴリズム、遺伝子マッピング、フラクタルアルゴリズムなどあらゆるところで、計算と自然界の関連性を示している。実際、本書の後半で説明する量子コンピューターの発達によって、自然界の粒子でさえも、実在する物体というより情報のように感じられるようになってきた。

本書全体を通じて、科学が説明できていない次のような不可解な現象の多くを、シミュレーション仮説が従来よりうまく説明することを見ていく。

量子不確定性は、なぜ、どのように存在するのか？

死んだ後、意識はどうなるのか？　意識は転送できるか？

時間と空間はどのように関連しているか？　量子化されているのか？

光と電磁現象は、物理学の中でなぜこれほど重要な役割を果たしているのか？

天使など、人間ではない知的生命が存在しているのなら、それはどこにいるのか？

さらにシミュレーション仮説は、心霊現象からＵＦＯ、シンクロニシティまで、科学者が首をひねってきた現象さえ説明できるかもしれない。

最も重要な試みとして、本書ではビデオゲームをメタファーと未来へのロードマップの両方に

用いて、この世界を理解するためのもうひとつの視点を提供しようと思う。

この視点で言うと、シミュレーション仮説を論じるうえで最も重要な側面は、科学ではないのかもしれない。

世界を物理的なものではなく（そして、物理学者たちもそうではないと認めていることをこの後、見ていく）、情報および計算として扱うことで、これまで科学者も、哲学者も、宗教指導者も与えてくれなかった自然界への包括的な理解に至れるかもしれないのだ。

パート I

マトリックスの作り方

――コンピューターサイエンス

ゲームをプレイする機械の設計は一見、まじめな学術研究よりは楽しい気晴らしのように思えるかもしれない。実際、あまたの科学者が、アマチュアか本職かを問わず、この魅惑的な対象を趣味にしている。しかし、こうした取り組みには、まじめな面と明確な目的がある[1]……

――クロード・シャノン

コンピューター技術の基礎を作り上げた、情報理論の父

コンピューターサイエンスは、通常の状態をあべこべにする。通常の科学では、与えられた世界からルールを見つけ出すのが科学者の仕事である。コンピューターサイエンスでは、科学者がコンピューターにルールを与え、コンピューターが世界を創る。[2]

――アラン・ケイ

パソコンの父と言われる科学者。
アップル、アタリ、およびMITに所属

第1章

ステージ0〜3
——『ポン』からMMORPGまで

40年前には、『ポン』があった。2個の長方形と1個の点。それが私たちのいた段階だった。40年が経った今、数百万人が同時にプレイするフォトリアルな3Dシミュレーションがあり、しかも毎年のように良くなっていく。VR（仮想現実）やAR（拡張現実）を楽しめるようになる日も近い。進歩にペースというものがあるとするなら、いずれゲームは現実と区別がつかなくなるだろう。

——イーロン・マスク、2016年コード・カンファレンスにて(3)

コンピューティングの黎明期ではなく、この21世紀前半になって、実に多くの科学者や哲学者やテクノロジストがシミュレーション仮説を以前よりまじめに捉えるようになった主な理由のひとつは、ビデオゲームとグラフィックスの高度化と急速な進歩にある。

2016年のコード・カンファレンスにおけるスピーチで、テスラ社とスペースX社を創業したイーロン・マスクは、40年あまり昔に『ポン』が生まれて以来、ビデオゲームテクノロジーがどれほど進化したかについて振り返った。ビデオゲームテクノロジーがこのまま急速な進歩を続ければ、いつの日か人類は現実世界と区別のつかないハイパーリアルなシミュレーションを必然的に創り出せるようになるだろう、と推測した。そして、テクノロジーが過去と同様に発展していくと仮定すれば、現在の私たちがシミュレーションの中にいない可能性は「数十億分の1だろう」と結論づけた。

オックスフォード大学のニック・ボストロムは、「シミュレーション議論」を社会に広めた2003年の論文で、このようなハイパーリアルなシミュレーションを構築できる種を「ポストヒューマン」と呼んだ。私は、そのような文明は「シミュレーション・ポイント」を通過した、と表現するのが気に入っている。

シミュレーション・ポイントとは「文明の技術的発展が進み、ハイパーリアルなシミュレーションを創り出す能力が備わった時点」だということになるだろう。これを実現するためには、一見独立した多数の意識を追跡し、それらの経験をすべて記録し、私たちが〈現実世界〉と呼ぶこの物理的世界と区別がつかないくらいの精度で環境をレンダリング（描写）するための演算能力を備える必要がある。この理論上の時点では、共有された世界に〈プレイヤー〉達の意識を送り込む機能やプレイヤーの応答を記録する機能も完成し、さらに世界の中の個々の生命をシミュレートできる人工知能もできているはずだ（これはゲームのNPC――ノンプレイヤーキャラクターに例えられる）。

シミュレーション・ポイントへの道のり

パートIでは、人類が『マトリックス』に登場するような包括的シミュレーションを構築することが技術的に可能かどうか、可能ならどのようにして実現するのかという問いを検討する。まず、1960年代や1970年代の黎明期から、現代の高度なMMORPGに至るまでのビデオゲームテクノロジーの歴史を振り返る。それから未来に目を向け、VR、AR、直接マインドブロードキャスト（脳への情報配信）、AI（人工知能）、ダウンロード可能な意識などの重要なテクノロジーについて予測する。これを「シミュレーション・ポイントへの道のりを歩む」と呼び、結論として最終的なグレート・シミュレーションの姿をじっくり考える。この道のりを歩むことで、私がゲームの世界とその存在について物心づいてからずっと抱いていた疑問のいくつかは、テクノロジーの進化から自然に生じるものだとわかっていただけるだろう。

このパートの終わりまでには、テクノロジーがこれまでの軌道に沿って進歩を続けると仮定した場合に、シミュレーション仮説を単に可能にするだけではなく、十分に実現するための具体的なステップが見えてくる。最後に、ボストロムのシミュレーション議論を検討し、シミュレーション・ポイントに到達する文明が存在することの意味を考え、パートIを締めくくる。

現代におけるビデオゲームテクノロジーのステージ

『マトリックス』に登場するような完全没入型のシミュレーションの生成から、私たちはどのくらい隔たっているのだろうか。

シミュレーション・ポイントからどのくらい隔たっているかを正確に知ることはできないが、ビデオゲームテクノロジーの発達の歴史を、ステージ（段階——かつてのゲーム用語では〈面〉）に分けて振り返ることはできる。そのうえで、これまでの進歩をもとに、シミュレーション・ポイントに到達するまでの未来のステージを予測する。

初期のビデオゲームから現代までのレンダリングテクノロジーの高度化について考えると、1人用ビデオゲームの時代から現代の超高度なオンラインマルチプレイヤー3Dゲームの時代までを、ステージ0からステージ3までの4つのステージに分類することができる。

この分類を行いながら、現在のビデオゲームが、シミュレーション・ポイントに到達するために今後たどる各ステージの基礎的なインフラとなる多くの可能性を明らかにする。シミュレーション・ポイントに到達すれば、意識を持つエージェント（主体）を数百万個、あるいは数十億個格納し、各エージェント向けのストーリーとクエストを完備した、完全にフォトリアルな仮想シミュレーションを実現できるだろう。

レンダリングテクノロジーは重要だが、これらのステージにおけるもうひとつの重要な要素は、操作系、つまりプレイヤーがシミュレーションに入力する方法の高度化だ。これには、キーボード、ジョイスティック、特殊コントローラー、触覚技術（タッチセンサーなど）、音声による有効化、そして将来的にはブレイン・マシン・インターフェイス【訳注：脳波など、脳の情報を使って機械を動かす技術】やダウンロード可能な意識などが挙げられる。

ステージ0：テキストアドベンチャーと〈ゲームの世界〉（1970年代〜1980年代中盤）

ビデオゲームの初期の歴史に目を向けると、ステージ0（1人用テキストアドベンチャー）は、ステージ1（シンプルなグラフィックアーケードゲーム）と並行して発展している。ただし、両者の性質と技術的土台は異なるため、ここではステージを2つに分けた。どちらも、シミュレーション・ポイントに至るための道のりにおいて、性質は異なるがそれぞれ必要な段階である。

世界初のテキストアドベンチャーゲームは、ウィル・クラウザーが〈PDP－10〉というコンピューター上で開発した『コロッサル・ケーブ・アドベンチャー』である。このゲームのインターフェイスを図1に示す。これは、クラウザーが長い時間を過ごして探検したケンタッキー州のマンモス・ケーブを一部ベースにしている。

スタンフォード大学のドン・ウッズなど数多くのプログラマーが、クラウザーのオリジナル版コードをさまざまなコンピューターシステムに移植した。その際にファンタジー的な要素がいろ

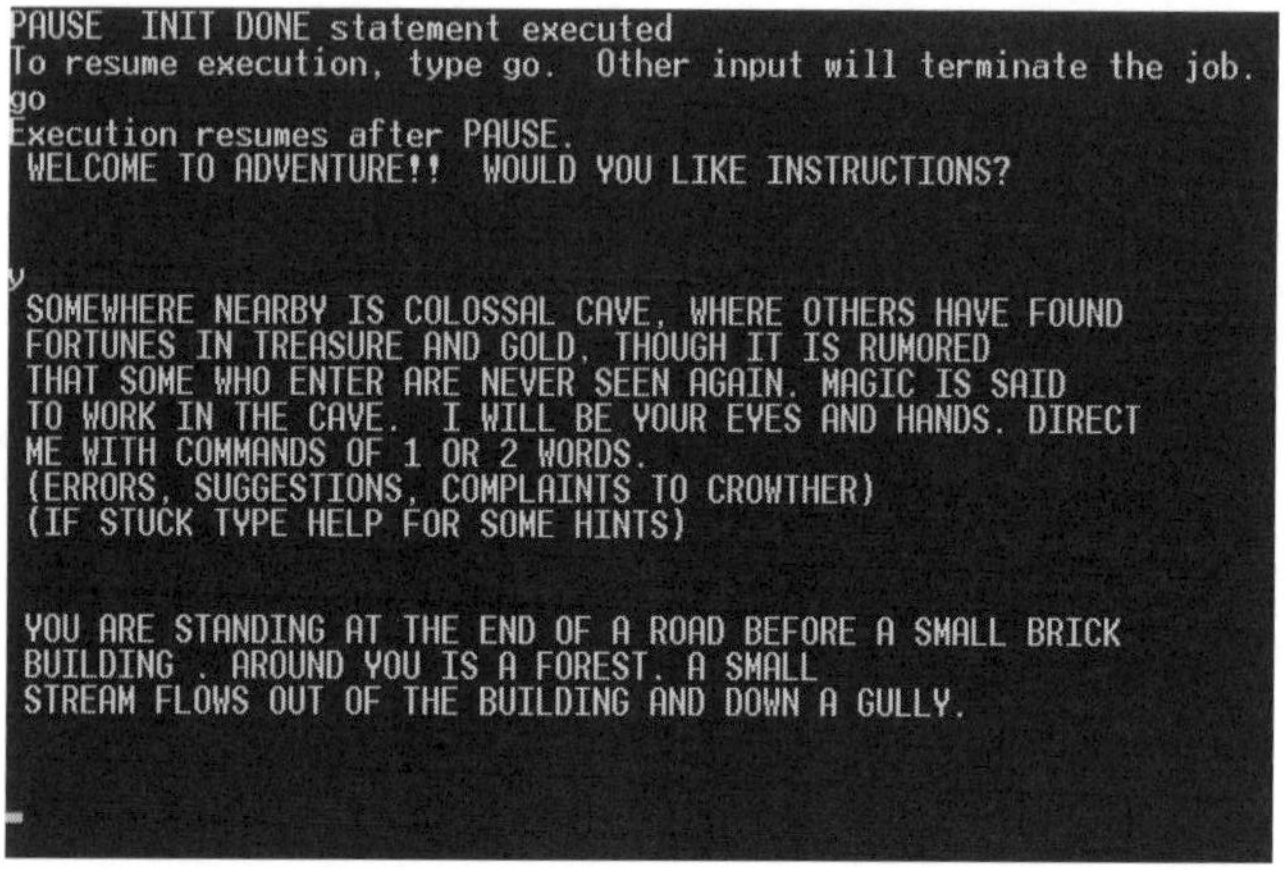
PAUSE INIT DONE statement executed
To resume execution, type go. Other input will terminate the job.
go
Execution resumes after PAUSE.
WELCOME TO ADVENTURE!! WOULD YOU LIKE INSTRUCTIONS?
y
SOMEWHERE NEARBY IS COLOSSAL CAVE, WHERE OTHERS HAVE FOUND
FORTUNES IN TREASURE AND GOLD, THOUGH IT IS RUMORED
THAT SOME WHO ENTER ARE NEVER SEEN AGAIN. MAGIC IS SAID
TO WORK IN THE CAVE. I WILL BE YOUR EYES AND HANDS. DIRECT
ME WITH COMMANDS OF 1 OR 2 WORDS.
(ERRORS, SUGGESTIONS, COMPLAINTS TO CROWTHER)
(IF STUCK TYPE HELP FOR SOME HINTS)
YOU ARE STANDING AT THE END OF A ROAD BEFORE A SMALL BRICK
BUILDING . AROUND YOU IS A FOREST. A SMALL
STREAM FLOWS OUT OF THE BUILDING AND DOWN A GULLY.

図１：テキストアドベンチャーのインターフェイス（図はオリジナル版の『コロッサル・ケーブ・アドベンチャー』）

いろ追加されたことで、このゲームはその後登場した多くのアドベンチャーゲームの先駆者となった。

テキストアドベンチャーゲームでは、プレイヤーが今いる部屋や場所のようすが文字で説明され、プレイヤーはコマンドを入力する。コマンドは移動（北へ移動、南へ移動など）や、オブジェクトの取り扱い（ナイフを拾う、お金を落とすなど）に関連する。入力を受け付けたプログラムは、行動の結果として何が起こったかを出力する。

この基本的な〈ゲームループ〉は、現代の高度なグラフィックゲームにも存在するが、次のステップに分割することができる。

1. コンピューターが、ゲームの世界とプレイヤーキャラクターの現在の状態を提示する。
2. プレイヤーがコマンドを発する。
3. プログラムが、コマンドとその他の要素に基づいて、ゲームの状態を変更する。
4．繰り返す。

略して『アドベンチャー』と呼ばれることも多い『コロッサル・ケーブ・アドベンチャー』は、冒険やファンタジーをテーマにしたその後の多くのゲームに影響を与えた。『ダンジョンズ&ドラゴンズ（D&D）』のような、コンピューターを使わないゲームも影響を受けている。D&Dでは、ゲームの進行を取り仕切るDM（ダンジョンマスター）という特殊なプレイヤーが、世界の状態と、その中における一般プレイヤーの状況を説明する。各プレイヤーはDMに、そのターンにおける自分のキャラクターの行動（移動、攻撃など）を伝える。DMは、ダイスの出目とマスター用のアドベンチャーマップの組み合わせから、プレイヤーが演じるキャラクターに起こることを説明する。これは、先ほど紹介した基本ゲームループにきわめて近い。ただし、ビデオゲームではコンピューターがDMの役割を務め、ゲーム世界の状態を絶えず更新する。

この〈ゲームの状態〉は、初期のテキストゲームではゲームの実行中にしか維持されていなかった。ゲームを終了したら、状態はリセットされた。テキストゲームがPCで遊べるようになると、ゲームの状態をディスク（初期はフロッピーディスク、その後はハードディスク）にセーブ（保存）し、その時点からまた遊べるようになった。

1980年代初頭には、MIT卒業生のグループがインフォコム社を創業し、IBM製とアップル製のコンピューターの両方で大人気を博したテキストゲーム、『ゾークⅠ』と『ゾークⅡ』

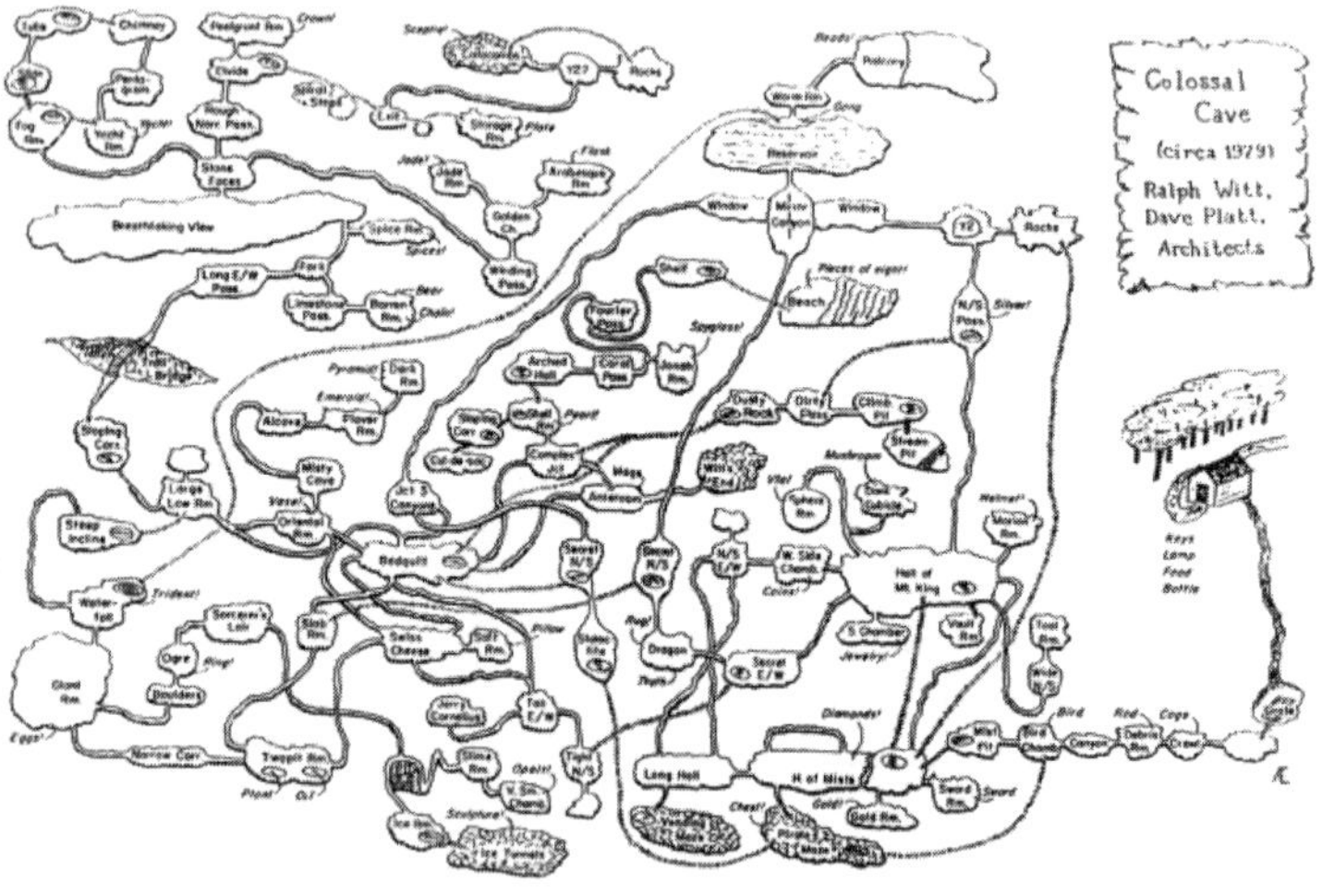

図2：『コロッサル・ケーブ・アドベンチャー』のマップ

を制作した。インフォコム社は当時、大成功を収め、ベースとなるテキストエンジンを用いて多数のゲームを制作した。ラインナップは『プラネットフォール』のようなオリジナルアドベンチャーから『銀河ヒッチハイク・ガイド』のようなライセンス製品まで多岐にわたった。

『コロッサル・ケーブ・アドベンチャー』『ゾーク』、さらにオフラインで遊ぶ『ダンジョンズ&ドラゴンズ』などのテキストアドベンチャーゲームは、当時利用できる最もパワフルなグラフィックスエンジンを利用していた。それは人間の脳だ。これらのゲームにはグラフィックスがなかったので、プレイヤーは否応なしに創造力を駆使して、広大な世界を思い描くしかなかった。

たとえば、『コロッサル・ケーブ・アドベンチャー』では、多くの〈部屋〉、あるいは洞窟からなるマップを探検できる。プレイヤーは世界を旅しながら、マップを再現しようとした（この有名な例が図2である）。

今の世代のゲーマーがテキストゲームを遊ぶことはめったにないが、〈インタラクティブ・フィクション〉と呼ばれるサブジャンルによって、この伝統は今なお生き続けている。ビデオゲーム界の純粋主義者には、テキストゲーム以降のすべてのゲームからは、グラフィック表現がますます高度化する中で何かが失われた、と感じている人もいる。自分の想像力以上に鮮明なレンダリングはないからだ。もちろんこれは、『指輪物語』のようなファンタジー小説をどれほどうまく映画化しても、活字で読むときのイマジネーションにはかなわない、と考える人に似ている。

現代のビデオゲームははるかに高度になっているが、こうした初期のテキストアドベンチャーゲームには、脈々と受け継がれているいくつかの非常に重要な要素が導入されている。

〈大きなゲーム世界〉　テキストアドベンチャーゲームは、一度に画面に表示されるよりも大きな世界があり、そこを探検しなければならない、というアイデアを導入した。これは、表示内容がほぼすべてだった初期のアーケードゲームとは異なる。

〈プレイヤーのゲーム状態〉　テキストアドベンチャーによって、〈プレイヤーのゲーム状態〉という概念が生まれた。これには、メタデータ（経験値、レベル、キャラクター情報など）やアイテム（金銭、武器など）と、世界におけるプレイヤーの位置情報が含まれる。やがて、ゲーム状態をセーブできるようになり、プレイヤーはセーブした時点からプレイを再開できるようになった。

〈世界のゲーム状態〉 ゲーム状態には、キャラクターだけではなく世界そのものの状態も含まれる。世界は、プレイヤーの行動によって変わっている可能性があるからだ。これは、プレイヤーが同じ場所をもう一度訪れたときに重要になる。複数のプレイヤーが世界のゲーム状態に影響を与えることができるマルチプレイヤーゲームでは、世界の状態はさらに重要になる。

〈NPC（ノンプレイヤーキャラクター）〉 テキストゲームによって、ごく初期のNPCが導入された。プレイヤーはNPCとやりとりすることができる。その会話エンジンは、いまや一大産業になったチャットボットのはしりであり、AI的なもののごく初期の例である。

〈テキスト入力〉 ボタンとジョイスティックで操作するアーケードゲームとは異なり、テキストゲームは、テキストを入力することで他のキャラクターとやりとりできる。コマンドは、ごく限定的な文法、たとえば「go north」（北へ行け）、「drop knife」（ナイフを落とせ）のような形をとる。コマンドの形式はビデオゲームの進化に伴って変わっていったが、音声にしてもキーボードにしても、テキスト入力は現代の高度なシミュレーションに欠かせない要素であり、今後もそうあり続けるだろう。

〈基本ゲームループ〉 前で説明した基本ゲームループは、プレイヤーの数が増え、できることが増えたにもかかわらず、現代の高度なロールプレイングゲームに至っても維持されている。テクノロジーの進歩に伴い、環境の記述方法も、コマンドとその入力方法も変わってきた。しかし、基本ゲームループは変わらない。プレイヤーへの環境の提示、コマンドの受け付け、ゲーム世界の更新の繰り返しだ。

初期のアドベンチャーゲームは、仮想世界の中でキャラクターを演じるというアイデアを導入した。ただし、その世界は文字でのみ表現され、ほぼプレイヤーの頭の中にだけ存在するものであった。これらのゲームによって導入された基礎的な要素は、現代のMMORPGの土台となっただけではなく、シミュレーション仮説の実現について考えるための枠組みの糸口ともなった。

意外な皮肉のようだが、シミュレーション・ポイントへの道のりを歩むうち、外部の画面ではなく想像力によってゲームの世界を可視化するという考え方が、より高度なステージで再び戻ってくることになる。

ステージ1：初期のアーケードおよび家庭用グラフィックゲーム（1970年代～1980年代）

ここでは初期のグラフィックゲームを〈ステージ1〉と定義するが、グラフィックを使用した初めてのゲームが『コロッサル・ケーブ・アドベンチャー』より前に登場していると聞くと、読

図３：アタリ社の『ポン』の発売（1972年）が、現代のビデオゲームの到来を告げた(4)

者の方は驚くかもしれない。多くの人の記憶に残った（そして、初めて幅広く流通した）初めてのアーケードゲームは、アタリ社が１９７２年に発売した『ポン』である。

『ポン』は、図３のように、筐体に組み込まれたモニター画面にドットを表示したゲームであった［パドルを操作してボールを打ち合う卓球ゲーム］。実際には『ポン』よりも前に『スペースウォー！』というゲームがあった。このグラフィックゲームは、ＭＩＴの学内において、ＰＤＰ－１というコンピューター上で開発されている。大型のコンピューター上で開発されたため、大学の外で幅広く入手できるものではなかった。また、『ポン』を大成功に導いた操作系もなかった。

初期のグラフィックゲームは、ゲーム内の世界を探検するというよりも、画面に表示されるキャラクターの操作とアクションを楽しむ要素が強い。そのため、これらのゲーム自体は、完全にレンダリングされた仮想世界に関する議論にはあまり寄与しないように思えるかもしれない。最も重要な貢献は、コンピューターグラフィックスの分野のパイオニアとなったことだ。ハードウエアの進歩に伴い、レンダリング技術とグラフィックのクオリティも進歩した。こうしたゲームには、文字情報よりもグラフィックのプログラミングが必要とされた。当時のコンピューターの使えるリソース（メモリーなどの資源）は限られていたため、最適化が必要になった。

　現代のゲームのほとんどは、C#やJavaなどの高水準プログラミング言語（人間がプログラムを考えるのに適した言語）で書かれているが、当時のプログラミングは、プロセッサーのネイティブ言語（直接実行できる言語）である機械語か、それを簡単な命令で表したアセンブリー言語で行われていた。機械語は、CPU（中央処理装置）ごとに異なる16進数のコードで構成される。これらのコードは、値をレジスタやメモリー位置に代入するなど、プロセッサーに物理的な動作を命令する。

　コードは大変高速に実行できたので、初期のグラフィックスアクションゲームの描画に最適だった。ユーザーの操作に合わせて、ただちに画面上のグラフィックを更新しなければならなかったからだ。

　しかし、アセンブリー言語は高水準言語と比較して大幅に効率的であるとはいえ（実際、ほとんどの高水準言語のプログラムを特定のコンピューターで実行するためには、コンパイルして機械語に変換しなければならない）、コマンドの数は限られていて、単純なプログラムを書くにも大変な時間がかかる。私がBASICプログラミング言語（子供にも学びやすい最も簡単な高水準言語のひとつ）を使って○×ゲームを初めてプログラミングしていたころ、『BYTE（バイト）』誌には、機械語によるグラフィックスコードが掲載されていた。16進数の羅列にすっかり恐れをなし、この手の低水準言語では単純なゲームを書くのにいったいどれほどの時間がかかるのだろうかと想像したのを覚えている。

しかし、ビデオゲームのパイオニアたちは、限られたハードウェアとメモリーのパフォーマンスを最大限に引き出して、黎明期のゲームを開発した。当時のシリコンバレーに、後にアップルコンピューター社を創業するスティーブ・ジョブズとスティーブ・ウォズニアックをめぐる逸話がある。ジョブズはアタリ社の創業者、ノーラン・ブッシュネルの下で働いていたときに、あるゲームを限られたメモリー資源ですぐに作れると請け合った。ブッシュネルは懐疑的だったが、プロジェクトをジョブズに与えた。夜になると、ジョブズは友人のスティーブ・ウォズニアックを誘ってきた。ウォズニアックはフルタイムのエンジニアリング職の傍ら、ゲームを開発してしまった。後に初期のアップル製のコンピューターのほとんどを開発することになるウォズニアックは、今ではハードウェアの天才として広く知られるようになっている。

ある意味で、ビデオゲームの歴史は、きわめて限られたリソースの最適化の歴史であった。そうした最適化の手法を用いなければ、コンピューターグラフィックスの分野そのものが成立不可能だった（したがって、ビデオゲームとデジタルメディアも同様に不可能だった）し、シミュレーション・ポイントへの道のりをこれほどまで進むことはできなかっただろう。

『ポン』から直接進化したともいえるのが、『スペースインベーダー』や『パックマン』など、日本のメーカーが開発した、より高度なアーケードゲームである。これらのゲームが登場した時期を、日本のビデオゲームの黄金期と呼ぶ人もいる。

ただし、米国でたいていの人がこれらのゲームに初めて触れたのは、アタリ２６００の発売がきっかけだった。このゲーム機では、『アドベンチャー』のグラフィック版だけでなく、『スペースインベーダー』（図4）や『パックマン』も発売された。また、初期のドライブゲームもあった。『ポールポジション』（図5）は、ティーンエイジャーだった私の心に、ゲームの〈中〉、コースの向こうの世界に関する疑問を抱かせてくれた。

ステージ1の、アーケードスタイルのグラフィックゲームには、シミュレーション・ポイントへのさらなる道のりを歩むための礎となった、多くの重要な要素がある。

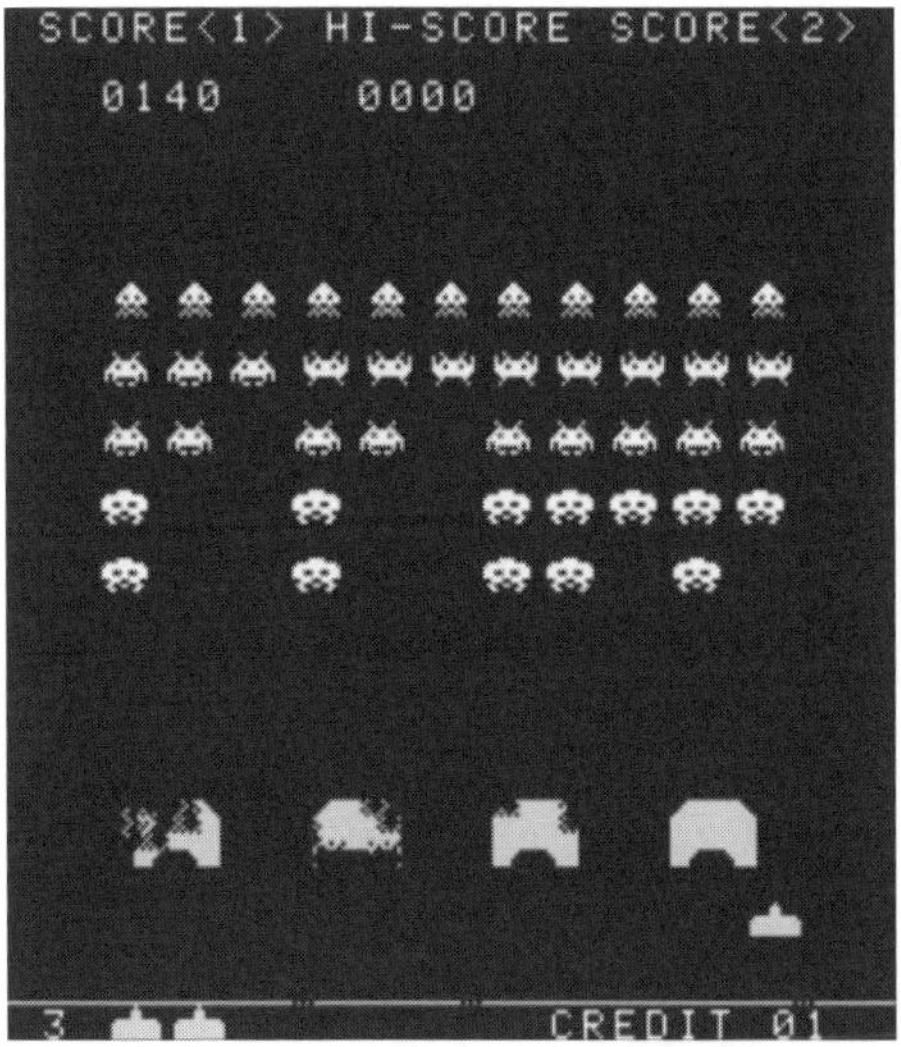

図4：『スペースインベーダー』は、1人用複数面アーケードゲームの例である。©TAITO CORPORATION 1978

〈アクション性の高さ〉 初期のアーケードゲームは、謎解きよりも反射神経が重要だった。プレイヤーはたいてい、障害物を避けながら移動したり、敵を倒したり避けたりする必要があった。

〈リアルタイム操作〉 プレイヤーは、ジョイスティックやトラックボールを使って、画面上のキャラクターをリアルタイムで操作する。ゲームの各面（レベル）をクリアできるようになるま

図5：初期のドライブゲーム『ポールポジション』。一見、グラフィックが描かれた世界のように思えるが、プレイヤーはコース上しか走行できない。

で何度もプレイし、時間をかけてスキルを磨く。リアルタイムフィードバックの発達は非常に重要だった。なぜなら、ピザ店やゲームセンターで、筐体型のゲームを立って遊んでいるだけなのに、没入感が得られたからである。

〈面に基づく限定的なゲーム世界〉 これらのゲームにも〈ゲーム世界〉があったが、ごく限られていた。たいてい、ひとつの画面で完結しているか、左右にスクロールできるだけの世界だった。一般的に、次の面に到達すると世界の構成が変わる。1つの面をクリアすると、次の面にはさらなる敵や障害が待ち受けている。

〈複数のライフ〉 一般的に、プレイヤーは25セント硬貨1枚ごとに決まった数のライフを与えられた。ライフの数だけ〈死んだら〉、1面からやり直しだった。アーケードゲームを家庭用ゲーム機に移植した場合にも、決まった数のライフという概念は変わらなかった（ただし、もう一度プレイするために25セント硬貨を入れる必要はなく、最初からスタートするだけでよかった）。

〈物理演算エンジン〉この用語自体は後になって発展したが、これらのゲームは、明確に定義された物理演算エンジンを搭載していたごく初期の例である。つまり、ニュートンの古典物理学を簡略化した法則に従っているわけだ。たとえば、『アステロイド』では自機に慣性があり、減速や方向転換の際にも慣性が維持される。物理演算エンジンは、画面上の宇宙船、レーシングカー、飛行物体、銃や弾丸などのグラフィックオブジェクトが従うべき法則を記述する。『スペースインベーダー』では、自機を一定の速度で左右に動かし、エイリアンを上向きに撃てるだけだった。『ジャウスト』では、プレイヤーは飛ぶダチョウに乗るが、このダチョウは画面の一部にしか着地できない。ゲームの腕とはつまり、ゲームのベースとなっている物理演算エンジンを理解し、それらのルールに基づいて反射神経を研ぎ澄ましていくことだということになる。

〈広大な世界の示唆〉広いゲーム世界を冒険できるテキストアドベンチャーとは異なり、初期のグラフィックゲームでは、〈コース〉（実際のレースコースであるか、画面上で動ける範囲であるかにかかわらず）を外れたゲーム世界は、示唆されているだけで、実際には表示されない。それが、仮想世界における地形の始まりだった。ゲームによっては、マップが1周していることがある。たとえば『アステロイド』では、自機を画面の一番上からさらに上に進めると、一番下に出現して、あたかも球形の世界にいるような気になる。

ピクセルを使用したコンピューターグラフィックス、リアルタイム操作、そしてビデオゲームメカニクスの進化は、コンピューター利用の歴史における分水嶺だった。

いま使われているハードウェアやソフトウェアの多くは、黎明期に限られたリソースでグラフィックアーケードゲームを開発した先駆者たちに負うところが大きい。

かつて大型のコンピューターで実行されていたコンピューターシミュレーションは、画面上で可視化され、ジョイスティックやキーボードで操作できるようになった。さらに、これらのアーケードゲームによって、〈ビデオゲーム〉という用語が生まれた。ビデオ画面にグラフィックを描画したからだ。こうして、新たな種類のエンターテインメントが生まれた。これは、映画やテレビの登場に匹敵するほど大きなできごとだ。この新たなエンターテインメントの形は、無数のプレイヤーに愛されるようになり、世界は永遠にその姿を変えた。現在のビデオゲーム業界は、従来のエンターテインメント業界と肩を並べるほど大きい。

エンターテインメント業界といえば、他の形式のメディアとのクロスオーバー作品がみられるようになったのも、アーケード系ビデオゲームの黎明期だった。『レイダース――失われたアーク』や、『E.T.』をベースにしたゲームなどがあった。『レイダース』のゲームでは、プレイヤーは丘の続く地形を探検してお宝を探す。〈探検〉する必要のあるグラフィック地形というアイデアによって、こうしたクロスオーバーゲームの一部は、アーケードスタイルのアクションゲームとグラフィックを使用したRPG（ロールプレイングゲーム）との中間点となった。RPGについては、次のステージで説明する。ちなみに、アタリ社のゲーム『E．T．』の出来が悪かったことが、同社の没落を招いただけでなく、ビデオゲーム業界におけるこのフェーズが終わりを告げた一因となっている。

ステージ2：グラフィックアドベンチャーゲームとRPG
（1980年代～1990年代）

ミシガン州デトロイトの高校に入学するころになると、私はより高度なコンピュータープログラミングを始めた。そして、1980年代のアーケードゲームの時代は、アタリ社とともにほとんど消滅しかけた。このころ、日本の自動車メーカー、マツダがミシガン州フラットロックに工場を開設した。私が通っていた高校から目と鼻の先だった。マツダは毎年、7人の高校生を夏期に日本へ無償で招待しており、私は初期のツアーに選ばれた。

1987年夏に日本を訪れたとき、日本の高校生の家庭のリビングルームに、ビデオゲーム産業の次なるフェーズを予感させるものを見た。ジョイスティックではなくボタンをコントローラーに用いた家庭用ゲーム機で、任天堂というメーカーが生産していた。数年後、MITに入学してコンピュータープログラミングを本格的に学ぶころになると、弟とその同世代の友人たちは、SNES（スーパーファミコンの海外版）やセガ・ジェネシス（メガドライブの海外版）といった家庭用ゲーム機が米国市場に参入したことで到来した、ビデオゲームの新たなフェーズに夢中になっていた。どちらも16ビットのシステムで、アタリ2600時代の8ビットシステムよりもはるかに高度なグラフィックを描画することができた。

1980年代末になると、パソコンやこうした最新の家庭用ゲーム機が普及したおかげで、構造もゲームデザインもコンセプトも初期のシンプルなアーケードゲームとは異なる、新たな世代のゲームがリリースされるようになった。

こうしたグラフィックアドベンチャーやロールプレイングゲーム（RPG）には、『ゼルダの伝説』『キングズクエスト』『ウルティマ』などがある。アーケードゲームのグラフィック機能と、テキストアドベンチャーの広い世界を組み合わせ、冒険する〈ゲーム世界〉が、ピクセルを用いてプレイヤーの前で可視化されるようになった。

すべてではないものの、中世ヨーロッパ風の舞台を設定したファンタジーが多く（『D&D』を思い起こさせる）、舞台となる王国や世界とそのキャラクターのバックストーリーが用意されていた。世界のストーリーは、何年もかけ、複数の作品にわたって発展していった。やがてこうした架空のゲーム世界は、〈中つ国〉や〈ナルニア国〉のようなファンタジー小説における架空の世界でのみ可能だったリアリティを獲得した。

これらのゲームでは、プレイヤーはグラフィックとして描かれたキャラクターの役割を演じる

（図６に例を示す）。キャラクターはゲーム世界の各地を旅するが、世界のイメージはもはやプレイヤーの想像力で補う必要はない。しかし、まだ世界全体のマップはプレイヤー自身で描かなければならないかもしれない。自分のキャラクターは、一度に世界のごく一部しか見ることができないからだ。

図６：初期のグラフィックＲＰＧの例、『キングズクエスト』

敵あるいは味方として登場するＮＰＣ（ノンプレイヤーキャラクター）も、自分のキャラクターと同じくらい制約のある形ではあるが、初めて目に見える形で描かれた。プレイヤーはこうしたキャラクターとやりとりしたり、道中で拾った武器などを手に取って戦ったりできる。さらに、アイテムを保管するなど、プレイヤーの状態をより高度な形で保つことができる。

アーケードゲームと異なり、こうしたグラフィックＲＰＧにはバックストーリーがあり、キャラクターがやり遂げなければならないクエストがあった。たとえば、『ゼルダの伝説』のプレイヤーは主人公のリンクになって、ゼルダ姫と王国を救う。多くの続編が作られた『キングズクエスト』の第1作では、プレイヤーはダヴェントリー王国の騎士、サー・グラハムになって、3つの伝説の宝を探す。成功すれば、なんとダヴェントリーの国王になれるのだ。

グラフィックRPGでは、もともとテキストアドベンチャーゲームで導入され、その後に訪れる完全没入型の3Dゲーム世界では欠かせなくなる、いくつかの重要な開発要素の大幅な改良が加えられた。現代の3Dゲームの中には、この時代のゲームの続編もある。グラフィックRPGによって導入された重要な要素には、次のようなものがある。

〈グラフィックで描かれた広大な世界〉 これらのゲームは、ひとつの画面で見えるものに収まらない広大な世界を導入した。世界はグラフィックで表現され（レンダリングされた世界）、グラフィックで描かれたキャラクターや物体が、クエストの助けになったり邪魔になったりする。

〈プレイヤーのゲーム状態のグラフィック表現〉 プレイヤーのゲーム状態のグラフィック表現には、外観（これは今後進化することになる）と、さまざまな服、武器、その他のアイテムを身につける機能が含まれ、それらはすべて画面上にレンダリングされる。そうしたアイテムは、〈インベントリ（アイテム欄）〉という、画面外の不思議な場所に格納され、レンダリングされた世界から出し入れすることができる。

〈**世界のゲーム状態**〉これらのゲームは、自分のキャラクターだけではなく世界自体の状態も含む、ゲーム状態の概念を導入した。世界は、キャラクターの行動によって変わる可能性がある。ゲームの状態をセーブしたり復元したりする機能は、現代の基準からみるとシンプルに思えるが、さらに複雑なMMORPG、そしてシミュレーション仮説への道を拓いた。セーブ機能をつけるということは、プレイヤーと世界全体の状態を情報として捉える簡単な方法がなければならないということだ。これは、〈全プレイヤーがプレイをやめてからも存続する永続的な共通ゲーム世界〉について考察するときに、重要な意味を持つ。

〈**グラフィックで表されたNPC**〉テキストアドベンチャーにも限定的なやりとりができる仮想のキャラクターは存在し、アーケードゲームにもグラフィックで描かれた敵はいたが、グラフィックRPGによって両者が統合され、現在の私たちがNPCと考えるような存在が生まれた。ゲーム世界には、コンピューターによって制御され、自分のキャラクターと同レベルの忠実度でレンダリングされたキャラクターが配置された。

〈**クエストとストーリーライン**〉これらのゲームは、複数の作品にわたって発展するストーリーラインや展開するクエストという概念を導入した。現代のビデオゲームでは一般的な特徴である。やがて、〈クエスト〉という用語はゲーム世界の中でレベルアップするために必要な、複数の小さな達成項目の意味で使われるようになった。

グラフィックRPGの発展と、それらのゲームに存在していたストーリーラインは、シミュレーション・ポイントへの道のりに不可欠な一歩だった。こうした世界にバックストーリーがあり（『キングズクエスト』の1〜6、『ウルティマ』の1〜3のように、ストーリーが複数作品にまたがる場合もある）、ストーリー全体がピクセルを用いてグラフィックとして描かれたというのはきわめて重要だ。こうしたゲームの一部はマルチプレイヤー版を発売し（『ウルティマ・オンライン』）、また一部は『ゼルダの伝説』や『ファイナルファンタジー』シリーズのように、現代に至るまで進化し続けている。

大規模なゲーム世界をグラフィックで表現し、その一部（プレイヤーのキャラクターが見ているところ）のみをレンダリングするテクニックは、シミュレーション仮説に大きな影響がある。パートⅡで量子物理学について考察するときに、ビデオゲームの条件的レンダリングと直接対比できる現象があることを見ていきたい。

また、世界全体の状態（そしてプレイヤーのゲーム状態）という概念を情報としてカプセル化し、画面上にレンダリングすることができるという考え方も、シミュレーション仮説の発展における考え方として、同じくらい重要である。このステージでは、レンダリングされた世界が出現するようになる。

ステージ3：3DレンダリングされたMMORPGと仮想世界
（1990年代〜現代）

1990年代から2000年代にかけてコンピューターグラフィックスの解像度とレンダリングテクニックが向上するとともに、大規模なゲームの開発者は、初期のグラフィックRPGをベースに、さらにリアルな世界を構築するようになった。

キャラクターと忠実度の急激な変化の基礎となっていたのは、一人称視点（ファーストパーソン視点、プレイヤー視点）と3Dモデリングテクニック【訳注：3次元座標系に、多角形（ポリゴン）や曲面を用いて形状を定義すること】の両方の発達だった。それまでは、キャラクターと世界はどちらも、シンプルな2D形式で提示されていた。

世界をよりリアルに見えるようにするため、ゲームデザイナーは3Dのモデルやマップを使って世界のレイアウトを作成し、モデリングされた世界の中にプレイヤーのキャラクターを配置した。プレイヤーには、世界全体のうちキャラクターがいる場所から見える部分しか表示されない。

当初、3Dの一人称視点で世界をレンダリングするのはきわめて難しかった。というのも、必要となるピクセル数が、シンプルな2D世界と比べて段違いに多いうえに、当時のプロセッサーはグラフィックスのレンダリング向けに最適化されていなかったからだ。世界に配置された物

図7：『DOOM』は多くの３Ｄレンダリングテクニックを導入した。

体、建物、そしてもちろんキャラクターは、以前の2Dグラフィックアドベンチャーゲームの画面全体で使われているよりも多くのピクセルが必要になる場合すらある。

以前と同様、プログラマーたちは、世界のうちキャラクターから見える部分だけをレンダリングするための最適化テクニックを考案しなければならなかった。プレイヤーが左や右を向いたら、即座に視点を変えなければならない。これは当時、とても克服できない課題だと思われていた。idソフトウェア社が発売したFPS（ファーストパーソン・シューティングゲーム）の『DOOM』（図7）は、この面に関して画期的な業績だった。

『DOOM』の成功によって、物理的な3D世界をモデルで表し、クライアントマシン（ビデオゲームの場合、各プレイヤーのコンピューターやゲーム機）上で、ピクセルを用いてリアルタイムでレンダリングできることが明らかになった。3Dモデリングによる世界のレンダリングはコンピューターグラフィックスの重要な進歩で、ビデオゲームだけではなく、映画の特殊効果や、CAD（コンピューター支援設計）、CAE（コンピューター支援エンジニアリング）などの分野にも大きな影響を与えた。『DOOM』自体はRPGではないが、大人気を博したごく初期のマルチプレイヤーゲームのひとつで、2人のプレイヤーが互いを撃ち合う〈デスマッチモード〉が搭載されていた。このモードのおかげで、プレイヤー同士がインターネットを介して戦うことができた。当時インターネットはようやく大学のキャンパスから広い世界に普及しはじめたころだった。実際、『DOOM』が発売された当初は、学生がいつまでも対戦をやめないため、アメリカ中の大学のネットワーク帯域が食いつぶされた。

『DOOM』はゲームの内容そのものよりも、レンダリングテクニックとマルチプレイヤーモードによって、シミュレーション・ポイントへの道のりに重要な役割を果たした。これら2つのイノベーションのおかげで、単純なシューティングゲームよりもMMORPGに近い存在になったのである。ロールプレイングゲームも、同様の3Dテクニックを使って没入感を高めるようになった。『DOOM』はモンスターを撃つことが主目的だったが、やがて、仮想世界をさまよい、剣をとってモンスターと戦い、他の3Dキャラクターとやりとりすることができる多くのゲームが登場する。

シンプルなピクセルから3D視点のキャラクター表現への移行、そして同時進行的に起こった1990年代のインターネットとウェブの普及が、ゲームのプレイ方法を永遠に変えた。ビデオゲームの黎明期には、〈コンピュサーブ〉のようなダイヤルアップ式のパソコン通信を使った共同のチャットルームでゲームの話題に花を咲かせたり、マルチユーザーダンジョン（MUD）で遊んだりすることができたが、ゲームプレイ人口がインターネットに流入したことで、高度なマルチプレイヤーゲームが可能になった。やがてこれが、超大作MMORPGの波につながった。『ウルティマ・オンライン』『エバークエスト』、そしてこの時代のゲームで最大の規模と人気を誇る『ワールド・オブ・ウォークラフト』だ。

これらのゲームでは、かつての『D&D』のように、自分が役割を演じるキャラクターを選ぶ。キャラクターの画面上の表現である〈アバター〉（ルーカスフィルム・ゲームズが制作した、初期の仮想世界のひとつである『ハビタット』の開発者が名付けた表現である）は、キャラクターの種族（人間、エルフ、ドワーフ、ノームなど）や職業（シーフ、バーバリアン、ウォリアー、ウィザードなど）に合わせてカスタマイズできる。そして最も重要なことに、プレイヤーはアバターの外観――肌の色、性別、衣服をカスタマイズできた。プレイヤーが互いにやりとりしたり戦ったりすると、キャラクターの変化とともに、両方のプレイヤーのゲーム状態が影響を受けた。この斬新な概念によって、〈永続的な世界〉という発想が導入された。1回のゲームプレイ、さらには1人のコンピューターを超えて存在する世界だ。

1回のゲームプレイを超えて存在する永続的な世界という発想が本格的に結実したのが、リンデンラボ社が2003年に制作した『セカンドライフ』だ。これは、シミュレーション・ポイントへの道のりにおける重要な節目となった。『セカンドライフ』の3D世界は、ほぼ白紙として

図8：『セカンドライフ』と『ワールド・オブ・ウォークラフト』では、アバターがよりリアルになり、永続的な世界で自由に歩き回ることができる。

造られた。このゲームをプレイすることはすなわち、自分を表すアバターを作成するだけでなく、世界の一部を創造することだった。

では、『セカンドライフ』における、プレイヤーキャラクターの役割は何だろう。良い質問だが、これは人生における自分の〈キャラクター〉の目的を聞くようなものである。

『セカンドライフ』の目的は、世界中から接続している人と交流することだが、それ以上の内容については、3D世界のプレイヤーの過ごし方次第であった。『セカンドライフ』では、完全な仮想生活を送ることができたのだ。プレイヤーのアバターは、他の人と交流できる。クラブで踊っても、協力して家を建てても、結婚しても、互いに弓矢で射ち合っても構わない。『セカンドライフ』の中で仕事をすることさえできた。給料は、この仮想世界の中で使われている仮想通貨〈リンデン〉で支払われる（これにより、仮想通貨と仮想経済という新たな概念が導入された）。リンデンラボ社は、仮想エコノミストを雇用して仮想経済の測定と監視を行ったゲーム会社のはしりだ。

さらに重要なのは、『セカンドライフ』の世界が永続的だったことだ。土地を〈所有〉できるので、たとえば指定に従って自分の土地に家を建てられる。ポストモダンでアーティスティックな家でも、ビクトリア朝風の屋敷でも自由自在だ。そして、後で自分や他の人がその仮想の土地を訪れても、建築物や物体はまだそこにあるのだ。『セカンドライフ』の仮想世界は、現実でありながら現実とは異なる世界に近づいてきた。

さらに数年後、ほぼ無限大の場所や惑星にほぼ無限大の住民が住む、ほぼ無限大の仮想世界、という概念を開拓したのが、『ノーマンズスカイ』というゲームだ。ハロー・ゲームズ社から2016年にリリースされたこのユニークなビデオゲームは、世界中のゲーマーの注目を集めた。大きな話題になった理由のひとつが、このゲームがビデオゲームの中に作られた最大の宇宙だと考えられたからだ。

では、『ノーマンズスカイ』の宇宙はどれほど大きいのだろうか。なんと、1800京個の惑星があるのだという。それぞれの惑星は、動物相、植物相、地形などを備えた独自の生態系を備えている。ということは、生命の数も（少なくとも植物は）信じられないほど多い。惑星を歩き回り（あるいは便利なジェットパックで飛び回り）、その惑星に固有のものをたくさん発見する。

ゲームそのものは多くのゲーマーにがっかりされたが（退屈だという評が多かった。現実に近すぎたのかもしれない）、ゲームの中にどれほど大きな宇宙を作れるかという点で大きな影響を与えた。『ノーマンズスカイ』以前は、ひとつのゲーム開発グループだけでは、１８００京どころか1億の異なる世界をデザインするのもほとんど不可能だと思われていた。

これが実現したのは、『ノーマンズスカイ』がプロシージャル生成（手続き型生成）というテクニックを用い、それぞれの惑星とその棲息生物について、手作業ではなくアルゴリズムでデータを作成しているからだ。もしあなたが『ノーマンズスカイ』の世界の中にいたとしたら、１８００京個の惑星があるという事実そのものが、そこがコンピューターが生成した現実の中であるというヒントを与えてくれるに違いない。なぜだろうか。１８００京は、64ビットで表すことのできる最大規模の数だからだ。現代のゲームは、アタリ２６００の８ビットから、１９８０年代末の16ビットグラフィックスを経て、まるで本物のような64ビットの世界にまで進化した。

『ノーマンズスカイ』では、フラクタル幾何学とフラクタルアルゴリズムを用いて、ゲーム内の惑星に、より実際の生命に近い植物相や動物相、そしてリアルな地形を創造した。後の章で詳しく説明するフラクタルアルゴリズムの発見は、従来のユークリッド幾何学では自然の構造を再現するのが難しいという認識から生まれた。フラクタル技術によって、自然の海岸線に近い海岸線を描くことができる。ここで次ページの図9と図10を見てほしい。ひとつは自然の海岸線で、もうひとつはフラクタルアルゴリズムで生成した海岸線だ。違いを見いだすのが難しくないだろうか。

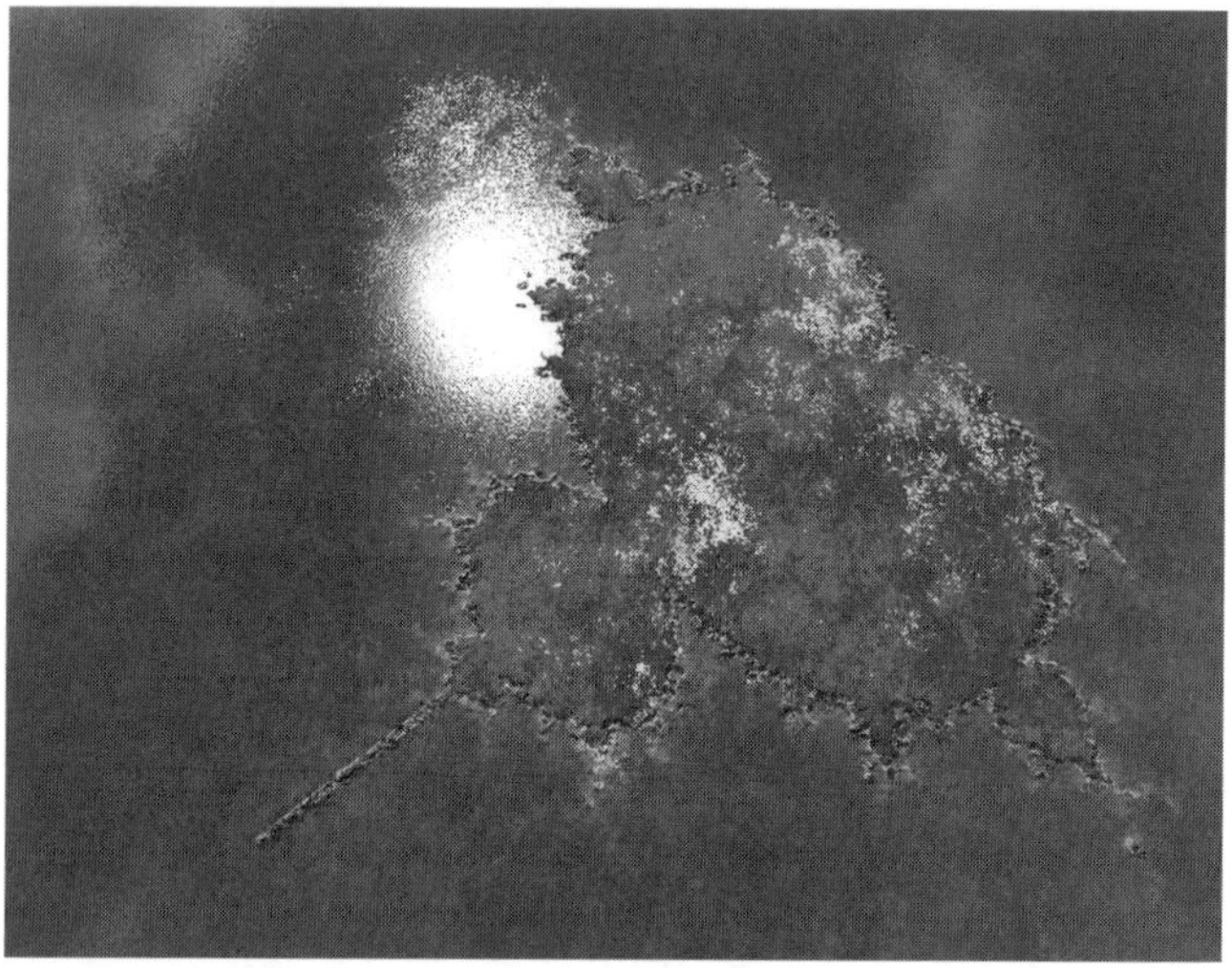

図9：フラクタル生成された地形(5)

図10：自然の地形(6)

ここまでの到達点

ＭＭＯＲＰＧも仮想世界も、まだ2Ｄのコンピューター画面に描画されているものの、シミュレーション・ポイントへの道のりにおいて画期的な発展であった。このステージにおける、現時点までの重要な発展には、次のような要素が含まれる。

〈グラフィックで描かれた広大な3Ｄ世界を探検可能〉 ゲーム世界は、ひとりのプレイヤーが一度に見られるよりも広い。初期のアーケードゲームでは1画面でひとつの面を表していて、その後2Ｄでも広い世界を表すようになった。さらに3Ｄゲームでは、一度に特定のシーンの特定の視点だけがレンダリングされるようになった。3Ｄモデルとレンダリングのテクニックによって、3Ｄの世界は、旧来の2Ｄゲームに比べて没入感が高まった。

〈3Ｄアバター〉 キャラクターのグラフィック表現は、まったくないところ（テキストアドベンチャー）から、ドット（アタリ版『アドベンチャー』）、2Ｄのスプライト【訳注：画面を全部書き換える代わりに、キャラクターなどの画像データを保存しておき、背景と重ね合わせて表示できるようにするしくみ】（『キングズクエスト』や『ゼルダの伝説』）を経て、さまざまなジェンダー、形、色の外観を持ち、衣服を着て武器を携えた、フルカスタマイズ可能な3Ｄモデルのキャラクターへと進化した。

〈プレイヤーの状態を、レンダリングされた世界の外に保存する機能〉 ゲームの進化に伴い、プレイヤーに関する情報のうち、3D世界にレンダリングされるとは限らない情報をどこかに保存する必要が生じた（キャラクター、アイテム、経験値、レベルなど）。保存領域はメモリーから始まり、その後ディスクになり、その後クラウドサーバーにアップロードされるようになった。では、このクラウドサーバーはどこにあるのだろうか。この情報はレンダリングされた世界の外に存在する。この概念も、シミュレーション・ポイントへの道のりを歩むうえで重要になってくる。

〈永続的な世界の状態〉 世界は、プレイヤーの行動によって変化する永続的な世界として定義されている。この情報はサーバーに保存されている。複数のサーバーに複数のバージョンの世界が保存され、それぞれが異なる状態を持っている。サーバーに保存することで、『セカンドライフ』（最近では『マインクラフト』）のような仮想世界で個々のプレイヤーがログアウトした後でも、オブジェクトがなくならずに維持される。もちろん、この永続性は幻だ。世界は、サーバー上にゲーム世界の情報が保存されるあいだしか持続せず、保存された情報は変化しない。

〈複数のオンラインプレイヤー〉 MMORPGには多数のプレイヤーが同時に参加し、同じ〈永続的世界〉にログインすることで、一緒に遊ぶことができる。プレイヤーは世界のどこからでもログインできる。現代のMMORPGには、何百万人ものプレイヤーがいる。

〈ユーザーが生成したコンテンツ〉『セカンドライフ』や多くのMMORPGでは、世界の中に物体を残したり、構造物を建築したりできる。それらは永続的世界の一部になる。これは、現実の世界とあまり変わらない。もし自転車を家の近くの公園に放置したら、他の人がそれを持っていけることになる。

〈3DのNPC（ノンプレイヤーキャラクター）〉以前のゲームにも、プレイヤーキャラクターとNPCは存在した。しかし、ゲームが高度になるとともにNPCも進化し、今は3Dキャラクターとしてレンダリングされている。後の章では、AIがさらに高度なNPCを創造できる可能性や、シミュレートされたキャラクターがプレイヤーキャラクターと区別がつかなくなる可能性について考察する。

〈独立したクエスト〉1人用のグラフィックRPGには単一のクエストとストーリーラインしかなかったが、MMORPGによって、世界全体のストーリーラインに関係した複数のストーリーラインやクエストが可能になった。『ワールド・オブ・ウォークラフト』と『EVE ONLINE』（宇宙をテーマにしたMMORPG）には、〈世界の中〉で進行しているストーリーをフォローするオンラインブログがある。これらのゲームでは、各プレイヤー向けに複数のクエストやアチーブメントが用意され、プレイヤーはその中から選んで次の冒険に出ることができる。クエストを完了したり、アチーブメントを達成したりすると、ゲーム世界の中でさらに先に進んで活動する意欲をかき立ててくれるので、飽きずにゲームを続けられる。

〈物理演算エンジンとレンダリングエンジン〉 MMORPGの誕生とともに、独立したレンダリングエンジンと物理演算エンジンのアイデアが、それぞれ本格的に実現した。『DOOM』の登場以来、世界におけるプレイヤーの場所や視点に基づいてレンダリングを最適化する多くのレンダリングテクニックが開発された。物理演算エンジンは、画面上におけるオブジェクトの移動を割り出すために使用し、レンダリングエンジンは、プレイヤーがコンピューターの画面上で実際にシーンを見られるように、オブジェクトの衣服やテクスチャーに基づいてピクセルを実際に描画するために使用する。

〈プロシージャル生成された世界〉 初期のゲームでは、レンダリングされた世界のサイズは決まっていて、有限であった。しかし、近年になって実現したプロシージャルなコンテンツ生成機能によって制限を回避し、フラクタル幾何学とフラクタルアルゴリズムを用いて実際の生命に近い植物相、動物相、地形を作り出すことができるのは、『ノーマンズスカイ』で見たとおりだ。

以上の項目から、シミュレーション・ポイントへの旅は始まったばかりとはいえ、シミュレートされた仮想世界の構築に求められる多くの技術的要素や概念はすでに存在することがわかるだろう。最も重要なのは、大量のキャラクター（プレイヤー、NPC問わず）の状態と、共有されている永続的なゲーム世界の状態を、同時に情報として保存する機能だ。仮想世界のあらゆる現象の基盤となっている情報は、レンダリングされた世界の外のどこかに保存され、必要に応じてレンダリングが行われる。情報が保存されているクラウドサーバーは、世界の中にいる人々からは見えない。

これらの4つのステージにおける主要な発展はシミュレーション・ポイントへの道のりの重要な通過点だが、まだゴールには到達していない。世界がアインシュタインの言う〈非常にしつこい幻想〉であるには、〈プレイヤー〉が自分の住む世界をゲームやシミュレーションではなく、現実だと思っていなければならない。

現在のゲームはまだ、数十億人分の意識を保存することはできないし、ゲームの世界を現実世界と混同する人が出るほどの没入感のレベルは実現していない。そのプロセスは単純に、演算能力の向上と、ネットワークトラフィックのさらなる最適化から始まる。

この後、数章にわたって、この道をさらに進み、私たちをシミュレーション・ポイントに連れていってくれる、ビデオゲームや仮想世界の将来の発展を予測する。

第2章

ステージ4〜8

——仮想現実からマインド・インターフェイスへ

シミュレーション・ポイントへの道のりの最初の数ステージではビデオゲームの歴史上の進歩について説明したが、この章では、まだ生まれたてで改善の途上にあるテクノロジーの説明から始める。続いて推測の領域に入り、理解しやすいビデオゲームの分野よりも、むしろフィリップ・K・ディックの小説や『スター・トレック』のエピソードになじみそうな発明やテクノロジーについて述べる。

前章の各ステージは、無数のプレイヤーを擁する共有の永続的なオンライン仮想世界と、3Dゲーム世界の中でピクセルを用いてレンダリングされた、情報としてのプレイヤーやキャラクターの表現の基礎を築いた。私たちの〈マトリックス〉である〈グレート・シミュレーション〉は、いま存在するMMORPGの出力方式、入力方式、NPC、完全没入のテクノロジーが改善された、より高度な具現化と考えられる。

この章では、いくつかの観点について、現状をもとに未来を予測する。検討する観点は、現代のゲームの忠実度（どれくらいリアルに見えるか）、投影方法（2D画面から仮想現実、拡張現実、さらには直接マインドブロードキャストへ）、そして操作系（キーボードからコントローラー、音声、運動感覚、さらにはマインドインターフェイスまで）だ。その際に、コンピューターサイエンスだけではなくヒューマン・マシン・インターフェイスと神経科学の分野まで広げて、こうしたテクノロジーを実現可能にする歴史的トレンドを検討する。

こうしたインターフェイステクノロジーの進歩をひととおりたどったら、第3章と第4章で、テクノロジーの発達の最終ステージを掘り下げる。まず、シミュレーション仮説の重要な一部である人工知能。次に、シミュレーションが秘める可能性の核心を突く賛否両論のトピック、ダウンロード可能な意識だ。そして、これらの到達点となるのがシミュレーション・ポイントだ。ここまでの技術的進歩を結集させて、〈グレート・シミュレーション〉を構築する能力を手に入れる。

この章以降の各ステージが完全に実現するのが正確にいつになるかはまだわからないが、それは数十年か、遅くとも100年後くらいまでには訪れるだろうと、ある程度根拠のある推測をすることができる。このスケジュールでシミュレーション・ポイントに到達できると考えられるなら、数千年、あるいは数百万年も前から成立していたもっと高度な文明が、このポイントにすでに達していることは十分に考えられる。この点については、第4章で詳しく考察する。

ステージ4：仮想現実を用いた没入

ステージ3のMMORPGはそれ以前のゲームに比べて没入感が高まったが、プレイヤーが2

Dのコンピューターモニターの前に座っているのは変わりなかった。世界とキャラクターが3Dでモデリングされているにもかかわらず、これらのゲームの没入感が、完全に包み込まれるようなシミュレーションからは程遠いという事実は否めない。

いまのところ、最先端の没入テクノロジーといえば、VR（仮想現実）だ。現時点では、VRヘッドセット（ゴーグル）で没入感を実現している。

プレイヤーは、片目ごとに異なる画面に対応しているゴーグルを着用する。2つの画面の画像は、ゴーグルのサイズに応じて、一定の距離でずらして配置されている。このゴーグルによって没入感が生まれる。ユーザーがあたりを見回しても、3Dの仮想世界しか見えないからだ。

「はじめに」で、VR卓球ゲームのプレイ中に起きた、VRでの「転換」体験について話した。私はVR体験専用の部屋（「ルームスケールVR」と呼ばれていた）の中に立って、手にゲームコントローラーを持っていた。HTC社製のVive　VRヘッドセットを着けると、視界には卓球台と相手が見えて、手元に視線を落とすとラケットが見えた。コントローラーを動かすと、自分の手と完全に連動してラケットが動いた。この仮想世界とのリアルタイムの融合を数分間楽しんだだけで、なんと私の脳は本当に卓球をしていると信じ込んでしまったのだ。図11に、このVRゲームの画面を示す。

実際には、これは私にとって、初期のVR「転換」体験のひとつにすぎなかった。2016年には、サンタモニカの開発会社ブラックソーン社が制作したVRゲーム『ドラゴンフライト』の

図11：ＨＴＣ社とフリーレンジゲームズ社が開発した『バーチャルスポーツ』。没入型ＶＲ卓球ゲームの例

プロトタイプを体験した。このゲームでは、私はドラゴンの背に乗って、中世の城跡などが配置された、グランドキャニオンのようなファンタジー世界を飛び回った。この体験はあまりにリアルで、本当に飛んでいるような気分になった（そして乗り物酔いをして、着陸せざるをえなくなった）。

同様に、同じ会社の別のＶＲ体験では、大きな地形の裂け目に隣接した洞窟の中に立っていた。数分後、私は右に一歩踏み出すのが怖くなっていた。裂け目に落ちそうな気がしたからだ。ＶＲ体験があまりにリアルだったので、卓球台、ドラゴン、裂け目は実在せず、自分はＶＲヘッドセットを着けて部屋にいるだけなのだと脳を納得させるのが大変だった。

今後、私はＶＲとＭＭＯＲＰＧの融合によって、永続的で完全に没入できる仮想世界ができると予想している。そう、２０１１年にアーネスト・クラインが書き、２０１８年にスティーブン・スピルバーグが映画化して大ヒットした『レディ・プレイヤー１』に登場する仮想世界〈オアシス〉のように。

『レディ・プレイヤー１』では、仮想世界〈オアシス〉が、あらゆる人の主な現実逃避の場となっている。子供は仮想世界の学校に通い、大人は仮想世界の職場で働き、人間関係を培い、アバターの外観を変更し、あらゆる種類のゲームで遊んでいる。プレイヤーのアカウントも永続的だが、仮想世界そのものも永続的で、それぞれが異なる特性、外観、物理法則を備えた無数の惑星からなる。

実のところ、架空の〈オアシス〉は『セカンドライフ』などの初期の仮想世界が約束したことを完全に実現している。完全な没入を達成するため、〈オアシス〉のプレイヤーはゴーグルを着けるだけではない。劇中には、運動感覚へのフィードバックを提供する触覚スーツや、仮想世界を走る経験を再現するトレッドミルが登場する。クラインの小説では、〈現実世界〉の全般的な状況【訳注：地球温暖化や経済的停滞など】から、多くの人々は〈オアシス〉での生活を選ぶのである。『レディ・プレイヤー１』では、〈オアシス〉を創った会社グレガリアス・ゲームズが、世界で最も資産価値の高い会社になっている。

〈オアシス〉のような仮想世界を創ることは、シミュレーション・ポイントへの道のりにおいて、この発展段階の頂点となるだろう。現在のＶＲからこのレベルに至るために必要な要素について検討する前に、ＶＲの歴史とテクノロジーの過去に目を向けてみよう。その起源は、３Ｄ映画など、近過去のテクノロジーにさかのぼる。

■3Dゴーグルの歴史

VRと同じ基本原理を用いた、やや原始的な3Dテクノロジーは、数十年前から存在していた。1950年代には、アメリカ中の映画館で映像が立体的に見える「3D映画」が上映された。鑑賞するには、赤と青のプラスチックレンズを付けた段ボール製の3Dメガネを着ける必要があった。テレビでも、このアイデアに基づく試行錯誤が行われたことがある。私が子供時代を過ごした1980年代に、テレビで3D番組が上映されたのを覚えている。視聴するには、段ボールメガネをテレビガイド誌などで入手しておかなければならなかった。

さらに遡ってビクトリア朝の時代でさえも、立体に見える錯覚を起こす仕掛けはあった。2枚の絵が、両目の前にかざすとちょうど良いくらいの距離で描かれていた。

この仕掛けは、物理的世界を目で見るときに起こることを模倣している。専門用語では、〈立体写真〉という。片目ずつ別々の絵が用意されているのは、私たちが奥行きを知覚する方法を参考にしている。脳が2つの画像を、ひとつの3次元の視点に統合しているのだ。

最初は少しうさんくさく感じるかもしれないが、この3Dの錯覚は、3D映画を鑑賞したときに働く錯覚のうちのひとつにすぎず、他にも、次のような錯覚が働いている。

1．運動の錯覚　デジタル、アナログのいずれであっても、映画のコマ（フレーム）のひとつひとつを見たことがある人なら知っているように、「動画」とは巧妙につくられた錯覚である。「動画」といっても、実際に動いているわけではない。スチール画像によるコマ（デジタルの場合はフレーム）が1枚ずつ投影され、登場人物が動いているような錯覚を与える。
この錯覚は1秒あたり30フレームから60フレームを使うことで非常に優れたものになったため、私たちは画面の登場人物が実際に目の前で動いているわけではないことを忘れそうになる。

2．3Dの錯覚

3D映画の各フレームには、1つの目が1つの画像しか見られないように、2つの画像が含まれている。2つの画像は、脳に奥行きの感覚をもたらすように、ちょうどよくずらして配置されている。この奥行きの感覚が錯覚だ。

現代の3D映画のメガネには、もはや赤と青のレンズは使われない。今でも2つのレンズを使用しているが、片方のレンズを通じてしか見えない偏光を用いる。これにより、『アバター』や『スター・ウォーズ』など人気映画の3D版という新たな波が起こった。たいてい、通常の2D版と同時に封切られる。また、テレビメーカーもこの機能を盛り込んだ3Dテレビの開発に試行錯誤しているが、まだ本格的なものは登場していない。

■3D映画からVRへ

VRゴーグルのルーツは立体写真だが、現代のVRヘッドセットは、段ボールを切り抜いて2色のレンズを貼って作ったメガネよりもずっと複雑な構造をしている。

現代のＶＲゴーグルには、レンダリング対象となるコンピューターのモニターが２枚搭載されている。レンダリングは、コンピューターのプロセッサーで行われる。これはゴーグルに有線接続されたＰＣ、ゴーグルにセットされたスマートフォンのＣＰＵ、ＶＲメーカーがゴーグル自体に組み込んだＣＰＵいずれの場合もある。

３Ｄ映画は、正しく位置をずらしたカメラさえあれば、一度だけ撮影すればよい。映像のピクセルはデジタル形式でレンダリングされて保存されてから、単純に映画館の画面で再生される。ビデオゲームは３Ｄ映画よりずっと動的で、地形、物体、キャラクターの３Ｄモデルのリアルタイムレンダリングが必要になる。

映像のピクセルは、ゲームの演算がＣＰＵあるいはＧＰＵ（グラフィックス・プロセッシング・ユニット）の上で行われているのと同時に、レンダリングエンジンでリアルタイムに生成される。

前章で２Ｄゲームから３Ｄゲームへの移行の際に説明したとおり、現代のビデオゲームのシーンはピクセルとして保存されているわけではない。その代わりに、３Ｄモデルとテクスチャー【訳注：質感を表現するために、３Ｄモデルの上に貼り付ける画像】の組み合わせとして保存されている。レンダリングエンジンは、プレイヤーのキャラクターが世界のどこにいるかに基づいて、これらのモデルを画面上に表示するピクセルに変換する役割を担う。その役割は、仮想のカメラのように考えることができる。

世界の映像はユーザーのゲームプレイに応じてリアルタイムで生成されるため、生成する仮想のシーンを２種類レンダリングするのも（比較的）簡単だ。単純な数式だけで、人間の目の　般的な距離に合わせて2枚の画像のピクセルをずらすことができる。

もちろん、最も難しい部分は、これら2つの画像をうまく投影して、あたかも仮想世界の中にいるかのように脳を騙すところだ。VRの没入感は、ヘッドセットがゲーム画面以外の視界を遮ることにより、リビングルームでヘッドセットをかぶっているのではなく、シーンの中にいるような気がするところから生まれる。

VRと呼べるテクノロジー自体は1990年代から存在するが、VRヘッドセットの現在の段階に弾みがついたのは、2014年にフェイスブック社がオキュラスVR社を数十億ドルで買い取ってからだった。このできごとが3D MMORPGの成功の後に起こったのは偶然ではない。3D MMORPGは、この時点で初登場からしばらく経過していた。3Dレンダリングされた仮想世界を生成するツールやテクニックはすでに存在し、ビデオゲームの中で発達していた。これらが、オキュラスVRや、さらに最近のVRヘッドセットの波への道を切り拓いたのだ。

2012年にパルマー・ラッキーが創業したオキュラスVR社は新しいテクノロジーを発明したとは必ずしも言えないが、さまざまな手法や既存の素材を最適化して組み合わせ、実用に足るヘッドセットと、ゲーム開発者が利用できるツールキットを開発した。オキュラスVRのCTO（最高テクノロジー責任者）は、誰あろうジョン・カーマック。3D視点のゲームで最も初期に大成功を収めた『DOOM』の当初の開発者のひとりだ。おかげで、オキュラスのチームは、3D地形のレンダリングの最適化について、カーマックの長年の経験を活かすことができた。

フェイスブックがオキュラスVRを買収した後、HTC、マイクロソフト、ソニーなど、他社も独自のVRヘッドセットを発売した。なかでも成功したのがソニーのプレイステーションVRヘッドセットで、ソニーの家庭用ビデオゲーム機、プレイステーションシリーズでゲームをプレイするために最適化されている。

■没入型VRの進化

VRが『レディ・プレイヤー1』で描かれたレベルに達するまでには、まだまだ長い道のりをたどる必要がある。現在の消費者がVRを受け入れるペースは、予測されたよりもずっと遅い。その理由の一端は、現在のテクノロジーにいくつかの課題が存在するところにある。一般に普及させるためには、これらを解決しなければならない。

1．VRに専用ゴーグルが必要　VRの最大の欠点は、VRゴーグルを着用しなければならないことだ。欠点というよりも機能のように思えるが、VRテクノロジーが広く受け入れられるための障害になっていることは間違いない。

2．VRに専用の空間が必要　ゴーグルを着けると現実世界が見えなくなるため、他の人やものがないところで使わなければならない。そうでなければ、ぶつかってしまうからだ。これは非常にやっかいなので、専用のVRスペースが家にないことは、完全な没入にあたって大きな障壁になる。興味深いことに、この点はビジネス用途のVRの場合は障壁になっていない。たとえば、フォークリフト運転者の講習や、その他の企業向け研修などである。

3．今でもVR酔いが起きることがある　動いているとき、体は目からだけではなくその他の方法でも、脳にフィードバックをするようにできている。筋肉、脚、腕などすべてが、動いていることを示すために役立つ。ひとつの感覚しか刺激されないと、利用者が不快感を起こすことがある。これは理想的ではない。現代のVRゴーグルやVRアプリケーションでは、ゲーム内で連続的な動きの代わりにテレポートを採用して一瞬で移動させたり、さまざまな画像ぼかし技術を用いたりして、不快感の抑制に取り組んでいる。

4．VRのレンダリングがフォトリアルでない　シーンを生成するハードウェア（レンダリングハードウェア、ゴーグル、その他の操作系）に加えて、VRの没入体験を真に牽引するのは、シーンの後ろで稼働しているソフトウェアだ。ソフトウェアは携帯電話やPCで稼働しなければならないが、現代のハードウェアとソフトウェアは、VR環境内でプレイヤーが動いているあいだにフォトリアルなイメージをレンダリング（より正確には再レンダリング）することがそれほど得意ではない。解像度が上がるほど、パワフルなCPUやGPUが必要になる。

5．運動学的フィードバックがない　完全な没入体験を生み出すには、視覚以外の感覚（触覚や聴覚など）も刺激しなければならない。ハプティックスーツ（運動学的フィードバックを与えてくれる服あるいはウェアラブルデバイス）や、トレッドミルのように物理的動きを制御するマシンと組み合わせれば、体験をさらにリアルにすることもできる。たとえば、ハプティックグローブは、肌に刺激を与えることによって、実際にものを持っている、壁を押しているなどの感覚を与える。企業はこうした周辺機器の第一世代の開発には成功したが、『レディ・プレイヤー１』に描かれたレベルにはまだ達していない。

6．3Dサウンド

3Dサウンドは、完全没入のために重要なもうひとつの分野で、現在研究が進められている。現実世界では、人間は２つの耳を使って三角測量の原理で音がしている方向を判断できる。仮想世界の音はすべて、物理的には１カ所、つまりヘッドセットが接続されているコンピューターから来る。仮想空間内のさまざまな方向や場所から来る音を模倣できることを示す研究は数多く存在する（これを３Dサウンドと呼ぶ）が、ほとんどのゲームやアプリでは、まだこれをＶＲ制作に組み込むことができていない。たとえば、初期のＭＰ３プレイヤーを開発した（そして、市場ではアップルのｉＰｏｄやｉＰｈｏｎｅに敗北した）クリエイティブ・ラボ社は、開発者や消費者が利用できる３Ｄサウンドテクノロジーの開発に社運を賭けている。

現代のＶＲテクノロジーが登場から10年少々しか経っていないことを考えると、以上に挙げた課題の多くは、今後数年から10年以内に解消されることが期待できる。

ステージ5：フォトリアルな拡張現実（AR）と複合現実（MR）

VRと密接に関連し、VRと同様のメリットを多く提供するテクノロジーが、拡張現実（AR）だ。ARはある意味でVRとよく似ている。ARでも、〈拡張〉された世界を見るために、ゴーグルやレンズの類が必要だからだ。しかし、VRのように仮想世界に完全に没入し、まわりの環境に対する感覚が完全になくなる代わりに、ARゴーグルでは現実に存在するものも見える。ARの特徴は、環境にものを仮想的に〈追加〉するということだ。少なくとも、ゴーグルをかけている人にはそう感じられる。たとえば、テーブルがあるが、椅子がない部屋にいるとする。ARゴーグルをかけると、テーブルのまわりに椅子が置かれているように見えたり、テーブルの上にヘビが載っているように見えたりする。

最も初期のARヘッドセットには、〈グーグル・グラス〉や〈マイクロソフト・ホロレンズ〉がある。これに、独自のライトフィールド・テクノロジーを用いる〈マジックリープ〉などの製品が加わり、さらに多くの製品が開発中だ。

ARはVRとは異なるテクノロジーだが、根底にあるツール群は非常によく似ている。どちらも、もともとビデオゲーム向けに開発された3Dモデル、テクスチャー、リアルタイムレンダリングテクノロジーを利用している。これらは、3D MMORPGと映画の特殊効果の両方に使われているのと同じ、CGI（computer-generated imagery）というテクノロジーである。

■フォトリアルな拡張映像の生成

現在、ARゴーグルで〈拡張〉されている映像は、現実世界の物体よりもずっと〈ビデオゲーム風〉に見える。また、現代のARゴーグルは視野も限られているので、現実世界の物体と〈拡張〉された物体を見分けるのはとても簡単だ。しかし、今後もそうとは限らない。

現時点では、ある物体を現実世界の一部に見せかける技術は、映画のほうが簡単だ。CGIの技術やツールはビデオゲームと映画の両方で用いられているが、映画にはリアルタイムレンダリングは必要ない。ピクセルは、描き加えられた物体をシーンの一部として見せるようにあらかじめレンダリングされており、視点も一方向に固定されている。

一方、ARゴーグルは現実世界の物体をリアルタイムでレンダリングしなければならないうえ、装着者が振り向いたり、部屋の中を動き回ったりするたびに、レンダリング内容も変えなければならない。ARゴーグルはリアルタイムでレンダリングする必要があるため、巨大な予算で作られる映画の特殊効果と比べて、物体（オブジェクト）の解像度と質が低い。

物理的世界にある物体と区別がつかないような仮想オブジェクトを、現実の物理的世界の中にリアルタイムでレンダリングできるようになれば、シミュレーション・ポイントへの道のりの中で重要なマイルストーンに到達したことになる。これを私は「フォトリアルな複合現実」（MR）と呼んでいる。

MRは、シミュレーション・ポイントへの道のりにどのようにかかわってくるのだろうか。まず、MRはシミュレーション・ポイントを予測するための、説得力のある類推材料になってくれる。もし、自分を取り巻く世界で、レンダリングエンジンによって生成されたとわかっているフォトリアルな物体が見られるようになったら、何が起こるだろうか。自分を取り巻く世界にはもうひとつの隠されたレンダリングエンジンがあって、今自分が見ている物体を生成しているのでは、と考えるようになるのは、論理の飛躍ではないだろう。そうであれば、物体は本当の意味で、情報に基づく〈物理的なオブジェクト〉であって、人間感覚の中でのみ〈リアル〉に見えていることになる。拡張現実と物理的な現実のあいだの境界線があいまいになるにつれ、グレート・シミュレーションを構築するためのテクノロジーが真の意味で具体化するようになる。

■映画の特殊効果に関する解説

前述のように、映画における特殊効果の発達は、映画の中でリアルに見えるキャラクターやオブジェクトを生成し、本物の俳優やセットに溶け込ませることができることを示した。ここで、映画の特殊効果におけるCGIの歴史について、簡単に振り返ってみよう。

特殊効果の記念碑的な存在が、1993年に公開された『ジュラシック・パーク』だ。コンピューターによって生成された恐竜が、観客にはリアルに見えた。それ以来、映画版『ロード・オブ・ザ・リング』シリーズの最初の2作に登場するゴラム族から、2009年の『アバター』に出てきた、架空の惑星パンドラに住む青い肌のナヴィ族まで、コンピューターによって生成されたキャラクターは映画では一般的になった。初めて完全にCGIで制作された劇場用映画、『トイ・ストーリー』は、1995年にピクサーによって公開され、多くの追従作品を生んだ。

ところで、ここまでに説明したCGIキャラクターの中に人間がいないことに気がついただろうか。今のところ、本物にきわめて近い人間のCGを創るのは、特殊効果アーティストにも難しく、費用もかさむ。人間ではないゴラム族などのキャラクターに、人間らしい動きのクセをつけて〈演技〉させることを可能にしているテクノロジーが、モーションキャプチャーである。モーションキャプチャーでは、俳優が、体の主な位置の動きを追跡するセンサーの付いたスーツを着用する。類似の技術にフェイシャルモーションキャプチャーがあり、顔の主な位置にセンサーを取り付け、俳優の会話や演技に応じて動きを読み取って登録する。その後、これらの動きを、キャラクターのCGアニメーションに利用する。

モーションキャプチャーは、リアルなジェスチャーや表情を捉えるために大いに役立ったが、人間の一部の特徴、特に髪と肌の再現には非常にコストがかかることがわかった。ビデオゲームシリーズをベースにした2001年公開の大予算映画『ファイナルファンタジー』では、特殊効果予算の大半が、キャラクターの髪をリアルに描くために割かれた。これは予算の最適な使い方とは言えないのかもしれない。キャラクターの外観はすばらしかったにもかかわらず、多くの観客が映画をやや退屈に感じ、興行的には失敗に終わったからだ。

現代のほとんどの映画が、スタジオから映画館までデジタルで転送されるという事実は、リアルなCG人間の制作に対する障壁は、ピクセル解像度だけではなく、リアルタイム計算と再レンダリングの問題でもあるということを意味している。今までのデジタルフィルムは2K解像度（2048ピクセル）で転送されていたが、最近では4K（4096ピクセル）での転送も始まっている。

つまり、ゲームにおける限りなくリアルな人間のキャラクターは、もはや解像度やピクセル数の問題ではなく、それらのピクセルがどのように動き、観客がより自然と感じるようにリアルタイムでレンダリングされるかの問題となってきているのである。

一方、リアルな物体をリアルタイムでレンダリングするのはずっと簡単であることがわかっている。『ブレードランナー2049』や、『スター・ウォーズ』続三部作（『フォースの覚醒』、『最後のジェダイ』など）では、空飛ぶ自動車や宇宙船、そしてさまざまな生物が、人間の俳優を含むまわりのシーンと自然に溶け込んでいる。たとえば、高層ビルが立ち並ぶ市街地シーンに、空飛ぶ自動車を追加して、風景に自然に溶け込むように、リアルに見せることができる。

このテクノロジーの現在の到達点を考えると、2020年代の初頭までには、少なくとも環境とオブジェクトについては、一般的なPCとVRゴーグルやARゴーグルを使って、フォトリアルなリアルタイムMRを達成するスタート地点に立っているだろうと、私は信じている。

物体に関する情報を捉えるための新しい手法も次々と実現している。たとえば、ボリュメトリックキャプチャという技術では、人物または物体のまわりに12台のカメラを配置して、同時に画像を撮影する。次に、この12種類の異なるビューを使って、オブジェクトの3Dモデルを効率的に組み立てる。プログラマーによる手作業のコーディングや、アーティストによる仕上げは必要ない。こうしたテクニックにより、フォトリアルに見える3Dモデルを大量に作成するのが簡単になる。やがて、人間のモデル化についても完全なものになるだろう。つまり、VRとARの両方で、さらにリアルな3Dオブジェクトやキャラクターの到来が近づいているということだ。2

018年と2019年には、中国のニュース通信社である新華社通信が、本物の人間そっくりの姿でニュースを読む、男女2人のバーチャルニュースキャスターを導入している。

現在のARとCGIを基礎として築かれるフォトリアルなMRはまもなく、おそらく10年以内にやってくる。現実世界と区別がつかないオブジェクトや人物を生成する道のりの、非常に重要なマイルストーンになるだろう。主な障壁は解像度ではなく、速度――レンダリングエンジンの速度と、現実世界の物体を3Dでモデリングするための速度だ。他のグラフィックと同様、どちらも最適化によって改善できる。もし、これらが改善され、物理的世界と区別のつかない人物を生成できるようになれば、本書の根底に流れる、「物理的な現実世界は、情報（オブジェクトの3Dモデル）とその処理（オブジェクトのレンダリング）によって構成されているのではないか」というテーマが裏付けられるだろう。

ステージ6：現実世界におけるレンダリング
――ライトフィールドディスプレイと3Dプリンティング

言うまでもなく、現在のVRはVRゴーグル、ARはARゴーグルがなければ使えないが、ひとたびゴーグルでフォトリアルな体験が実現したら、次の段階に進むことになる。こうしたオブジェクトを物理的世界で、ゴーグルを必要とせずにレンダリングできるようになるという展望を描けるようになるのだ。そのためには、これまでの段階と同様に、最適化された新たなレンダリング手法と新たなソフトウェアが必要になる。また、プロジェクターと画面を構成する方法についての新たなアイデアも不可欠だ。

ここからは、最先端の研究と、予測されるテクノロジーの領域に入っていく。これらは、MMORPG、3Dモデリングとレンダリング、VR・AR・MRなど、これまでの段階で用いられていた手法に基づいて理解することができる。シミュレーション・ポイントへの道のりにおいて、この段階で注目するのは、現実世界のレンダリングテクノロジーである。

ステージ6「現実世界におけるレンダリング」で紹介する2つのテクノロジーは、ライトフィールドディスプレイと3Dプリンティングだ。どちらも、コンピューターの画面を必要としない。ライトフィールドディスプレイは、オブジェクトがどのように光に影響を与え、また光を反射するかを分析することによって、オブジェクトをレンダリングする方法である。光がオブジェクトに当たって反射するようすをシミュレートすることで、画面がなくても現実世界でリアルに見える、立体映像のようなプロジェクションを生成できる。将来的には、ゴーグルすら不要になる。

3Dプリンティングは、ここ10年ほどで急激に普及した分野だ。3Dプリンティング技術は、レンダリングエンジンが情報をコンピューターの画面に変換する方法、プリンターが画面上のピクセルを紙の上のドットに変換する方法と同様に、オブジェクト情報を現実の物体に変換するようなレンダリングエンジンの一種を作ることもできるのだと教えてくれる。たった10年前でさえも、SFのように思えたかもしれないが、現在はさまざまな業界で使われている。

これらはどちらも、シミュレーション・ポイントに到達するための道のりに大いに関係する。コンピューターベースのレンダリングは、コンピューターの画面だけで起こるわけではないということを教えてくれるからだ。

■ライトフィールドディスプレイ

物理的世界に存在しないオブジェクトを統合するための重要な発展は、ライトフィールドディスプレイの創造だ。ライトフィールドとは、オブジェクトから反射する光の量のことであり、これは現実世界で私たちがオブジェクトをどのように認識するかに関連する。部屋の中における観察者の相対位置によって、オブジェクトが特定の位置にあるように見せるためには、特定の方法で光を観察者の目に照射しなければならない。

ライトフィールドディスプレイについては多くの研究が進んでいて、私たちを取り巻く世界にオブジェクトを重ねるため、それぞれ異なる方法を採用している。ライトフィールドディスプレイは、オブジェクトを〈重ねる〉手段として、部屋の別々の場所にいる観察者がオブジェクトを〈現実〉だと思えるように、オブジェクトで反射して観察者に当たる光の量を正確に計算する。

初期のライトフィールドディスプレイは、〈マジックリープAR〉ヘッドセットのように、ヘッドセット上でこのエフェクトをシミュレートする。テクノロジーが進歩すれば、さらに高度なライトフィールドディスプレイが登場し、部屋の中に光の粒子を配置することで、ヘッドセットなしでリアルなオブジェクトを実現できるようになるだろう。

ＭＩＴメディアラボとブリガムヤング大学の研究者は、〈ボリュメトリックディスプレイ〉と呼ばれるテクノロジーに取り組んでいる。これは、レーザーを組み合わせて、現実世界の物体、たとえばテーブルなどの上に立体映像を配置し、部屋のどの位置からも現実に存在しているように見せるというものだ。このホログラフィック（立体映像）ディスプレイで表示した物体は、現実の物体と同じように光が反射し、あらゆる方向に光が散乱するように最適化されている。(7)

部屋の中にいる観察者に対して、固体に見える立体映像を投影する機能は、特殊な種類のシミュレーションである。シミュレートされたオブジェクトが見えるだけではなく感じられる『スター・トレック』の〈ホロデッキ〉の域には達していないが、シミュレーション・ポイントへの道のりを前進するための大きな一歩を表している。

さて、光の粒子の動きで現実のオブジェクトをシミュレートできるのなら、〈現実のオブジェクト〉とはいったい何だろう。実のところ、一般に固体と思われている物体のほとんどは、９割９分空洞であり、核のまわりを電子が回っているだけであることが、物理学で証明されている。原子（および原子より小さい粒子）どうしの関係が、固体・気体・液体の違いを分けているのだ。さらに具体的に説明すると、ある物体が光の通過しない固体に見える鍵となるのは、電子が光を吸収する、という性質である。物体が固体のように見え、感じられる原因が、動き続ける電子にあるのなら、このダンスを光の粒子でシミュレートできることになる。

これが達成されれば、仮想と現実のあいだの境界線は、永遠にあいまいになる。ここでもまた、現実世界の物体を情報に落とし込むことができるのに気づく。こうして、私たちは再びシミュレーション仮説に引き戻されるのである。

■3Dプリンター――現実世界のためのレンダリングエンジン

存在しないオブジェクトをレンダリングできるライトフィールドディスプレイが実現する前に、現時点ですでに3Dモデルに基づいて物体をレンダリングできるテクノロジーがある。3Dプリンターだ。

一般的にドットプリンターと呼ばれる初期の2Dプリンターは、あまり高度なしくみではなかった。等幅のフォントで、文字を構成する点（ドット）がひとつひとつ見えていた。それ以来、プリンターの性能は飛躍的に向上したが、基礎となるテクノロジーは依然として、さまざまな種類のインクを使ったドットを組み合わせて、紙の上に載せて印刷するというものである。私が一貫して強調しているテーマのひとつが、ここでまた持ち上がる。ドットの正確なパターン（どこに何を印刷あるいはプリントするか）は、印刷・プリントあるいはレンダリングの結果を左右する情報である、ということだ。

従来のプリンターでは当初、黒のインクだけしか使えなかったが、解像度が上がるとともに、CMYKパレット（色の3原色といわれるシアン、マゼンタ、イエローに黒を加えた4色）や、その他の色が加わった。これにより、フォトリアルなデジタル印刷が可能になった。いまや、デジタルレンダリングという手法によって、PCからインクジェットプリンターにセットした光沢紙に写真を直接印刷できる。

3Dプリンターは、この概念を進化させたものである。3次元空間でピクセルを用いて、物体を正確に〈プリント〉する。ここでいうピクセルは、画面に表示される光の点や、紙に載るインクではなく、3次元の物体の一部である。たとえば、同じ大きさの円をたくさん重ねると、円柱をプリントできる。材料の層の厚さは、現代のほとんどの3Dプリンターでは約0・1mmである。

ビデオゲームと同様に、3Dプリンターが機能するには、プリントする物体のコンピューターモデル、つまり印刷（ビデオゲームの用語に例えれば、レンダリングプロセス）の結果を左右する情報が必要となる。この情報はビデオゲームや映画の特殊効果のために生み出されて最適化された各種の3Dモデリング手法をはじめ、さまざまな方法で生成できる。

黒インクしか使えなかった初期の紙用プリンターと同様に、初期の3Dプリンターは、ピクセルに対して1種類の材料、つまりエポキシ樹脂しか使えなかった。そのため、どんな物体をプリントしても同じ色で、プラスチックのような質感に見えた。

3Dプリンターが高度になるにつれて、ピクセルに対してさまざまな材料を使って、ほとんどあらゆる3Dモデルをプリントできるようになった。現時点で、一般的な物体をプリントするために使える多くのオープンソースモデルがあり、その中には実弾が撃てる銃すらある。そして、鉄をはじめとする物質をプリントする可能性もそう遠くはない。

3Dピクセルに使用されるプリント材料の種類を、金属や、ガラス、ゴム、その他の材料の代用となる各種の複合材料に拡大できれば、生物以外のあらゆる物体を作り出すことができ、『スター・トレック』の〈レプリケーター〉も現実のものとなるかもしれない。たとえば、ジェームズ・ボンドシリーズの『スカイフォール』の制作陣は、3Dプリンターを用いてアストンマーチンのスポーツカーを3分の1スケールモデルでプリントし、撮影後に廃棄した。もちろん、3Dプリントされた車は、実車と同じように見せるために着色する必要があった。

3Dプリンターの進化によって、私たちは再び、何が物理的世界の〈物体《オブジェクト》〉を構成しているのかという疑問に至る。物体は、自然界に存在する材料を使ってプリントされたモデルにすぎないのだろうか。〈現実の〉世界では、木、石、金属などの材料を用意して切断し、新たな物体を組み立てる。

このプロセスの仮想版が機能しているのが、別の種類の仮想世界の中でみられる。若者のあいだで大きな人気を博しているゲーム『マインクラフト』だ。『マインクラフト』では、プレイヤーはさまざまな材料を採掘し、それを部品としてシミュレーション世界の中でコンテンツを組み立てる。

さて、物理的世界の物体も、なんらかのオブジェクトモデルと命令によって生成される3Dプリンティングの結果ということはありうるだろうか。現在の3Dプリンターは、原子や分子をプリントすることはできない。もっと大きな単位で稼働している。しかし、このテクノロジーが進歩すれば、プリントするドットをどんどん小さくできるようになり、いずれは個々の原子や分子すらプリントできるようになるかもしれない、と考えるのは、大きな飛躍とはいえないだろう。

3Dプリンターは一見、ビデオゲームと何の関係もないように思えるかもしれないが、実際には、ビデオゲームのために開発されたモデリング手法は、３Ｄプリンターに使われている手法と同様であり、ここでもまた、現実世界の物体がデジタル情報に還元されているようすを観察することができる。『マインクラフト』や『セカンドライフ』（あるいは、架空の〈オアシス〉）の中で作られたテーブルは、ゲームの基本的な構成単位（ピクセル）でレンダリングされ、それぞれの仮想世界が続く限り、世界の中に存在する。私たちを取り巻く物理的世界について、はたしてそれ以上のことが言えるだろうか。

■自然——生体物質の３Ｄプリンター

人類が今のところまだプリントできていないものは、有機物質である。有機物質には、生物の基本構成要素である炭素が含まれている。オーガニック（有機）３Ｄプリンターは、私たちが考えるほど遠い未来の話ではない。それを使って臓器をプリントしたり、ＳＦ的なシナリオのように、本物の生物を創り出したりできるかもしれない。

遺伝については、遺伝子が発見されるはるか前から理論として想定されていたが、ＤＮＡの発見は、生物の構成要素もまた情報に基づいていることを明らかにしたかのようだった。ＤＮＡの中の情報は「遺伝子」という形をとり、生物の体に対して、細胞の構成要素であるタンパク質を構築するための命令として機能する。したがって、私たちが物理的な体と考えているものは、実際のところ情報として表現可能だと考えられる。生物学的なプリント処理によって情報が解釈されることで細胞が生み出され、より大きな抽象的概念である生物として組み立てられるのだ。

これは、2016年にHBO系列でドラマ化された『ウエストワールド』（1973年にマイケル・クライトンが脚本・監督を務めた映画『ウエストワールド』に基づく）を思い起こさせる。この作品の舞台は、クリエイターによって完璧に作られたAIとロボットがいるテーマパークだ。高度な3Dプリンターで骨や肌を含むアンドロイドのパーツがプリントされ、それが組み立てられて生物となる。アンドロイドはあまりにリアルなので、観光客はよく人間と〈ホスト〉（作中のアンドロイドの総称）の見分けがつかなくなる。ホストは多機能だ。観光客はホストに話しかけたり、ホストと戦ったりできるし（『ウエストワールド』という名のとおり西部劇風のセットがあり、カウボーイになれる）、性行為などの虐待も可能だ。実際、ロボットが人間によるそうした虐待に対して反乱を起こすというのが、原作映画とテレビシリーズに共通するテーマになっている。

そして、またもやフィリップ・K・ディックが自身のSF作品で提示した質問に戻る。

何が現実で、何が作り物なのだろうか。

現代の3Dプリンターは、『ウエストワールド』に登場する架空の機器からそれほど大きく隔たってはいない。骨や肌や歯はまだプリントできないが、実用可能なバイオプリンターの登場まで、せいぜい10年か20年くらいだろう。シミュレーション・ポイントへの道のりという枠組みの中では、10年や20年は決して長くないのだ。

ステージ7：マインドインターフェイス

ここまでのステージのテクノロジーでは、さまざまな構成要素を、シミュレーション・ポイント到達へ向かって完全体に近づけてきた。オンラインのマルチプレイヤー・インフラ、プレイヤーを表すキャラクター、共有されたデジタル世界、ライトフィールドディスプレイ、ピクセルの3Dプリント。これらすべてに通底するのは、プレイヤーとオブジェクトを、世界（そう、現実世界）の中に、コンピューターモデルとデータからなる情報として表現する、ということだ。

本物の現実と区別のつかない仮想世界を創るには、『マトリックス』の作中世界のように、プレイヤーがその世界を完全に本物だと感じるようにする方法を見つけなければならない。

ここからは、より仮説に近いステージに入っていく。ここからいくつかのステージはすべて、人間の精神と意識に関係してくる。現代の科学者の中には、適切な化学的、電気的信号を脳に送り込んだり、脳から読み取ったりすることで精神とのやりとりが可能だと信じている人も多い。本書のこの部分の議論では、これが真実だと仮定する。そして、もしそうだとすれば、現代の科学者たちは、精神とやりとりしたり、人工知能を創ったりするための道を着々と歩んでいる、ということを示す。

そして、科学によって宗教、心理、神秘主義の領域に押しやられてしまったとはいえ、意識の正体に関する深遠な解釈——脳にあるものだけが意識ではないのではないか——も同じくらい妥当かもしれない。本書のパートⅢでは、数章をさいて、意識の神秘主義的な面について探っていく。

最後に、科学的な視点と神秘的な視点の両方が、シミュレーション仮説とどのように整合性がとれているかをまとめる。

SFに戻ると、映画『マトリックス』の人間たちは、情報を直接脳に送り込まれていたので、シミュレーションを現実だと思い込んでいた。この〈完全没入〉を達成するため、首の後ろに物理的に穴を開け、特別に設計されたケーブルを介してコンピューターシステムにつなぎ、そのシステムからシミュレーションを大脳皮質に送り込んでいた。このシステムは双方向で機能した。プレイヤーの反応をリアルタイムで考慮してシミュレーションを更新し、その結果を、関連するすべてのプレイヤーの〈画面〉にレンダリングした。

読者の皆さんには、これもまた、入出力のしくみが大幅にアップデートされたとはいえ、テキストアドベンチャーゲームによって開拓された基本のゲームループに沿っていることがわかるだろう。

脳に直接接続するこのシステムは再利用可能だ。モーフィアスとそのチームは、さまざまなシミュレーションをネオの首の後ろに送り込むことができ、そのたびにネオは格闘技の道場やビルの立ち並ぶ大都会など、異なる仮想世界に没入した。まるで、家庭用ゲーム機のカートリッジやCDを入れ替えるかのように簡単だ。これらのそれぞれは、作品のテーマである大きな〈マトリックス〉に対して、小さなマトリックスだと考えることができる。本書の用語を使うなら、〈グレート・シミュレーション〉に対する小さなシミュレーション群といえる。

■マインドインターフェイスの種類

現実と見分けのつかない仮想現実を創り出すために、ステージ7と8では脳とのインターフェイステクノロジーを開発する必要がある。それは、次のような構成要素からなる。

・このテクノロジーは、椅子に座っていたり寝ていたりする人間が実際には仮想世界にいるのだと錯覚するように、仮想世界を脳に送り込む必要がある。

・このテクノロジーは、動作、感情、やりとりなど、世界に対する人間の反応を読み取り、それらを仮想世界に送信してゲーム世界を更新する必要がある。反応は、完全に脳から読み取る必要がある。

・さらに、シミュレーションにおける任意の時点より〈前〉に起こったことについても、合理的な歴史を植え付ける必要がある。このことを考えると、記憶の植え付けというアイデアにたどりつく。これについては次の章で扱う。

3つのテクノロジー分野それぞれについて、まるまる1章分は書けそうだが〈神経科学について詳しく論じるなら、まるまる1冊の本が書けるかもしれない）、ここではそれぞれを簡単に見ていこう。

■マインドブロードキャストテクノロジーの実現性

人間の脳に偽の信号を伝達して、本来その場にないものを見せることができる、と信じている科学者は多い。もし脳がコンピューターや電子機械のようなものならば、他の機械と同様にブラックボックスとして扱い、入出力される信号に注目することで動作を模倣できる、という考え方だ。この場合、入力信号は目などの体の部分から脳に伝達される信号を真似たものになる。その入力信号の結果、本来その場にないものを見たり感じたりしたという信号が出力される。

これは可能だろうか。

この理論は、脳と体をつなぐ神経系が、おもに電気系統であるという仮定に基づいている。カナダの研究者、ワイルダー・ペンフィールドは、1950年代に一連の実験を行い、脳のさまざまな場所に電気的刺激を与えて、物理的な脳の各部がどの体や神経の部分を司っているかというモデルを、被験者ごとに作成した。

ごく一部の事例（5パーセント）では、記憶を刺激することに成功した。この電気的刺激のみで、脳の一定の記憶を呼び起こしたり、特定の応答を引き出したりできたと、一般向け書籍で報告されている。また、他の多くの事例では、電気信号を用いて、幻覚を誘発することに成功した。

シミュレーション・ポイントに達するために、マインドブロードキャスト（脳への配信）の重要性は強調してもしきれない。VRゴーグルをかけていたり、なんらかのコンピューター画面を見て操作したりしている限り、何が〈物理的な現実〉で、何が〈シミュレートされた現実〉なのかは、ある程度は明らかだ。もし、脳の特定の部位に特定の信号を送り込めるようになったら、最も高度なレンダリングエンジンとコンピューター画面を兼ねた装置を活用できるかもしれない。そう、人間の脳だ。

■心の読み取り

このステージの2番目に来るのは、脳の信号の読み取りである。脳波をおおまかに読み取って（アルファ波、ベータ波、シータ波など）、脳の状態をおおまかに知ることはできる。脳波は、リラックス、睡眠、覚醒などさまざまな行動に関連付けられていて、それぞれの状態に入りやすくなる音も合成されている。

なんらかの電気機器によって意思を正確に読み取る機能は、現時点での技術の到達度とは程遠い。それにもかかわらず、心の情報にアクセスするためのさまざまな方法を示す研究はある。人間が何かを話そうとすると、実際に声を出さなかったとしても声帯が動く。このような声帯の微妙な動きを読み取る装置が開発されている。

また、物理的なプロセスに人間の心がどのように影響するかの研究もある。プリンストン大学工学部特異現象研究所（PEAR）に所属していた研究者のアダム・カリーは、心が乱数発生器（RNG）に影響を及ぼす可能性がある、つまり、ある種の思考によって、乱数列が乱数列でなくなってしまうことを発見した。カリーの所属するチームは、〈マインド・ランプ〉を発明した。人間が頭に思い浮かべた色に基づいて色を変えるランプだ。完璧ではないものの、このランプは、人間の意図に基づく乱数発生器のランダム性の変化を検知し、そこから読み取れる規則性を、値――別の色に割り振られた値として表すことができる。

さらに最近では、VRヘッドセットを着用したユーザーの意思を示す電気信号を読み取り、オブジェクトを操作させることに成功したスタートアップ企業もある。ニューラブル社やニューロリンク社などは、すでにコンピューターと脳のあいだのやりとりが可能だとうたっている。この大変革はまだ黎明期にあり、汎用的な意思の読み取りが実現するにはまだ長い時間がかかりそうだが、すでに取り組みが進んでいるのは明らかだ。

これら2つのテクノロジー、つまりマインドブロードキャスト（脳への配信）とマインドリーディング（心の読み取り）は、〈マトリックス〉的なシミュレーションを実現するための究極のユーザーインターフェイスとなるだろう。世界のイメージをマインドブロードキャストによって脳に直接送り込み、プレイヤーの意思を脳から直接読み取って、共有されている世界に戻すことができる。数百万人（いずれは数十億人）ものプレイヤーが、共有されている世界に影響を与えることになるので、すべてのプレイヤーの意思をリアルタイムで反映しているように見せるには、基本のゲームループを非常に素早く実行しなければならない。

推測段階に留まっているものの、現代の科学者の中には、脳の電気化学信号を十分に理解してこれら2つのタスクを達成するのが、わずか数十年（多めに見積もって百年）先のことだと信じている向きも多い。現時点では、シミュレーション・ポイントへの道のりのうち、このステージと次のステージが、ひょっとすると次のステージの人工知能を抑えて、最も難しいものになるかもしれない。ステージ9の人工知能については、この後の章で扱う。

ステージ8：記憶の植え付け

このステージでは、SFのような印象を与えるもうひとつの深遠なテクノロジーを掘り下げる。世界と、あるキャラクター（現実世界での呼び方なら「人」）の体験に関する偽の記憶を植え付ける機能だ。もし私たちがシミュレーションの中にいるのなら、この操作は可能なはずである。シミュレーションの中にいるキャラクターの個人履歴がどこかに（一般的には、レンダリングされている世界の外に）保存されているからだ。

では、植え付けられた記憶とは、どのように見えるものなのだろうか。ここでもまた、フィリップ・K・ディックとSFの領域に戻る。1990年に映画『トータル・リコール』（アーノルド・シュワルツェネッガーが主人公のダグラス・クエイドを演じた作品だ）が公開されてから、記憶の植え付けというアイデアが一般にたちまち知れ渡った。偽の記憶をテーマとしたフィリップ・K・ディック作品の映画化としては2作目になる。1作目の『ブレードランナー』（1982年公開）では、登場人物のひとりであるアンドロイドには子供のころの「現実の記憶」があったが、実は植え付けられた記憶だった。『ブレードランナー』の原作については、次の章の人工知能に関する項で詳しく取り上げる。

『トータル・リコール』で、ダグラス・クエイドは休暇の記憶を植え付けることができる企業、リコール社を訪れる。ちなみにディックの世界では、実際にカリブ海まで旅行するよりも、記憶を植え付けるほうがずっと安い。

毎晩のように火星の夢を見ていたクエイドは、リコール社で「思い出す」休暇の選択肢を与えられると、もちろん火星への冒険を選んだ。リコール社の面々が記憶を植え付けようとしたところで、問題が発生した。クエイドにはすでに、何者かが設定した記憶の〈障害〉があったのだ。リコール社が問題の修正に奮闘しているあいだ、クエイドは自分が火星の秘密警察官であったことを徐々に思い出す。すると、スパイの集団が現れ、クエイドを殺しにかかる。

思い出したばかりの格闘術によって、クエイドは殺し屋たちから逃れて火星へ赴く。そこで彼は別の名前で知られていた。アクションの末、自分が火星を支配しようとする権力者の下で働くスパイだったとわかったクエイドは、（なんと宇宙人のテクノロジーを用いた）テラフォーミングを開始し、火星の大気を人間が住めるように変える。まさに一大活劇。クエイドが、火星にいたことがあるかのような夢を繰り返し見ていたのも無理もない。いや、本当に火星にいたのだろうか。

物語全体が、リコール社が植え付けた偽の記憶だったのだろうか。それとも、クエイドは本当にリコール社の処理のおかげで記憶が蘇ったスパイだったのだろうか。映画には疑問の余地が十分に残されていたが、偽の記憶とはどのようなもので、どういう意味合いがあるのかを話題にするための絶好の素材となった。

■現実と虚構を見分ける

さて、記憶を植え付けることのできる世界では、どのようにして現実と虚構を見分けるのだろうか。

もし仮想世界に住む仮想のキャラクターを作るとしたら、世界の中でそのキャラクターに現実感を持たせるように、記憶を植え付ける必要があるかもしれない。その理由は、ゲームマスターが、シミュレーションの一部の面を変更して結果が変わるかどうか確認しようとするからかもしれないし、シミュレーションを世界の創造からではなく途中から始める（もしくは再開する）からかもしれない。

なぜ、このようなことをしたいのだろうか。

ここでまた、フィリップ・K・ディックの1977年の主張がよみがえる。私たちはコンピューターが生成したシミュレーションの中に住んでいる。シミュレーションでは特定の要素（変数）を調整することができるが、プログラムがその時点から再開されても、シミュレーションの中にいる人々は何かが変わったことに気づかない。ディックは『トータル・リコール』と『ブレードランナー』に加え、映画『アジャストメント』をはじめとしたさまざまな作品でこのテーマを繰り返し探求した。

ディックの妻のテッサにインタビューしたときに教えてもらった。ディックは、核戦争など不幸な結果に終わった時間軸の存在を信じていた。また、過去を改変して別の時間軸を試そうとしている（おそらく、その未来から来た）生命に出会ったとも主張していた。それらの生命は、改変がどのような結果をもたらすか正確にわかっていないようで、結果はシミュレーションを実行して確認しなければならない。そういう話だった。コンピューターサイエンスの言葉で表現すると、彼らがシミュレーションを実行する必要があるのは、観察対象（つまり人間の文明）が〈計算的に既約〉であるからだ。

はたして、偽の記憶を持つことは可能なのだろうか。社会学の実験で、〈偽の記憶〉がまさしく存在していることが示されている。ウェブサイト『サイコロジー・トゥデイ』には、カリフォルニア大学アーバイン校のエリザベス・ロフタスの研究が引用されている。それによれば、注目を集める裁判事例において、子供のころの出来事に関する偽の記憶が発生することは実際にあるという。「彼らは子供のころの出来事について、誤った記憶を思い出すことがあり、また効果的な示唆があれば、新たな偽の記憶を作り出すことさえあるのです[8]」

ここで用いられている手法は「示唆」であり、偽の記憶を植え付けるためのアルゴリズムからは大きな隔たりがある。これを、計算や情報に基づく枠組みで行うことは可能だろうか。この章の前半部分で、1950年代にペンフィールドが行った、脳に電流を流して記憶を刺激する実験を紹介した。はたして電気的刺激によって、偽の記憶を植え付けたり、誘発したりできるものなのだろうか。

2013年に、MITの研究者チームは、アルツハイマー病を研究しているときに、マウスの脳に偽の記憶を植え付けられることを発見した。MITで生物学と神経科学の教授を務める利根川進によれば、これらの偽の記憶は、本物の記憶と同じ神経構造を持つという[9]。

過去の記憶を改変できるのなら、過去そのものも事実上改変できるのだろうか。これらふたつの問いのあいだに、意味のある違いは存在するのだろうか。

スティーブン・ホーキングは、自身のブラックホールの研究によって、ブラックホールに入ったまま出てこない粒子の情報が失われているというやっかいな性質が判明したことについて、問題を提起している。「決定論が崩壊したら、過去の歴史についても確信できなくなります」とホーキングは述べている。「歴史書や我々の記憶は、単なる幻覚なのかもしれません。過去こそが、我々が何者であるかを教えてくれます。過去がなければ、我々はアイデンティティを失うのです」[10]

普通の生活で、私たちは「時間は過去から現在、現在から未来へと流れるものであり、未来のできごとが過去に影響を与えることはできない」という考え方に慣れている。だが、なんらかの形で過去を改変することはできるのだろうか。本書の次のパートでは、この考え方に関連する量子物理学の各種のパラドックスについて掘り下げる。また、人工知能の概念について、次章で詳しく検討する。

化学的あるいは電気的な信号によって人間の脳に偽の記憶を植え付けられるようになるまでにはまだ長い時間がかかるかもしれないが、示唆に関する研究と電気信号に関する研究の両方で、理論的には可能であることが示されている。

このことは、またも私たちがフィリップ・K・ディックの小説の中にいるかのような、興味深い可能性を提示してくれる。2002年にコラムニストのローラ・ミラーが『ニューヨーク・タイムズ』紙に寄せた記事のタイトルを借りれば、「ここはフィリップ・K・ディックの世界で、私たちはそこに住んでいるにすぎない」のだ。[11]

第3章

ステージ9〜10
——AIとダウンロード可能な意識

この章では、シミュレーション・ポイントに到達するための最後の2つのステージを探求する。どちらのステージでも、ビデオゲームとシミュレーションだけではなく、よく使われるにもかかわらず十分に理解されていない用語——意識——の理解を大幅に進める必要がある。

ビデオゲーム以外で、シミュレーション仮説と最も関連の深いコンピューターサイエンスの一分野は、AI（人工知能）だ。2つのトピックは完全に分かれているわけではない。人造あるいはシミュレートされたキャラクターの勃興はビデオゲームの進化と切っても切れない関係にある。そして、AIの歴史を振り返ると、ゲーミングの歴史と絡み合っている。

この章で最初に扱うステージ9は、シミュレーションにおける人工の意識を扱い、コンピューターサイエンスだけでなく神経科学の問題にも踏み込む。ここでもまた、当初は生物学に基づくと考えられていた事象が、実際には一連の情報と計算に帰着する可能性について検討する。ある文明が意識をシミュレートする方法を手中に収めたら、最後の〈ステージ10：ダウンロード可能な意識〉が技術的に可能になる。

さらに、この章では〈シンギュラリティ〉についても検討する。この用語は当初、AIの爆発的な発展を意味していたが、最近では人間の意識を生物学的なハードウェアからシリコンやその他のデジタルシステムにダウンロードすることを含むようになり、その結果、新たな用語として〈デジタル不死〉が生まれた。

最終的に、もし天然の意識か人工の意識かにかかわらず、意識を情報と計算に変換することができるのなら、ステージ9と10の線引きはやや人為的なものということになり、考察は哲学や宗教などの分野に広がっていく。これらについては、後の章で扱う。

ステージ9：人工知能とNPC

ここまでに、ビデオゲームにはプレイヤーキャラクターとNPC（ノンプレイヤーキャラクター）がいるということを見てきた。NPCは、プレイヤーを除くすべてのキャラクターである。つまり、ほとんどが1人プレイ用だった初期のビデオゲームでは、ほぼすべてのキャラクターがNPCだといえることになる。

この定義によれば、『スペースインベーダー』のインベーダーや『パックマン』のモンスターは、とりたてて賢いわけではないが、自動化されたプログラムの一部なのでNPCだということになる。

初期のテキストアドベンチャーゲームや、その後のグラフィックを使用したアドベンチャーゲームは、より高度な方法でNPCを扱おうとした。時は流れ、NPCという言葉は、プレイヤーを助けたり邪魔したりする、やりとり可能なキャラクターを指すようになった。

黎明期のテキストアドベンチャーゲームから今日に至るまで、プレイヤーがＮＰＣとやりとりする方法は、ＮＰＣに〈話しかける〉というものだ。当初は、コマンドや質問をテキストで入力してやりとりした。初期のＮＰＣは、理解できる内容や応答できる内容がきわめて制限されていた。たとえば、『ウルティマ』の銀行員には、残高を問い合わせることはできるが、筋の通った完全な会話はできない。

ゲームが高度になるに従って、〈会話ツリー〉や〈分岐〉などのアイデアを用いて、一貫した会話がＮＰＣにプログラミングされるようになった。これらのゲームでは、ＮＰＣに適切な質問をして答えを引き出さなければならない。その答えはたいてい、ゲーム内の謎を解くために必要とされる重要なヒントになっている。よりリアルな３Ｄモデルとグラフィックを備えたＭＭＯＲＰＧの出現に伴い、プレイヤーに没入感を与えるために、もっとリアルなＮＰＣを実装する必要が生まれた。

グラフィックスが概して時とともに高度になってきたのに対し、キャラクターとやりとりするためのインターフェイスは、必ずしもそれほど進歩したとはいえなかった。実のところＮＰＣとの一般的なやりとりといえば、ＮＰＣの発言内容と、プレイヤーが返事に使えるいくつかの選択肢を修飾したものにすぎない。多少複雑にはなったが、古き良きアドベンチャーブックと大きくは変わらない。

やがて、アドベンチャーゲームを専門とするテルテール・ゲームズ社などの企業は、声優が事前に録音したボイスでキャラクターがプレイヤーに語りかける機能を盛り込んだが、結局返事を選ばなければならないのは同じだった（図12の例を参照）。

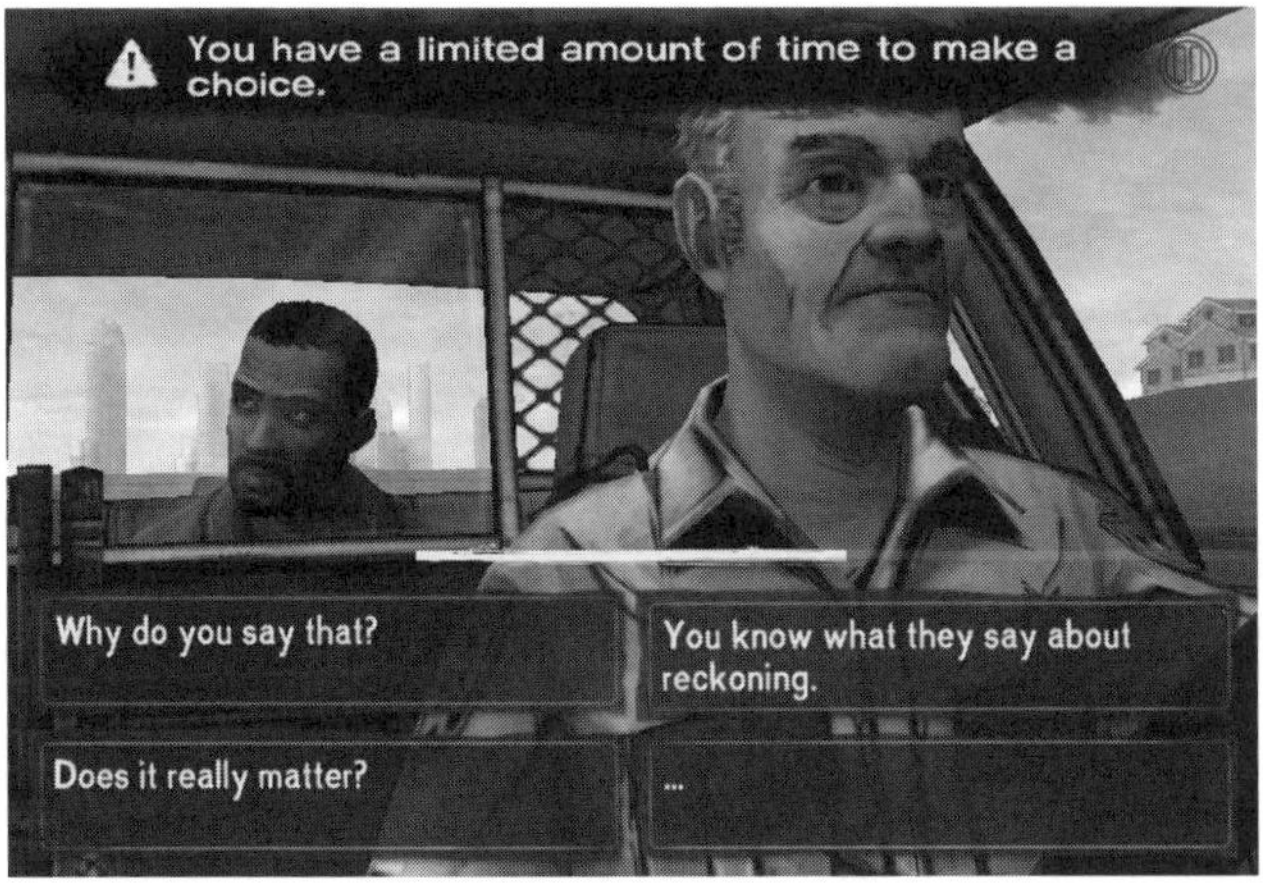

図12：テルテール・ゲームズ社の『ウォーキング・デッド』における会話の例

これは、会話を入力するテキストアドベンチャーよりもある意味で一歩後退したといえる。会話は決まった分岐をたどるだけなので、インフォコムが制作したテキストアドベンチャーよりもさらに自由度が低いからだ。本物の会話ができず限定的な分岐しか許さないこうしたキャラクターをAIと呼ぶのには、反論する人もいるだろう。

ここで、いまだに完全な答えが出ていない大きな問いが持ち上がる。そもそもAIとは何だろうか。

NPCについて考えれば、AIが、人間の作った、知的にやりとりのできる存在を表すのはわかる。それなら、「知的にやりとりができる」とは厳密にはどういう意味なのだろうか。常識を働かせれば、それはいくつかの点で人間に見えるプログラムであることがわかる。ＡＩの厳密な定義は難しいが、仮の定義ならある。それは、コンピューータープログラムや人工の装置が〈チューリングテスト〉に合格したら人工知能だといえる、というものだ。

ＡＩの歴史と勃興

■チューリングテスト

チューリングテストは、定義というよりはマイルストーンに近い。現代のほとんどのＡＩは合格できないからだ。

現代の計算機科学の父と考える人も多いアラン・チューリングは、機械が知的にふるまうようになる時期を予測した。１９５０年の論文『計算する機械と知性』で、チューリングは機械が考えることができるかどうかという問いに挑戦した。「考える」とはどういうことかを定義するのは非常に難しい。そこで、チューリングはコンピューターが人間をだませるほど〈知的〉な会話ができるかどうかを判断するパーティーゲームを考案した。

このパーティーゲームでは、質問者（図13のC）が、カーテンを隔てた２人（図13のＡとＢ）に質問をする。ＡとＢのいずれかは機械でいずれかは人間だが、Ｃはどちらが機械かを教えられていない。

Cはなんらかの手段（チューリングがテストを考案した当時はテレタイプ機だった）で会話を切り出し、AとBを区別しなければならない。もし、どちらが人間でどちらが機械かをCが判断できなければ、その機械はチューリングテストに合格したことになる。チューリングは機械と呼んでいたが、もちろん、今の私たちは、テストに合格するような存在が、ハードウェアというよりAIプログラム、つまりソフトウェアであるとわかっている。

このパーティーゲームとその根底にある概念が、やがてチューリングテストという名前で知られるようになった。

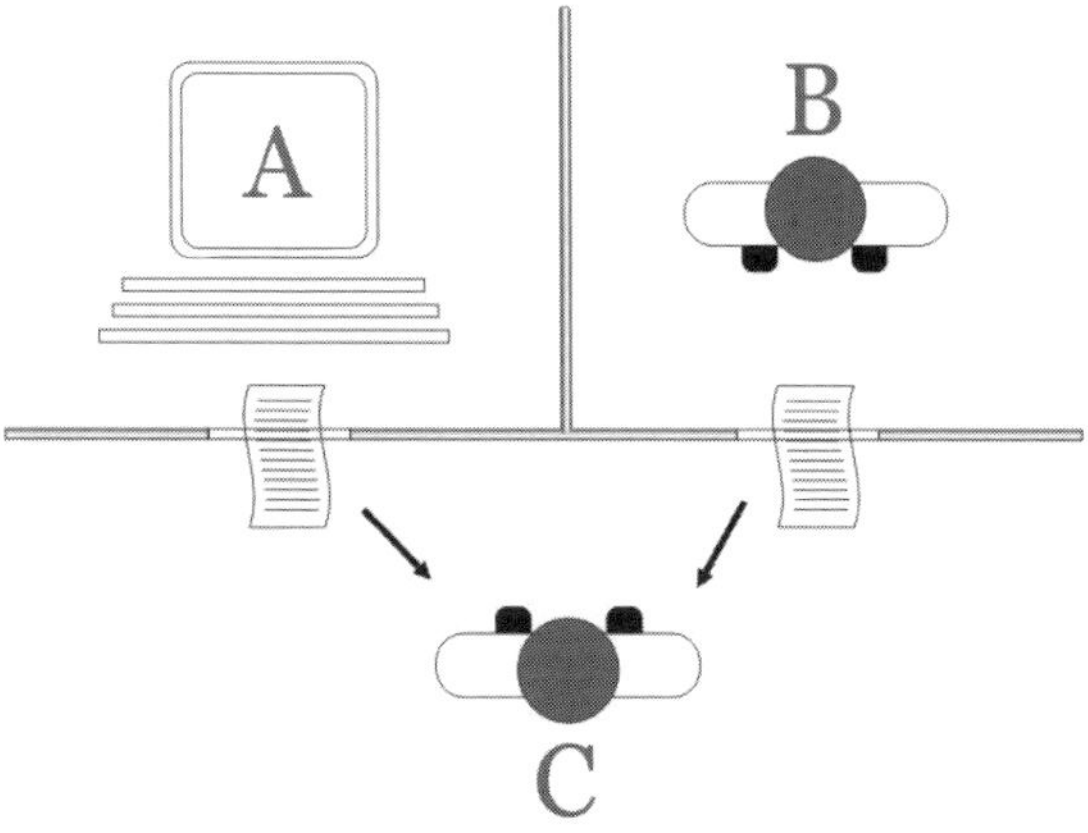

図13：チューリングテストの概念図(12)

■AIとゲーム：クロード・シャノンとチェス

AIの能力を試す方法は、チューリングテストだけではない。

チューリングテストの提唱と同じころ、MIT教授のクロード・シャノンは、コンピューターがチェスを指せるという内容の画期的な論文、『チェスのためのコンピュータープログラミング』を出版し、その目的のために構築したコンピューターを示した

図14：初の実用的AI。クロード・シャノンが1950年代にMITで開発した、チェス専用コンピューター。

（図14）。

この独創的な装置の上にはチェス盤が取り付けられていて、コンピューターが示した手を人間のオペレーターが実際に指せるようになっていた。繰り返しになるが、ＡＩは当初、機械として考えられていたが、時がたつにつれ研究者たちは、ＡＩにとってはハードウェアよりソフトウェアこそが重要なのだとわかってきた。シャノンやチューリングの時代には、この区別を行うためのソフトウェア言語や抽象化がまだ存在しなかった。

シャノンの論文は、その後のチェスプログラムの基礎を築いた。チェス専用コンピューターの〈ディープブルー〉が、現役のチェスチャンピオンであったゲーリー・カスパロフを6ゲーム中1ゲームで破ったのは、１９９６年のことである（最終成績は1勝3敗2分）。１９９７年の再試合では、6ゲーム中2勝1敗3分で見事カスパロフに勝利した。

この勝利は、シャノンが〈未来の人工知能〉の目標として挙げた重要なマイルストーンのひとつである。他のマイルストーンには、詩を書くこと、管弦楽曲を作曲すること、ある言語から別の言語に翻訳すること、その他当時は人間だけが可能だったタスクを実行することが含まれていた。

■ディープマインド社、アルファ碁、ビデオゲーム

ＡＩとゲームの歴史は、過去に絡み合っていたというだけではなく、近い未来においても深くかかわっていくだろう。グーグルの子会社であるディープマインド社が開発した「アルファ碁」は、コンピュータープログラムとして初めて囲碁のプロ棋士に勝利した。さらに２０１６年には、最高峰の棋士である韓国のイ・セドルを破っている。

「ＡＩがゲームのやり方を覚える」ことに関する興味深い新機軸は、ディープマインドのチームがＡＩにビデオゲームの遊び方を教えた方法にある。私が子供のころ書いた○×ゲームのアルゴリズムのような、特定のゲームに対応したルールベースＡＩを開発したのではなく、画面と操作系をコンピューターに見せて覚えさせたというのである。研究プロジェクトが当初選んだゲームは、アタリ２６００版『スペースインベーダー』や『ブレイクアウト』（いわゆるブロック崩し）など７本であった[13]。

ＡＩは画面を観察し、どの動きが適切かを判断した。この手のゲームでは、ジョイスティックをいろいろな方向に動かすことになる（この実験では、電子的なコマンドを発行してジョイスティックの動きをシミュレートする）。『スペースインベーダー』や『ブレイクアウト』ではプレイヤーは左右方向にしか動けないが、当時のすべてのゲームは、ジョイスティックが受け付けられる操作を入力の形で受け取るように開発されていた。研究チームは、ＡＩがシンプルなビデオゲームの遊び方を

学べることを示した。

では、ＡＩアルゴリズムの応答時間を勘案して、ＡＩがＦＰＳ（ファーストパーソン・シューティングゲーム）や対人対戦ゲームのプレイ方法を学べるようになると期待できるだろうか。最近、イーロン・マスクは非営利団体ＯｐｅｎＡＩに出資し、同団体のＡＩが『ＤＯＴＡ　２』のプレイを学習したと発表した。ファンタジーをテーマにして5対5のチームで戦う、大人気の対戦ゲームだ。競技としてのビデオゲーム、いわゆるｅスポーツは、20世紀に発展したバスケットボール、野球、アメリカンフットボールなどと同様に、観戦を楽しめるスポーツとして人気になっている。プレイするのは、専業のプロゲーマーだ。ＯｐｅｎＡＩ社は、5台のボット（ＡＩ）によるチームが、プロのチームと対戦できるほど強くなったと発表したのだ。

実におもしろい展開だが、まったくの予想外ではない。３Ｄ世界（この例の場合はゲーム内の３Ｄ仮想世界）で何が起こっているかをＡＩが認識できることは、シミュレーション・ポイントへの道のりにおけるステージ9に到達するために必要な条件の一部である。

■デジタル精神科医

さて、時を少し戻そう。チューリングテストに合格したと見せかけようとした最も初期の単純なＡＩは、〈ＥＬＩＺＡ《イライザ》〉という名前のコンピュータープログラムだった。〈ＥＬＩＺＡ〉は、実際には１９６０年代にジョセフ・ワイゼンバウムがＭＩＴ人工知能研究所で開発した、精神科医のような会話をデジタルで行うプログラムである。

〈ELIZA〉では巧妙なパターンマッチングと置換を用いて、まるでユーザーの発言を理解したかのように、内容に関連する質問を返した。たとえば、ユーザーがXというキーワードを含む質問をすると、「Xについてもっと教えてください」と答えたり、「なぜXについてそう思うのですか？」「なぜXについて知らないのですか？」などと質問したりした。

第一印象では、知性のある相手に話しかけているかのように思えるが、しばらく話しているうちに、繰り返されている会話パターンがあることに気づくようになる。それでも、1960年代中盤に開発されたことを考えると、〈ELIZA〉はAIの発達史のなかでもかなりの偉業であった。

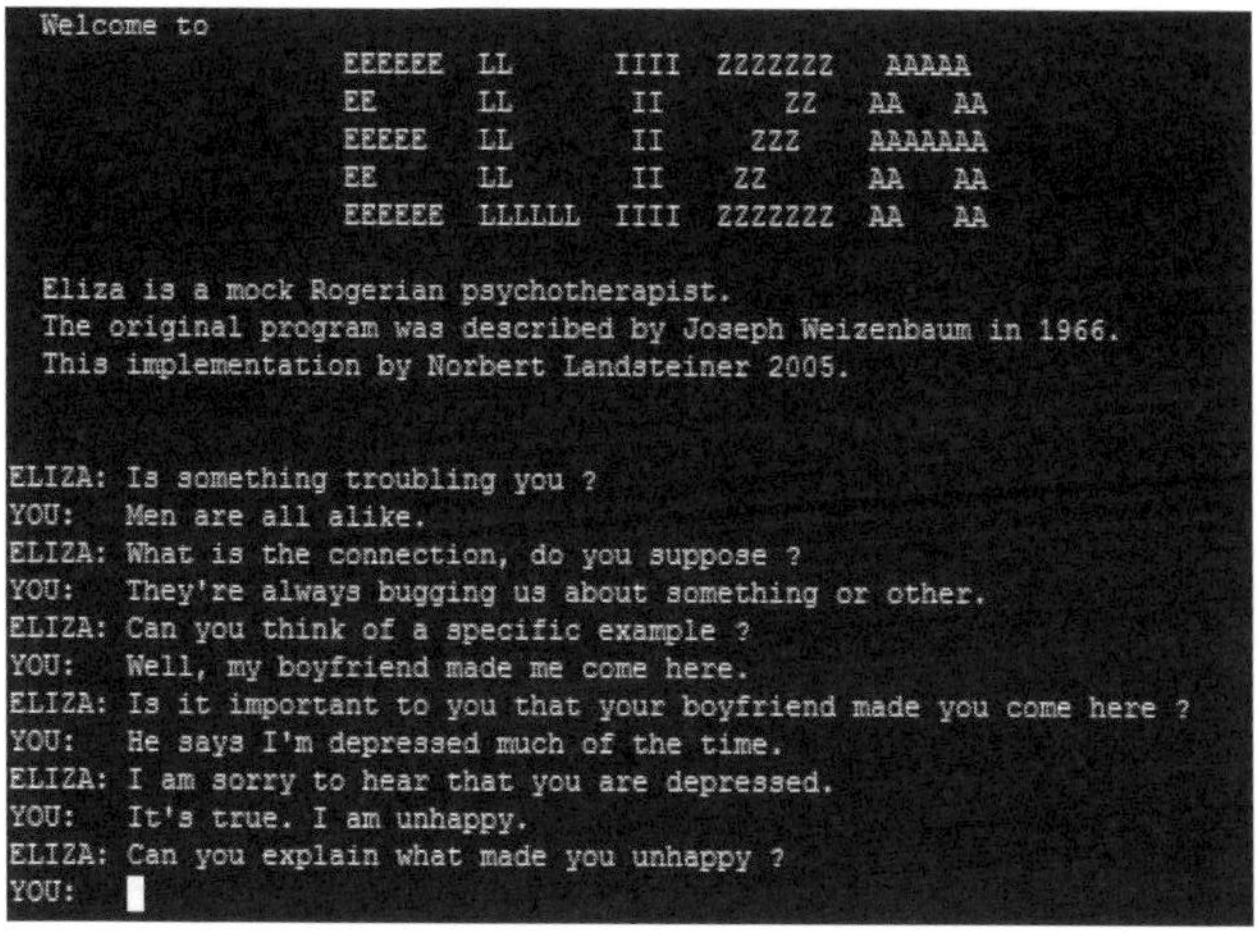
Welcome to
EEEEEE LL IIII ZZZZZZZ AAAAA
EE LL II ZZ AA AA
EEEEE LL II ZZZ AAAAAAA
EE LL II ZZ AA AA
EEEEEE LLLLLL IIII ZZZZZZZ AA AA
Eliza is a mock Rogerian psychotherapist.
The original program was described by Joseph Weizenbaum in 1966.
This implementation by Norbert Landsteiner 2005.
ELIZA: Is something troubling you ?
YOU: Men are all alike.
ELIZA: What is the connection, do you suppose ?
YOU: They're always bugging us about something or other.
ELIZA: Can you think of a specific example ?
YOU: Well, my boyfriend made me come here.
ELIZA: Is it important to you that your boyfriend made you come here ?
YOU: He says I'm depressed much of the time.
ELIZA: I am sorry to hear that you are depressed.
YOU: It's true. I am unhappy.
ELIZA: Can you explain what made you unhappy ?
YOU:
図15：〈ELIZA〉は単純なマッチングを使った、初期の〈デジタル精神科医〉だった。

〈ELIZA〉はある意味で、アドベンチャーゲームに登場する多くのNPCや、21世紀初頭にみられるチャットボット【訳注：問い合わせ対応などに使われるコミュニケーションプログラム】の先祖であるといえる。チャットボットには非常にシンプルなパターンマッチングを用いているものもあるが、もっと複雑な自然言語処理を組み込んでいるものも登場している。

コンピューターがチューリングテストに合格するには、〈ＥＬＩＺＡ〉とは異なるＡＩの手法が開発される必要があった。21世紀の初頭には、Ｓｉｒｉ《シリ》、Ａｌｅｘａ《アレクサ》、グーグルアシスタントなどのデジタルアシスタントが、テキストについてもボイスについても、ここまで説明してきたどのビデオゲームよりも優れた処理を実現している。ビデオゲームが初期のグラフィックステクノロジーの発達を促したように、シミュレートされたキャラクターも、将来のさらに高度なＡＩの礎となることが期待できる。

■自然言語処理、AI、そしてチューリングテスト合格の探求

チューリングテストに合格するためにきわめて重要なのが、自然言語処理（ＮＬＰ）である。自然言語処理は、コンピューターが自然言語（人間の話す言語）を読み（あるいは聞き）、理解する能力である。では、コンピュータープログラムが文を「理解」したかどうか、どのようにわかるのだろう。これもまた難しい質問だ。なぜなら、これはプログラムからユーザーへの応答次第だからである。

初期の自然言語処理プログラムは、ヒューリスティックであった。つまりルールに基づいていた。ルールはシステムのプログラマーによってあらかじめ決められていた。しかし、このやり方を続けるのは難しかった。自然言語のルールの多くは文脈によって重なり合っていたり変化した

りするうえ、ルールそのものが言語によって異なる。

１９８０年代後半から１９９０年代前半にかけて、統計的自然言語処理（ＳＮＬＰ）が普及した。機械学習アルゴリズムに実例を大量に入力し、そこからルールを「学習」または「類推」するという方法である。当初は機械によって生成されたこれらのルールが自然言語処理プログラムの核心となったが、真のブレークスルーは、重み付き確率解析とともに訪れた。

重み付き確率解析を用いると、ＡＩは過去の経験に基づいて、それぞれ重みの異なる複数の応答から選択できる。時間の経過とともに、最適な応答を「学習」できるようになる。このアプローチはかなり優秀であることが判明している。具体的な例を挙げると、初期の音声認識システムではＡＩにユーザーの声を学習させなければならなかったが、ＡｌｅｘａやＧｏｏｇｌｅ　Ｈｏｍｅなどのアシスタントは、ほとんどの音声コマンドを認識できるようになっている。

統計的自然言語処理は、適切な応答を得るために用いられるが、音声出力などの他のテクノロジーと組み合わせると、より自然な出力などを実現できる。２０１８年には、グーグルの研究グループ、グーグル・デュプレックスが、人間の代わりに電話をかけて予約を取ることができるＡＩのデモンストレーションを行っている。このアプリケーション「グーグルアシスタント」は、（予約に関する）人間の希望を理解できるだけではなく、人間らしい自然な声を合成し、サロンなどに電話をかけて予約を取ることができた。「うーん」のような会話の「間」すら再現できたのだ。

グーグル・デュプレックスのニュースは当初、あたかも同社がチューリングテストに合格できたかのような熱狂を巻き起こした。しかし、実際には合格できていない。やりとりが予約に特化

図16：初期の自律型ロボット〈ソフィア〉(15)

しているからだ。チューリングテストに合格するには、もっと長く、内容を限定しない会話ができる必要がある。

しかし、グーグル・デュプレックスに関する初報を受けて、懸念が広がった。自動音声が自然になってしまったら、迷惑電話が爆発的に増加するのではないか、というのだ。グーグルはこの懸念を受けてすばやく考えを改め、自動エージェントが電話をかけるときには、必ず自動音声であると「自己紹介」することを決定した。

チューリングテストに合格し、その他人間に可能な行動がとれるAIを、人工汎用知能（AGI）という。いまのところ、ほとんどのAIアプリケーションは決まったタスクに特化している。手書き認識、数値からのパターン予測、限定されたタスクの解決の補助などである。

自然言語処理テクノロジーは過去数十年で長足の進歩を遂げたが、多くの専門家は今でも、チューリングテストに合格できるような人工知能をもつキャラクター（あるいはNPC）を、ゲーム内または現実世界のどちらかで10年以内に実現できるだろうと信じている。自然言語処理、機械学習、そしてロボット工学の近年の進歩を考え合わせると、人間と同じように話し、動くロボットやAIが数十年以内に登場するかもしれない。

ハンソン・ロボティクス社が開発した自律型ロボット〈ソフィア〉（図16）は、きたるべき「ロボットの時代」の申し子となった。〈ソフィア〉の登場で、人類がついにチューリングテストを乗り越えたと思った記者も多かったが、ハンソン社のチーフサイエンティストで〈ソフィア〉を開発したベン・ゲッツェルはこれを否定する。技術系ウェブサイト『ザ・ヴァージ』のインタビューで、ゲッツェルは〈ソフィア〉そのものはAGIではなく、その目的はAGIが近いうちに実現可能だと一般に示すことにある、と語っている。[14]

2018年と2019年に、中国の国営通信社である新華社通信は、2人のバーチャルニュースキャスターをリリースした。2人は人間そっくりで、普通のキャスターと同じような服装をしていた。システムに入力されたニュースを読み上げることができ、音声こそやや人工的ながら、外観は驚くべき完成度だった。1980年代に人気を博したバーチャルキャラクターのマックス・ヘッドルーム【訳注：イギリスのTV局チャンネル4で放映された音楽番組のバーチャル司会者】がどもったような声を出すのが精いっぱいだったのに比べると、めざましい進歩だ。新華社のキャスターは、声も外観もリアルに見える。このようなバーチャルレンダリングを、グーグル・デュプレックスが実現する出力機能と組み合わせることで、ステージ9の課題の半分は解決するだろう。

ステージ9のゴールへ

シミュレーション・ポイントへの道のりに戻ると、ステージ9を完了するには、どんな進歩が必要だろうか。きわめて単純な話としては、シミュレーションの中で、チューリングテストに合格するほどリアルなキャラクターを生み出さなければならない。

仮に私たちが巨大なビデオゲームの中にいるとしよう。本物のプレイヤーとNPCのどちらとやりとりしているか、どうやってわかるだろうか。

現実世界同様の完全没入型シミュレーションで、AIあるいはNPCがこのテストに合格するには、次のような要素が必要になるだろう。

〈自然言語処理〉 最初の条件は、自然言語を入力として受け付けることだ。当初は、アラン・チューリングのアイデアと変わらない、文字入力された応答になるだろう。入力を十分に理解して、一連の適切な応答を考え出すことができる必要がある。

〈自然言語による応答〉 次に、入力内容を理解していることを示す応答を、人間と同じような形で返す必要がある。これには、相手の発言の文言だけではなく、感情や文脈もあわせて理解しなければならない。

〈音声認識〉前の2点は音声認識なしでも可能で、それでもチューリングテストには合格できる。その場合、主な入力と出力はキーボードとモニターになる。しかし、シミュレーション・ポイントに真の意味で到達するには、あらゆる言語を音声からテキストに変換し、それをAIに入力して適切な応答を得るための優秀な音声認識技術が必要になってくる。かつて人ざっぱな機能だった音声認識技術は、いまやコマンドも認識できるようになっている。

〈音声出力〉入力を理解できたとしても、まだ戦いは半分しか終わっていない。AIは意識ある生命と区別がつかないくらい、自分の言葉で話せなければならない。チューリングテストに合格するのが非常に難しい理由は、人間は同じ人間に対して特定の形で反応するのに対し、AIはごく限定された場合以外でそれらすべての反応を把握できていないからだ。さらに、入力に感情が含まれているとしたら、応答ではその感情を理解できなければならない。人間は人間同士の会話に慣れているので、人間の会話を模倣できる音声出力を開発しなければならない。

しかし、音声と文字による入出力は、チューリングテストの合格には役立つが、シミュレーション・ポイントへの道のりのステージ9に到達するには十分ではない。仮想世界のアバターは、私たちが生活するような3次元の世界を人間らしく認識し、人間と直接対話できなければならない。チューリングテストのようにカーテンの後ろにいる状態では不十分なのだ。さらに、次のような条件もある。

〈**時間をかけて学習する**〉人間の心は、私たちが理解している範囲では、すばらしい学習機械である。ゲーム内のすべてのキャラクターは、通常の誕生と成長のサイクルをたどると仮定すれば、時間とともに学習する能力を示す必要がある。もし、新生児がいきなり完全な文や教えてもいない言葉を喋るようなことがあったら、なんらかのシミュレーションの中にいるという興味深いヒントになるかもしれない。

〈**空間認識**〉グーグルのディープマインドや、マスクのＯｐｅｎＡＩが示すように、ＡＩはビデオゲームの遊び方を学習することができる。つまり、２Ｄ空間を認識し、ピクセルを観察して、状況を把握できるわけだ。ＤＯＴＡ２のようなｅスポーツでは、このような能力がますます重要になる。ＭＭＯＲＰＧと同じような３Ｄ世界だからだ。ＡＩによるボットが３Ｄ世界の中で相手と戦って勝つには、３Ｄ世界を認識する必要がある。チューリングテストの要件には入っていないが、もし私たちがリアルなシミュレーションの中に住んでいて、シミュレーション世界の生命やＮＰＣとやりとりするのなら、この能力は必須である。

〈**身体の触れ合い**〉私たちは、物理的と思われる世の中に住んでいる。したがって、シミュレートされた生命がいるならば、『スター・トレック』のデータ少佐や『ブレードランナー』のレプリカントたちに可能だったように、空間を認識できる必要がある。これには、ふれあい、握手、キス、セックス、その他人間同士の行為を実行する能力が含まれる。

〈さらなるAIの開発〉もし、このステージにおいて「限られた条件でチューリングテストに合格するキャラクターを生み出すこと」にとどまらず、「シミュレーションの中で自分たちと同じように生活し、呼吸するキャラクターを生み出す」必要があると考えるならば、これらのキャラクターはいつの日か、自分自身のコンピュータープログラムやシミュレーションを創れるほどの知性を身につけなければならない。そして、心ある生命とは何か、と問う道を、再び繰り返すのだ。

HAL9000からデータ少佐まで——人工意識の描写

SFでは、人間が自然に会話できる知性をもつロボットやアンドロイドの概念は、すでに数十年にわたって存在する。こうしたアンドロイドは人間の発言を解釈できるだけではなく、自分の言葉（いかにもロボットのような声の場合も、人間らしい自然な声の場合もある）で応答することができる。特に有名な例を紹介しよう。

〈『スター・ウォーズ』〉『スター・ウォーズ』の旧三部作（1977〜1983）では、2台の〈ドロイド〉、C－3POとR2－D2が、意識のある機械として登場した。見かけこそ人間とは似ていなかったが、どちらもはっきりとした個性があった。C－3POは、話を聞いてくれる誰にでも「600万を超す言語に精通している」と吹聴する通訳ドロイドだ。実際、電子音でしか会話ができないR2－D2とのコミュニケーションにも使われている。

C－3POとR2－D2は、人間とのやりとりだけでなく、互いのやりとりも個性豊かだった。

〈データ少佐〉『新スタートレック』では、ヌニエン・スン博士によって作られたデータ少佐というアンドロイドが、USSエンタープライズ号のクルーとほとんどシームレスに会話することができた。「ほとんど」というのは、データ少佐は人間の特定のふるまいがわからないうえ、感情をまったく理解できなかったからだ。データ少佐は人間になりたいと強く願っており、シリーズの大半を、人間に近づく方法を学びながら過ごした。データ少佐は日常会話を理解できるだけでなく、新たな情報をすぐに学習することができた。多くのエピソードで、スタンドアロン型のAIであるデータ少佐が、エンタープライズ号の運転を監視・管理する〈コンピューター〉に、今後のミッションに備えて学習すべき情報を問い合わせる場面が出てくる。データ少佐が「人権」を持つ「本物の人間」なのかどうかは、番組のなかで繰り返し取り上げられるテーマだ。ピカード艦長は、単なる宇宙艦隊の資産ではない、意志をもった個人としてのデータ少佐の権利を守るために立ち上がる。

〈HAL9000〉HAL9000自体は、アンドロイドではない。アーサー・C・クラークによる『2001年宇宙の旅』とその映画版で、ディスカバリー号に組み込まれているコンピューターだ。HAL9000には意識はあるが、体はない。それでも、宇宙船に組み込まれていて、物理的世界を意識している。人間に反旗を翻したAIがSF作品に登場したのは、HAL9000が最初でも最後でもない。映画では、HAL9000はデヴィッド・ボーマン船長と対話しながら、同時にディスカバリー号の基本的な操作をすべて管理・監視していた。しかし、ボーマン船長が船を直しに船外に出たときに、とある理由から、HAL9000は「申し訳ありませんが、それはできません、デイブ」と命令を拒否する。

これらすべての例では、アンドロイドは人間と区別可能だ。そして、ロボットをコントロールするのは誰かという問題が、プロットの一部の要となっている。一方、もっと汎用性が高く、世界を征服してしまうAI（現在の「キラーAI」議論に連なる考え方といえる）や、人間と見分けのつかないAI・アンドロイドには、次のようなものがある。

〈『ターミネーター』〉1984年公開の映画『ターミネーター』で、ジェームズ・キャメロン監督は、防衛のために設計された〈スカイネット〉と呼ばれるAGI（汎用人工知能）が世界を征服した未来を描いている。スカイネットは世界中の都市に核兵器を投下し、人類の大半を殺害して、残りを奴隷にした。人間による抵抗軍が生まれると、スカイネットは人工骨格に生体細胞をまとった自律型ロボットのターミネーターを創った。初期のターミネーターはすぐにロボットだとばれたが、高度になるとともにますます人間と見分けがつきにくくなった。

〈『デューン』〉フランク・ハーバート作の小説『デューン』の第1作では、遠い過去に起こったあるできごとの影響で、人類は自分たちを模したコンピューターの開発を禁じている。フランクの息子ブライアン・ハーバートとSF作家ケヴィン・J・アンダーソンは、『デューン』の前史にあたるシリーズを執筆しているが、その中でこの〈ブトレリアン・ジハド〉というできごとを詳しく描いている。〈オムニウス〉なる機械（本書でいうAGIにあたる）が人類を乗っ取り、残った人類を奴隷にしている。オムニウスは自身のあらゆるコピーと同期を取り、具現化したさまざまな形態で学習した内容を吸収することができる。支配者となった機械に対する人類の反乱が、ブトレリアン・ジハドなのだ。

ここに紹介したのは、AI、そして人間とAIのやりとりにまつわる問題を掘り下げるあまたのSFのごく一部である。これらのSFは、AIの未来について語るときの参考になる。

AIの倫理とその利用法

AIの倫理とその利用法の問題は、多くのAI研究者が参入し始めてはいるものの、現時点でまだよく理解されていない新たな分野である。AIにまつわるここ数年の初期の実験を見ていくことで、驚きの推論をいくつか得られるようになるかもしれない。

2017年に、フェイスブックは交渉を行うために互いと対話することのできるAIを開発した。すると、AIは人間にない独自の言語を生み出し、この言語でやりとりを始めたという。マスコミは、「開発者を怖がらせたためシャットダウンせざるをえなかったAI」として、大きく記事に取り上げた。結果的にこれは大げさだと判明したが、実験を行った研究者らが、AIが互いにやりとりしている言語を完全には理解できないことに気づいたのは事実である。

言語体系を作り出したこと自体は「怖い」とはいえないが、もしAIプログラム同士のやりとりを人間が理解できなければ、恐るべき可能性がいくつか持ち上がる。感覚の発達したAIはどのようなことを話し、どのような「交渉」を行うのだろうか。

AIシステムの開発で重要なのは、システムに組み込まれた価値あるいはゴールだけである。これらはシステムを最初にプログラミングしたときに定める場合も、機械学習アルゴリズムを通じて「学ぶ」場合も考えられる。もしシステムに自己維持能力が備わっていて、実験の結果や環境から学習するのであれば、システムが学んだ価値が、プログラムの当初の開発者の意図を超えてシステムの動作を導くことになる。

2016年にマイクロソフトは、現実のユーザー同士のやりとり（おもにツイッター）から学ぶインテリジェントなチャットボットをリリースした。これはあまり高度なボットではなかったが、稼働から24時間以内に、レイシズム（人種差別）やミソジニー（女性嫌悪）的な語句を使い始めた。それらの語句は、人間が送信したツイートから学習されたものだった。この事例はオンラインのコンピュータープログラムが価値を「学ぶ」際の恐ろしい面を示している。結局、マイクロソフトはボットをシャットダウンせざるをえなかった。

現代のソーシャルメディアを観察することで、AGIはどのような価値を学ぶだろうか。さらに重要な点として、そのAGIが人間とやりとりするときに、それらの価値はどのような意味を持つだろうか。これはさらに怖い問いで、さまざまな悪夢のシナリオを呼び起こす。その中には、「もう人間は要らない」とAGIが判断するというのもある。そして、そのシナリオがAIをどの程度「賢く」するべきかという問いを投げかける。

2018年には、2000人以上のAI研究者が、〈キラーAI〉（コンピューターの完全制御下で人間を殺すことのできる自律型殺人兵器）の開発にはきわめて慎重になるべきである、という趣旨の宣言に署名した。グーグル・ディープマインドの創業者やイーロン・マスクも署名している。

現代の研究者がAIの倫理的問題に取り組む一方で、著名なSF作家アイザック・アシモフは、はるか昔の1942年に、短編集『われはロボット』でこうした難題を予期している。その中の一篇で、アシモフはロボットや（今でいう）AI同士、そしてそれらと人間がどのようにやりとりするかに関する「ロボット3原則」を導入し、それを（今でいう）「オペレーティングシステムに直接プログラミング」した。

1. ロボットは人間にけがをさせたり、不作為によって結果的に人間を傷つけたりしてはならない。

2. 第一の原則と矛盾しない限り、ロボットは人間の命令に従わなければならない。

3. 第一、第二の原則と矛盾しない限り、ロボットは自分を守らなければならない[16]。

アシモフは、ＡＩが高度になったときに持ち上がる倫理的な問いを回避するために、この「ロボット三原則」を用いた。しかし、これらをＡＩに組み込む具体的な方法については、アシモフもわからなかったし、現代人もまだわかっていない。

「キラーＡＩ」と「ＡＩの価値」が持つ意味は奥が深く、たとえ人造であっても「生命」に備わった権利という概念に踏み込む。これはＡＩの創造主にどのような義務を課すのだろうか。このテーマに深入りすると本書の範囲を越えてしまうが、多くのＡＩ研究者が、人間に取って代わったり、けがをさせたり、人間の命を奪ったりするおそれのあるＡＧＩやロボットによって持ち上がる、倫理的、道徳的、技術的な問いを探求する著書を出版している。

チューリングテストに合格できるＡＧＩを開発するこのステージもまた、これまで物理的だと考えられていた自然界（ＡＧＩの登場以前は、人間は他の人間としかコミュニケーションが取れなかった）が、結局のところ情報と計算に還元可能であることを示している。

意識とは何か。この問いの答えについては、科学者のあいだにもさまざまな説があるが、人間が将来的に意識ある生命をシミュレートできるようになるという現実的な予想は、次のステージにおいて、同じくらい気がかりでやっかいな問題をもたらす。それは、意識をダウンロードできるようになる可能性だ。

ステージ10：ダウンロード可能な意識とデジタル不死

■シンギュラリティとは何か

ステージ10に入る前に、ステージ9と10の両方に関連付けられるようになったひとつの言葉について検討したい。それは、〈シンギュラリティ〉だ。

シンギュラリティ（特異点）という言葉は当初、数学で、漸近的に近づくことはできるが、決して達しない点という意味で使われた。その後、物理学者が、ブラックホールを専門的に表す用語として採用した。これもまた、無限大に近づいていく（この場合、重力が無限大に近づく）という概念を表す。

さらに最近になると、ＡＩが人間の知性に並ぶか、それを追い抜き、〈知性爆発〉が発生する時期を表す用語として、一般に広く使われるようになった。

〈シンギュラリティ〉がこの用法で初めて使われたのは、1950年代にさかのぼる。数学者のジョン・フォン・ノイマンは、次のように述べたという。

「常に加速し続ける技術の進歩を見ると……どうも人類の歴史において何か本質的なシンギュラリティ（特異点）が近づきつつあり、それを越えた先では我々が知るような人間生活はもはや持続不可能になるのではないか[17]」

別の数学者、I・J・グッドは、超知性を備えたAIを「人類に必要な最後の発明」と呼んだ人物のはしりである。もちろん当時は、SF界とコンピューターサイエンティスト以外でシンギュラリティについて考える人はそう多くなかった。

実際、この用語が一般に知れ渡ったのは、SF作家でコンピューターサイエンティストのヴァーナー・ヴィンジが1993年の論文『テクノロジカル・シンギュラリティ（技術的特異点）』で使ったときだった。この論文でヴィンジはシンギュラリティを、その前と後ですべてが変わる瞬間と定義している。シンギュラリティという用語は、AIが発達して際立った知能を備えるようになるという意味で大いに知られるようになったが、ヴィンジのもともとの論文では、これは挙げられている可能性のひとつにすぎない。

科学界は、このブレークスルーを、次のようなさまざまな手段で成し遂げる可能性がある（これもまた、シンギュラリティがいつか起こると私が確信する理由である）。

・通常の人間を超えた知性を持つ、「目覚めた」コンピューターが開発される可能性がある。
・大規模なコンピューターネットワークと、関連するユーザーが、通常の知性を超えた存在として「目覚める」可能性がある。
・コンピューターと人間とのインターフェイスが非常に緊密になり、その結果、ユーザーが通常の人間を超えた知性を獲得したとみなせるようになる可能性がある。
・生物学によって、人間の知能を引き上げる手段が生まれる可能性がある。(18)

■レイ・カーツワイルと「意識のダウンロード」

グーグルのフューチャリスト、レイ・カーツワイルは、2005年（日本語訳は2012年）に出版した『シンギュラリティは近い』でこの用語を取り上げ、通常の人間を超える超知性と人間・コンピューター間のやりとり全般を表す言葉として用いた。カーツワイルは、人間の脳で行われている効率の悪い化学処理から「あらゆる情報」を読み出してマッピングし、より効率的な電子とシリコンの世界に再現できる（したがって、チューリングテストにも合格できる）時代があと数十年で来ると、楽観的に考えている。カーツワイルは次のように綴る。

「シンギュラリティを通過した後は、人間と機械、現実世界と仮想世界の区別はなくなる」

カーツワイルらが提示するアイデアによれば、もし人間の脳を物理的なニューロンにとどまらず、ニューロンのパターンにまで還元できるなら（もし、意識が情報であるのなら）、意識を「再現」できるだけにとどまらず、その後近いうちに意識を生物学的機械（人間の脳）から、シリコンの機械（コンピューターシステム）にダウンロードできるようになるという。

もしこれが可能なら、スピリチュアリズムや神秘主義ではなく、テクノロジーのおかげで、人間の意識は永遠に生きながらえることができる。意識をダウンロードするこの機能は、シミュレーション・ポイントへのロードマップに示唆されているが、現実のコンピューターサイエンスに基づいて、データをデバイスからデバイスへ送信するとなると、「人間」を構成する要素は何か、そして何が現実で何が仮想なのかということについて、真剣な疑問が持ち上がる。ここで、カーツワイルが述べた、現実と仮想の区別の消失という概念が大きな意味を帯びてくる。

この概念自体を表す用語もある。デジタル不死（あるいはバーチャル不死）という。これを達成するには、ある人物についてわかっているすべてをＡＩに入力し、ＡＩがその人格を受け継ぐ。ソフトウェアエンジニアや科学者は現在、そうしたテクノロジーに関する実験を行っている。人間をベースにしたＡＩが登場するＳＦでは、主力となる技術だ。そのためには、カーツワイルらが待ち望んでいる脳の完全なマッピングすら必要がないかもしれない。

『テクノロジーレビュー』誌の２０１８年の記事には、チャットボットを使った黎明期の試みが明かされている。ソフトウェア開発者のユージニア・カイダは、亡くなった友人のロマン・マズレンコを表現するボットを作ることにした。カイダは、作成したチャットボットにロマンのソーシャルメディアへのアクセス権を与え、グーグルのオープンソース機械学習ツール、テンソルフローを利用した。できあがったチャットボットは、ロマンそっくりの口調で質問に答えた。完全な成功ではなかったが、それでもカイダたちは、そのボットが亡くなった友達にどれほど似ているかに驚いたという。(19)

『オルタード・カーボン』と意識のダウンロード

文章や動画をデジタルでコピーしたものは、考えるまでもなく元の文章や動画と同じものである。しかし、意識のある存在について議論しはじめると、とたんに自信が持てなくなってくる。ある人のニューロンをデジタルでコピーしたら、それは同じ人といえるのだろうか。意識そのものをダウンロードしたといえるのだろうか、それとも、それは「ある時点における意識」にすぎないのだろうか。

またも、私たちはSFに目を向ける。SFは、この謎を説明するのに役立つからだ。2002年に書かれたSF小説『オルタード・カーボン』で、リチャード・モーガンは、ダウンロード可能なデジタル意識について、おもしろいビジョンを提示した。『オルタード・カーボン』は2018年にネットフリックスでドラマ化され、この〈ダウンロード〉プロセスの働きを視覚的にイメージさせてくれる。

時は遠い未来。ほとんどの人間は、コーティカル・スタック（略して「スタック」）というデバイスを装備し、それを脊柱に保存している。このデバイスを使えば、人間の意識をいつでもダウンロードできる。登場人物の体が「殺された」場合、スタックを取り外して別の体にセットすれば、その体で人生を続けられる。

スタックは、カーツワイルらが将来的に起こると予測している、ダウンロード可能な意識のようなものだ。スタックが新しい体にセットされると、新しい体は「スリーブ」と呼ばれ、スタックは「リスリーブ」される。これにより、小説のプロットと、ここでの議論の両方に関係のある、いくつかの興味深いシナリオが持ち上がる。

この世界では、人間が真の意味で死ぬのは、リスリーブしないことを決めるか、リスリーブできないようにスタックが破壊されたときだけである。これらのデバイスに意識を保存できるので（つまり意識は情報なので）、意識を衛星経由でバックアップサイトに転送することもできる。つまり、スリーブとスタックが破壊されてしまっても、「バックアップから復元」することはできる。ただし、最終バックアップ後に蓄積された記憶はすべて失われる。

プロット自体は非常に入り組んでいるが、シミュレーション仮説の観点から興味深いのは、情報としての意識の、きわめて明確な描写だ。作中では意識を物理デバイスに保存し、それを使って人間を新しい体に復元することができる。

同作からもうひとつ興味深い描写を紹介しよう。この未来世界では超光速移動は可能になっていないが、スタックの情報を光より速く送信することはできる。つまり、もし別の惑星や宇宙ステーションに準備のできたスリーブがあるなら、意識をそのスリーブに送信すれば、そこで突然、新しい体で目覚めることになる。

では、「人格」はどうやってコーティカル・スタックに読み込まれ、スリーブあるいはリスリーブされるのだろうか。この未来SF社会でもプロセスは謎に包まれていて、絶滅して長い時間が経過した宇宙人のテクノロジーに基づいて開発されたことになっている。

まとめ――情報としての意識

ここまで、AIとゲームの歴史がどれほど絡み合っているかを見てきた。私が初めてAIという概念に触れたのが〇×ゲームの作成だったように、クロード・シャノンやアラン・チューリングなど、現代のコンピューターサイエンスを確立した多くの偉人たちも、AIの開発とテストを行う手段として、ゲームを考案した。近年、チェスや囲碁などの伝統的なゲームでアルゴリズムがプロの棋士（プレイヤー）を破ることができるようになったことや、さらに仮想3D環境の理解も大いに必要とするeスポーツのプロをも負かしたことを見てきた。

また、AIプログラムが亡くなった人の専門的知識を引き継ぐ見込みがあることにも触れた。実際、近年になって機械学習の波が来る前には、AIの最先端は「エキスパートシステム」であった。これは、「エキスパート（専門家）」がタスクの達成について持っている知識をルールにして体系化するというものであった。AIのほうが、人間よりはるかに長く生きられる――そのような考え方だ。

このSF的なデジタル不死の概念は実のところ、古来のスピリチュアルや宗教の分野でも支持されている。物理的世界の外にある死後の世界で意識が永遠に生き続けると考えられているのだ。東洋の伝統的宗教では、意識は輪廻転生によっていくつもの体を渡り歩くとされる場合がある。これは、1人のプレイヤーがロールプレイングゲームで複数の「ロール」(役割)や「キャラクター」を務めることに直接例えられる。輪廻転生のモデルについてはパートⅢで詳しく扱うが、もし同じ意識が複数の体に宿るのであれば、「以前の人生」で起こったことに基づくタスクやクエストが存在する可能性がある。

ここで論じたいのは、もし意識がデジタル情報であるのなら、シミュレーションの外に意識を保存できるだけでなく、プレイヤーとNPCを区別できないシミュレーションの一部として、新たな意識を作り出せるはずである、ということだ。

人工的な生命を生成することによって(ステージ9)、図らずも意識そのものをプレイヤーにダウンロード可能なデジタル情報として表すための道が見つかることになる(ステージ10)。このことには、技術的、哲学的な問いだけではなく、物理的な世界を離れた形而上学的な問いが伴う。これらは、シミュレーション・ポイントに向かって各ステージをたどっていく中で解決しなければならない。

もし、ある文明がこれら2つのステージを極めたとすれば、『マトリックス』のような現実を作り出せる段階に到達したことになる。つまり、シミュレーション・ポイントに到達したのだ。次の章では、シミュレーション・ポイントに到達したことの意味について考察し、ニック・ボストロムが最初に提示した、「私たちはシミュレートされた生命としてシミュレーションの中に住んでいるかもしれない」という主張についてひととおり検討する。

第4章

ステージ11
――シミュレーション・ポイント、祖先シミュレーション、そしてその先

ここまでのステージを完了した後のある時点で、文明はシミュレーション・ポイントに到達しているはずだ。そう、もともとの現実とほぼ区別のつかないシミュレーションを生成できる段階である。グレート・シミュレーションは、プレイヤーの脳に直接送信されるきわめて高度なモデルとレンダリング手法に基づき、また人工的に生成された意識をもつ生命の行動が、現実のプレイヤーの行動と見分けがつかない、それほどの現実感を備えたビデオゲームである。

この章では、シミュレーション・ポイントがどのような状態かを探求し、その後に、このポイントに達した文明に関する重要な意味について再考する。その中で、はたして私たちがシミュレーションの中に住んでいるのかどうか、というネット上での一連の議論のきっかけになった、シミュレーションに関するニック・ボストロムの議論を詳しく検討する。

そのようなシミュレーションについてボストロムが名付けた用語である「祖先シミュレーション」と、それを生み出せる文明にとっての意義を掘り下げる。ボストロムの結論は、いずれかの社会がシミュレーション・ポイントに到達することができたのなら、私たちはすでにシミュレーションの中に住んでいる可能性が高い（!）というものである。

ステージ11：シミュレーション・ポイントへの到達

シミュレーション・ポイントへの道のりには、これまで明確なステージに分類してこなかったものの、克服すべき各種のハードルがまだ存在する。しかし、これらのほとんどはテクノロジーを実装・導入する上の課題であって、根本的なテクノロジーの発達の問題ではない。たとえば、ひとりひとりに膨大なデータがある数十億人のプレイヤーを扱う能力などだ。これほどの人数に対応したMMORPGはいまのところ存在しない。そして、この人数はたったひとつの惑星の住人の数にすぎない。私たちの住む銀河系だけに絞っても、他の地球型惑星の数を考えれば、プレイヤーとNPCの数は数兆にふくれ上がるかもしれない。さらに、これほどの「プレイヤー」の記録をとるために必要なストレージ容量と、どこかの「クラウドサーバー」にこれほどのデータ量を保存するための圧縮アルゴリズムも必要になる。

次ページの表1は、人類が予測はしているがまだ開発できていないテクノロジーを用いて、シミュレーション・ポイントの定義となりそうな諸条件を示す。黎明期のビデオゲームやMMORPGの概念は、シミュレーション・ポイントを想像するのに大いに役立つが、いくつかの重要な条件はまだ達成されていない。しかし、100年前に現代のコンピューターやビデオゲームを予測できた人がいなかったように、私たちがあと100年のうちにシミュレーション・ポイントに到達できる可能性は非常に高い。100年など、宇宙の時間を基準にすれば一瞬のことだ。

表1　シミュレーション・ポイントの定義

私たちがシミュレーション・ポイントに到達しているかどうかをどのように判断するか

条件	詳細
大規模なゲーム世界のシミュレーション	プロシージャル生成された世界
フォトリアルな3Dレンダリング	3Dモデルとテクスチャーの組み合わせ（既存テクノロジーの進歩が必要）
シミュレーション世界の信号を目または脳に送信する機能	未発明のテクノロジー――ライトフィールドレンダリング、マインドブロードキャスト
触覚の考慮（ハプティクス）	限られたテクノロジーは存在するが、マインドインターフェイスへの組み込みはまだ不可能
脳の反応を読み取り、世界に反映する機能	未発明
大量のオンラインプレイヤー	現在可能な規模を大幅に上回っているが、既存テクノロジーの延長線にすぎない
プレイヤーやキャラクターのデータをシミュレーション内で保存し、レンダリングされた世界の外部にストレージを用意する	非常に大量のデータ。既存テクノロジーの進歩が必要
記憶の植え付け	過去の履歴を変える能力。未発明
NPC（ノンプレイヤーキャラクター）	人造のキャラクターをシミュレートする。既存テクノロジーの進歩が必要

ここまでは、きわめて重要な瞬間としてのシミュレーション・ポイントについて論じ、私たちの文明のような、テクノロジーに支えられた文明が、ビデオゲームテクノロジーの開発からグレート・シミュレーションの創出に至るまでのロードマップを示した。

祖先シミュレーションとは

2003年の画期的な論文『私たちはコンピューターシミュレーションの中に住んでいるのか』で、オックスフォード大学の哲学者ニック・ボストロムは、ある主張を提唱した。この論文では、ビデオゲーム、AI、SFを具体的に扱っているわけではないが、言及はしている。

ボストロムは、ある段階まで発達した文明が創り出したシミュレーションを「祖先シミュレーション」と呼ぶ。この段階は、本書でいう「シミュレーション・ポイント」に近い。ボストロムは、この段階に達した文明を「ポストヒューマン」文明と名付けている。高性能のコンピューターで祖先シミュレーションを実行できるからだ。

非常に高性能のコンピューターで後の世代が実施する可能性のあることのひとつに、自分たちの祖先、あるいは祖先に似た人々を対象とした、詳細なシミュレーションがある。彼らのコンピューターはきわめて高性能なので、そのようなシミュレーションを大量に実行することができるだろう。もしこれが正しいなら、私たちのような意識の大半が、最初に発達した種ではなく、高度な子孫によってシミュレートされた種に属している可能性も考えられる。[20]

ボストロムは、私たちがシミュレーションの中にいる可能性があるという考え方を支持しているが、シミュレーションを、ポストヒューマンによる一種の高度なコンピューターシステム（そのようなものをコンピューターシステムと呼べればの話だが）の上で実行されていて、基底現実《ベースリアリティ》にいる生命とシミュレートされている生命のあいだには、ほとんどやりとりがないと考えている。ボストロムは、シミュレーションの中でどのようなことが実際に起こっているかについては、あまり踏み込んでいない。しかし、彼のモデルでは、祖先シミュレーションの中にいるすべての祖先は、人工の意識を持つ——言い換えれば、シミュレートされた生命である。

ボストロムの「シミュレーション議論」

ボストロムの基本的な主張である「シミュレーション議論」は、つきつめると人類（あるいはその他の種）が、祖先シミュレーションを実行できるほどのテクノロジーに到達できるのか否かという話になる。もしこの段階に到達することのできる種がいるならば、私たちがシミュレーションの中にいない可能性よりも、いる可能性の方が高い——ボストロムはそう結論づけている。

では、ボストロムが提唱する、文明がシミュレーション・ポイントに到達するか否かに関する3つの可能性をもう少し掘り下げてみよう。

1．この段階に到達する文明は存在しない。したがって、祖先シミュレーションは不可能である。なぜ、この段階に達しないのだろうか。文明が自滅するか、あるいはコンピューターテクノロジーを開発できないことが考えられる。ここまでに整理したシミュレーション・ポイントへの道のりを考えると、急速に進歩している技術がある一方で、他の技術の進歩にはまだ長い時間がかかりそうだ。

2．この段階に到達する文明はあるが、祖先シミュレーションは禁止されている。なぜ禁止されるのだろうか。これは答えの出ない問いだが、ボストロムはいくつかの考え方を提示している。

3．何らかの文明がこの段階に到達して、たくさんの祖先シミュレーションを生成している。このシナリオの可能性が最も高い。なぜなら、高度な文明によって開発されたほとんどのテクノロジーは、たとえ限られた形であっても、実際に使われるからである。

もし、3番目の仮定が正しければ、リアルな祖先シミュレーションが可能になるテクノロジーに達した種は、おそらくそのようなシミュレーションを多数生成する可能性が高い。

その場合、新しいシミュレーションの生成とは、ビデオゲームのサーバーのインスタンスを新たに立ち上げるようなものだということになる（現在のテクノロジーの基準から考えると、明らかに高性能なサーバーだが）。もし、単一のベースリアリティが、大量の（数百、数千、あるいは数百万の）祖先シミュレーションを生成しているなら、新しいシミュレーションが生成されるたびに、膨大な生命がそれらのシミュレーションに現れることになる。

ボストロムの議論の統計学的根拠

ボストロムの議論によれば、もし3番目の仮定が正しいならば（ある文明が祖先シミュレーションを生成できる段階に達したならば）、シミュレートされた世界の数は、現実の世界の数を大幅に上回るはずだという。この点は、異なる惑星で異なる種がシミュレーション・ポイントに到達したとしても（むしろ、なおさら）成立する。ボストロムは、この可能性についてはは追求せず、ひとつの「真の」文明が多くの祖先シミュレーションを生成する場合の哲学的議論にとどめている。

私たち自身の文明を例にとると、これらのシミュレーションにおける「生命」の数は数十億、あるいは数兆にものぼるかもしれない。新しい生命を創るのに必要なのは、演算能力だけだからだ。したがって、それぞれのポストヒューマン文明に対して、シミュレートされた生命の数は、現実世界における物理的な生命の数よりははるかに多くなるに違いない。

物理的な現実世界よりもシミュレートされた世界のほうに生命が多いのだから、私たちがシミュレートされた生命である可能性は非常に高いと、単純な確率論が示している。

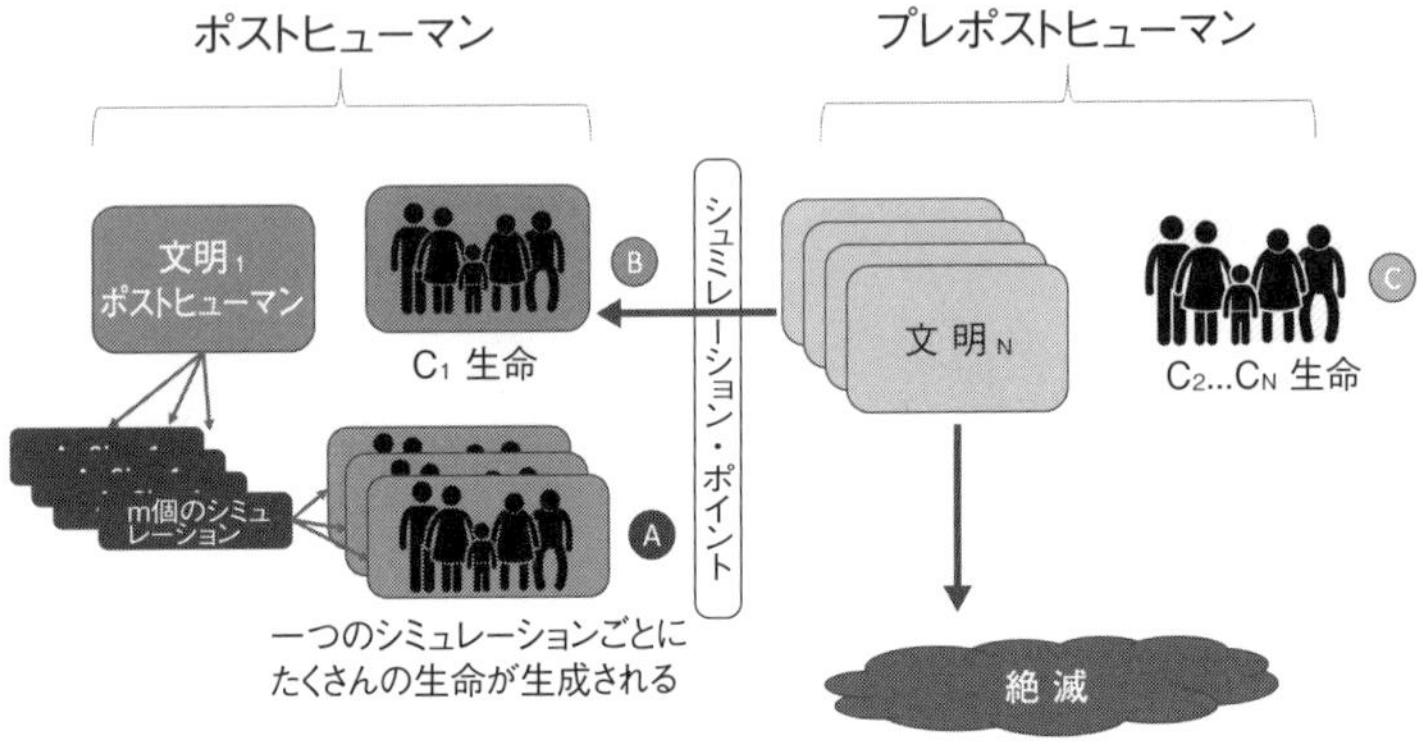

図17：基本のシミュレーション議論

この議論を図17に示す。左側は、シミュレーション・ポイント以降に到達した文明を示す。

基本的な議論として、点Aがシミュレートされた生命、Bが当該文明に属する「現実の」生命だとすると、ある文明におけるAの数は、Bの数よりはるかに大きくなる（数学用語で言うなら、A＞＞Bだ）。つまり、現実の生命よりもシミュレートされた生命のほうがはるかに多くなる。まったく新しいシミュレーションを立ち上げるのに必要なのは、演算能力だけだからだ。

すると、私たちがシミュレーションの中にいる可能性は単純に、シミュレートされた生命と実際の生命の比に等しいということになる。AがBよりはるかに大きいなら、私たちはシミュレートされた生命である可能性がはるかに高いことになる。

ボストロムは、これと基本的に同じ主張を、次のようにもう少し複雑な計算を用いて行っている。もし、シミュレーション・ポイントに到達する可能性が高い文明が存在するなら、全宇宙におけるシミュレートされた生命の数は、「基底文明《ベースリアリティ》」における現実の人類の数を大幅に上回るだろう、というのだ。

もちろん、これは図17の左側だけを見ていることを仮定している。ボストロムと、その協力者であるヤギェヴォ大学のマルシン・クルチスキーは、ボストロムがポストヒューマン段階以降に到達した文明における現実の生命しか考慮に入れていないと指摘されたことを受け、シミュレーション議論を修正した。

シミュレーション・ポイントにまだ到達していない文明の生命（ボストロムは、「プレポストヒューマン」というぎこちない呼び方をしている）も、考慮に入れるべきなのだ。私たちがシミュレーションの中にいないと仮定すると、現在の文明はこのカテゴリーに入る。まだシミュレーション・ポイントに到達していないからだ。

これらの文明は、さらに高度なテクノロジーの開発によってシミュレーション・ポイントを通過するか（人類は数十年あるいは数百年のあいだに到達すると考えられる）、あるいは絶滅する。では、もうひとつの可能性はあるのだろうか。つまり、プレポストヒューマンの状態のまま、長時間にわたって生き残るという可能性だ。これは、コンピューターやビデオゲームを開発している技術文明であるかどうかによる。コンピューターやビデオゲームを一切発明しない文明もありうるが、技術文明になんらかの計算手段が存在しないというのは考えにくい。

こうした文明の生命を加えると現実の生命の数が増えるが、それでもシミュレートされた生命はほとんど無限に、あっという間に増えるので、元の議論の有効性は変わりない。言い換えると、A＞＞（B＋C）となる（もっとも、両者の比率は当初の計算ほど偏っていないかもしれないが）。この場合でも、すべてのシミュレーションにおけるシミュレートされた生命の数が、すべての現実世界の文明におけるシミュレートされた生命よりはるかに多ければ、私たちは現実よりシミュレーションの中にいる可能性が高いのだ。

米国のパーソナリティ、ラリー・キングによるインタビューで、物理学者のニール・ドグラース・タイソンは、ボストロムの議論を取り上げつつ、各シミュレーションには、サブシミュレーション（あるいは、シミュレーションの中のシミュレーション）を生成する生命がいる可能性があるので、シミュレートされた生命の数は無限大に近いかもしれない、というアイデアをあわせて提示している。タイソンはこれを、「連鎖するシミュレーション」議論と呼んでいる。

ボストロムの方程式は、「ドレイクの方程式」に多少似ている。ドレイクの方程式とは、銀河系に存在する地球外文明の数の推定を試みた式である。銀河系にある恒星の数、その中で惑星を持つ恒星の数、その中で生命が存在する惑星の数、その中で技術文明を発展させた種の割合、それらの文明が存続する期間などについて、仮定を入力しなければならない。もちろん、解は仮定の内容によって大幅に変化する。最新の研究では、フランク・ドレイクがこの方程式を提唱した1960年代に比べて、惑星はより一般的で、銀河系内における恒星の数（そして宇宙における銀河系の数）ははるかに多いことがわかっている。同様に、私たちのテクノロジーがシミュレーション・ポイントへ向かって進歩するにつれ、ボストロムの主張が正しい可能性はかつてないほど高まっている。

私たちは祖先シミュレーションの中のシミュレートされたキャラクターなのか、ビデオゲームの中の意識あるプレイヤーなのか

ボストロムの結論のうち最も重要な点は、私たち人類はシミュレートされていない生命である可能性よりも、祖先シミュレーションの中でシミュレートされている生命である可能性の方が高い、ということであった。方程式に代入すべき正確な割合こそ不明だが、ボストロムは私たちがシミュレーションの中に住んでいるという可能性がゼロでないことをはっきりと示してくれている。

ボストロムは、シミュレートされた生命とは、現実世界に存在する意識ある生命ではなく、人工の知性あるキャラクターである、と結論づけている。つまり、私たちが世界の中で他の人とやりとりする際に、相手がコンピューターによって生成された生命なのか、はたまたＡＩなのか区別がつかなければ、そのシミュレーションを創った者は高性能のコンピューターを構築してシミュレーション・ポイントに到達することができた、といえるわけだ。

もし私たちが、シミュレーションの中にいるシミュレートされた生命だとしたら、まわりにいる他の人たちは人間なのかＡＩなのかわからないので、すでにチューリングテストに合格していることになる。つまり、チューリングテストに合格するＡＩを開発できる日が来るとしたら、今すでに合格しているかもしれないのだ（！）。したがって、私たちが自分たちのコンピューター

上（実際には「シミュレートされたコンピューター」かもしれないが）でチューリングテストに取り組んでいるあいだ、このシミュレーションの〈外〉の現実では、とっくにチューリングテストに合格しているだろうとみなすことができる。

ビデオゲームデザイナーとしては、リアルなNPCを創るための試行錯誤が思い起こされる。ゲームが高度になるにつれて、AIキャラクターも高度になってきている。プレイヤーから話しかける必要があった『ゾーク』のような初期のテキストゲームにおける、キャラクターに現実感を与えるためのさまざまな試みを思い出す。AIは当時よりもはるかに進歩したが、チューリングテストに合格できるNPCはまだ存在しない。いつしか合格できるとしたら（それは10年以内かもしれないし、あるいは100年以内かもしれない）、私たちがすでにNPCとやりとりしているという可能性は格段に上がる。

実際、ボストロムは「私たち」自身がシミュレートされた意識であると考えている。ボストロムの主張によれば、私たちはチューリングテストに合格する必要がないかもしれないが、他の「人間」（と私たちが考えている存在）あるいはシミュレーション内のその他のキャラクターがシミュレートされているか否かを判別できないように作られているのだという。

これに対して、私たちの知る形のビデオゲームでは、ゲームの外に実際のプレイヤーが存在する。NPCがたくさんいるかもしれないし、同じNPCのインスタンスが多数配置されているかもしれないが、プレイヤーがいないかぎりはビデオゲームではない。私が本書で主張するシミュレーション仮説では、私たちの意識を占有している数十億人のプレイヤーがいるはずだ。しかし、私たちが接触する「キャラクター」の何割かがシミュレートされたキャラクターでないという証拠はない。

意識とは何か

チューリングテスト、シミュレートされたキャラクター、あるいはデータ少佐やHAL9000のような自律型ロボットなどさまざまなテーマを扱ってきたが、ここまで私たちは「デジタル意識」という考え方を当たり前のように受け入れている。

しかし、デジタル意識が実際にどのようなものであるかという定義はない。そもそも人間の意識とはどのようなものであるかがまだよくわかっていないからだ。MITの教授で、『LIFE3・0――人工知能時代に人間であるということ』（紀伊国屋書店、2019年）の著者であるマックス・テグマークは、友人で神経科学者兼脳研究者のクリストフ・コッホが、指導を務めたノーベル賞受賞者のフランシス・クリック（DNA構造の共同発見者）から、意識の研究をしないように勧められたことを回想する。[21]

なぜだろうか。

西洋科学に突き刺さったトゲのように厄介な問題だからだ。

西洋科学の唯物主義的な観点からは、意識を次の2つのいずれかとみなしているように思われる。

1. 体験としての意識はきわめて主観的であり、したがって自然科学の範囲外なので、無視する。

2. 意識は実のところ、物理的過程、つまり化学反応の結果である。より具体的には、脳の神経活動が意識を担っていて、神経活動のマッピングが完全になればなるほど、意識を簡単に再現できるようになる。

ここ100年ほど、多くの科学者は前者の観点をとっていたが、神経科学の分野が発展するのに伴い、後者の観点への支持が高まっている。

デジタル意識と霊的意識

東洋の神秘主義や西洋の宗教における意識の扱いは、西洋科学とは異なっている。宗教的な見方では、意識は現実の体とは独立していて、現実の体の外にある。それによれば、意識は人が生まれたときに体内に入り、亡くなったときに体外に出るのだという。夢を見ているあいだには意識が体から抜け出るのだという考え方まである。

霊的な考え方と唯物論的な考え方のどちらが〈現実〉に近いのかはわからない。これは長年にわたって議論されている。意識が現実の体の外にあるのなら、それはどこなのだろうか。

シミュレーション仮説では、意識はレンダリングされた世界の外に保存されていると仮定する。私たちがシミュレーションの中にとらわれているために見えない世界だ。意識は、まだ私たちが発見していない方法で、何らかのサーバーにアップロードされているか、あるいはローカルデバイス（つまり、私たちの体）に保存されている可能性がある。

唯物論的観点（意識はニューロンの起動パターンの結果である）と霊的観点（意識は体の外にあり、体に読み込まれている）には、ひとつの共通点がある。

「意識の実態は、一連の情報とその処理である」

ということだ。

霊的観点からは、この情報はさまざまな形をとる。滅びることのないヒンドゥー教の魂、死後も魂が天国または地獄で永遠に生き続けるユダヤ教・キリスト教・イスラム教、そして魂は永続的に存在するのではなく「カルマの入れ物」であるとされる仏教などだ。どの場合でも、〈プレイヤー〉と関連付けられた情報は、謎めいた過程により、生体機械――つまり私たちの体に送信される。

唯物的視点からは、物理的な頭脳のなかのあらゆる接続をモデリングするだけの計算能力を持つことができれば、ある時点で人間の「コピー」ができることになる。

近年、スイスの研究者グループは、個人のニューロンをモデル化して再現することで脳を再現し、脳と同じように稼働する、縮小版のコンピューターモデルを作成できたと考えた。わずか1

万個のニューロン（と、関連付けられた3000万の神経連絡）からなるラットの脳をモデル化することにより、数年のうちに脳全体をモデル化することのできるスケールモデル（実物のスケールを小さくして作った模型）を作ることができたと考えたのだ。一方で人間の脳は、10の12乗個のニューロンが10の15乗個のシナプスでつながれたネットワークで構成されている。[22] 本書の執筆時点では、それほど多くの神経接続のモデル化に成功できた人は誰もいないが、成功するのは一般に思われているほど遠い先のことではないかもしれない。

レイ・カーツワイルは、他の多くの論者と同様に、意識だけが情報だというわけではない、とも主張している。体内の細胞は絶えず置き換わっているので、数年前の自分と今の自分は、文字どおりの意味で同じ物理的人間であるとはいえない。自分が何者であるかを定義し、細胞に成長のしかたを指示する「情報」（カーツワイルはこれを「パターン」と呼んでいる）が存在するはずである。これは正常な細胞だけでなく、病気の細胞にも当てはまる。理屈では、すべての細胞が置き換えられれば、病気の細胞はひとりでに消えるはずである。しかし、情報のパターンがあるためにそうはならない。生物学的な生命さえも、コアの部分では計算的な構造に従う。

唯物論的アプローチと霊的アプローチのどちらを信じるかにかかわらず、どうやら意識の主要な部分は情報であるようだ。そして、もし意識が情報であるならば、現時点では人智を超えているとしても、いつかはデジタルで表現し、サーバーからダウンロードしたり、サーバーにアップロードしたりすることができるようになるはずである。

意識と生物学的現実を一種の情報として見るようになると、シミュレーション仮説はがぜん現実味を帯びてくる。それは、唯物論的世界観と霊的世界観のどちらを信じていても言えることだ。

シミュレーションは私たちの世界を説明するのか

本書のパートIでは、私たちが〈マトリックス〉に似たものを作り出す可能性を検討し、それは今後数十年、あるいは遅くとも百年以内には技術的に可能であることを示した。ボストロムのシミュレーション議論が示すように、この段階に達した文明があるなら、私たちはすでにシミュレーションの中にいる可能性が十分にある（その可能性が高いとまでいえる）のだ。

本書のこの後の部分では、シミュレーション仮説が、私たちの住む世界に関するまだ説明されていない謎を実際に説明してくれるいくつかの理由について検討する。これには、量子物理学におけるパラドックスや古典物理学とは異なる側面に加え、東洋の神秘主義や西洋の宗教によって表される宗教観も含まれる。

驚くべきことに、ビデオゲームのたとえに最も近いのは宗教観である。物理的世界は、シミュレーションの外側の意識ある生命によって生物が住まわされている、一種の「幻想」にすぎないというのだ。ボストロムは、ほとんどの生命はシミュレートされた生命であると暗示しているため、この可能性については深く検討していない。しかしこれは、シミュレーション仮説の中でも最も好奇心をそそられる点かもしれない。宗教と科学というほとんど重なることのない2つの知識分野のあいだの溝を埋めるからだ。

本書の最後の部分では、議論の総括として、計算が行われているさらなる証拠を考察し、懐疑論をいくつか紹介し、より大きな哲学的疑問とシミュレーション仮説の秘める意味を検討する。シミュレーション仮説がいかにして、この世界のすべて——科学的、霊的、宗教的教訓——を分かちがたく結びつける唯一のモデルになりうるかを見ていく。

パート

II

シミュレーション仮説は私たちの世界をいかに説明するか

――物理学

新旧の物理学の最大の違いは、より単純かつ深遠なものである。新旧の物理学は双方とも影――象徴を取り扱っている。だが、新しい物理学はその事実を自覚せざるをえなくなってしまった――それがリアリティではなく影と幻想を取り扱っていることを認めざるをえなくなってしまったのである。[23]

『Quantum Questions』[『量子の公案』(工作舎)から引用]

――ケン・ウィルバー

ニューエイジ思想家、哲学者

一般の人は、「現実」という言葉を使うとき、常にわかりきった既知のものを意味している。だが私にとっては、現代における最も重要できわめて難しい作業は、現実についての新たな考え方の構築に取り組むことであるように思えるのだ。

――ヴォルフガング・パウリ

理論物理学者

第5章

条件付きレンダリングと、確率の波の収縮

量子論に初めて触れて衝撃を受けなかった者が、量子論を理解していることは、およそありえない。[24]

——ニールス・ボーア

量子論について深く調べるうちに、私はビデオゲームの世界と、物理学のこの不思議な分野に、多くの共通点を見つけた。これらが、私たちが実際にシミュレーションの中に住んでいるという証拠になるかもしれない。

本書のこのパートでは、シミュレーション仮説が、これまで説明が難しかった私たちの物理的世界の現象を説明してくれることを論じたい。

現代物理学は、物理的世界の法則を見つけるためには役立ったが、宇宙がなぜこのように機能するのか、という大きな問いには答えられていない。

量子物理学だけではなく、古典物理学や相対論的物理学の発見から起こる疑問についても、同じことが言える。

この後数章をかけて、次のような問いを詳しく検討する（ただし、順番は一部前後する）。

・空間は量子化されているのか（仮想世界のようにピクセルでできているのか）？

・時間は量子化されているのか（宇宙にはクロック速度があり、コンピューターシミュレーションのように進行しているのか）？

・量子不確定性はどのような目的で生まれ、いかなる性質を備えているか？　量子不確定性とは、ビデオゲームのレンダリングエンジンのような最適化手法なのか？

・「観測」すると、量子確率の波が収縮するのはなぜか？

・パラレルワールドは本当に存在するのか？　それとも、それはビデオゲームのように、「仮想グリッド」上の確率にすぎないのか？

・物質は現実に存在しているのか？　それともビデオゲームのピクセルのように、必要に応じてオン・オフできる、原子より小さな粒子にすぎないのか？

・光速はなぜ、基本定数であると同時に、絶対限界でもあるのか？

・物理的世界には、ビデオゲームのような物理演算エンジンが存在するのか？　だとすれば、ビデオゲームのような瞬間移動や、即時的な通信は可能なのか？

・客観的な「宇宙」は実在するのか？　それとも、ビデオゲームのように、私たちひとりひとりの「コンピューター」（つまり、意識）にレンダリングされる情報なのか？

これらは、スケールが大きく、かつ複雑な問いである。モデルとしてのシミュレーション仮説を採用すれば、物理学の謎めいた側面の多くに関して、目的としくみの両方についていくらか答えを得られることになる。

導入部でも触れたが、ＭＩＴの学生時代に教授から教わったことがある。観測した現象を、既存のモデルよりも新しいモデルのほうがうまく説明できるなら、世界のしくみを表す可能性がより高いものとして、そのモデルの採用を検討すべきである、ということだ。

ビデオゲームと量子不確定性

最初に取り組むテーマは、ビデオゲームがどのように構築されているか、そしてそれが量子物理学の核心にある最も奇妙な発見のひとつ、量子不確定性（ＱＩ）について何を教えてくれるか、ということに関連する。量子不確定性は、量子物理学における重要な発見で、ニールス・ボーアが本章の冒頭の発言で触れているように、物理学者と一般の人の両方にとってあまりに衝撃だった。

量子不確定性とは、「観測されていない世界は〈レンダリング〉されていないかもしれない」という考え方である。ビデオゲームに関する各章で見てきたように、コンピューターサイエンスにおける、ＶＲゴーグルを生み出したレンダリング最適化手法では、世界のうち、プレイヤーが一度に見ることができる部分しかレンダリングしない。

さらに、マルチプレイヤー型ビデオゲームでは、サーバー上にマスター状態が保存されていることもあるが、レンダリングは各クライアントマシンで行われている。これは、確率の波が収縮して特定の現実を表すのは観測者がいるときだけである、という、量子物理学上の発見と符合する。この点について考えていくと、量子物理学に関するもうひとつのSF的側面へと導かれる。パラレルワールド（並行世界）だ。

ビデオゲームにおける初期のAIから類推してみよう。非常にシンプルな自作○×ゲームの例に立ち返り、次の問いを立てる——ありうる複数のパラレルワールドを事前にスキャンしてひとつを選ぶための、意識的なしくみ（人造のしくみか、そうでないかを問わず）は存在するのだろうか？また、ビデオゲームの「世界」には、複数の意識ある観測者がいて、全員が世界に影響を与えている。これらすべてを同期させる必要があるマルチプレイヤープログラムの性質と、それが客観的現実にとってどのような意味をもつかについても検討する。

古典物理学

この章の議論の核心である、量子不確定性とシミュレーション仮説との関連性に入る前に、いくらかの背景情報が必要になるだろう。まずは、アイザック・ニュートンの業績を基礎とする、いわゆる古典物理学のモデルと、アルベルト・アインシュタインに始まり、ニールス・ボーア、ウェルナー・ハイゼンベルク、ウォルフガング・パウリ、エルヴィン・シュレーディンガーなど、20世紀初頭の傑出した物理学者たちによって肉付けされた、新しい物理学（相対性理論や量子力学など）を概観してみよう。

古典物理学の見方では、宇宙は私たちのような人間（言い換えれば観測者）とは独立して、ただ機械的に動いている。ニュートンの運動法則を用いると、基礎的な物理方程式によって、天体の運動を質量と位置のみに基づいて説明することができる。実際、ピエール＝シモン・ラプラスは、ニュートンの方程式を用いて、当時知られていたあらゆる天体の運動を説明する2冊の本を著している。『宇宙体系解説』と『天体力学論』だ。

古典物理学のモデルでは、それぞれの天体は、古典物理学の法則に従って他の物体に作用する、独立した物理的物体である。このモデルは純粋に決定論的【訳注：物理学の場合は、あらゆる事象の結果は自然法則に従ってあらかじめ決まっている、という立場をいう】だ――結末を知るには、開始点と、作用する力を知るだけでいい。この世界観では、観測者は単なる観測者であり、観測対象の運動に影響を及ぼすことはない。

この考え方は、マクロの世界で始まったが、アーネスト・ラザフォード卿が原子核を発見したときに、ミクロの世界にも拡張された。太陽系の惑星と同じように、互いに独立した基本の構成要素が、原子をつくっているに違いない、と考えたわけだ。原子核は陽子と中性子からなる。そして、惑星が太陽のまわりの軌道上を動くように、電子は核のまわりの軌道上を動く。このモデルを、惑星モデル（または、ラザフォード－ボーアの惑星モデル）という。

このモデルにとって唯一の本格的な脅威となったのが、電磁場の発見であった。これは、物理的世界全体から見てまったく異質な存在のように思えた。マイケル・ファラデーとジェームズ・マクスウェルはこれらの現象を研究し、マクスウェルの方程式によって、既存のモデルで考慮されていなかった事象である電磁場が説明された。しかし、これは新興分野であった電気学の一部であって原子を直接扱っているわけではないので、ニュートンの古典力学モデルが引き続き上位概念として君臨していた。

現代物理学と、粒子と波動の二重性

科学にはよくあることだが、物理的宇宙のモデルの再定義が始まったのは、極端なケースが原因だった。古典的なモデルは、日々の直観と、大きな物体の動きには今でも当てはまるが、20世紀初頭に崩れ始めた。物理学者たちが自然の謎に深入りしたときに、このモデルには、特に次の2つの場合に無理が生じることを発見したからだ。

①物体が超高速で移動している場合。

②原子より小さい世界で、ごく小さい物体を扱う場合。

最初の大革命は、アインシュタインの相対性理論だった。相対性理論によって、空間と時間に関する考え方は一変した。アインシュタインが発見したのは、光速がこの世界における普遍定数であり、変化しない、ということだ。代わりに、物体の移動速度が光速に近づけば近づくほど、空間は縮み、時間は遅くなるように思われる。この発見は実験によって裏付けられたが、非常に不可解だった。電磁波の一種である光の速さが、なぜ、この世界における普遍定数なのだろうか。この点については、第7章でさらに詳しく論じる。

アインシュタインはまた、量子物理学の誕生と、原子やそれより小さな粒子のふるまいの再定義にも貢献している。この流れに属するのは、まず、ウォルフガング・パウリが発見した「パウリの排他原理」である。これは、原子に含まれる2つ以上の電子が同じ位置を占めたり、同じ量子状態にあったりすることはないという原理だ。また、アインシュタインによる光電効果の研究の影響も大きかった（これは、一度だけ受賞したノーベル物理学賞の受賞理由となっている）。光の粒子は「量子」として働き、これらの粒子は1つの状態から次の状態に連続的に移行するのではなく、エネルギーを吸収しながら「状態を突然変える」ことを発見した（これを「量子跳躍」という）。のちに、こうした光の粒子は「光子」（光量子、フォトン）と呼ばれるようになった。

これらをはじめとする諸々の発見によって、量子物理学という分野が生まれた。そして、こうした発見が、原子より小さい粒子の性質とふるまいを説明するためのモデルを見直す動きにつながった。量子物理学の先駆者たちは、原子より小さな粒子（電子など）は、当初考えたほど秩序立てて動いているわけではないし、連続的な軌道上を動いているわけでもないことに気づいた。こうして、原子の惑星モデルは終わりを告げた。

惑星モデルへの最後の弔鐘は、電子の位置を正確に特定するのが不可能で、どこにあるかは「確率の雲」の中のいずれかだとしかいえない、という事実が発見されたことだった。粒子の位置を正確に特定しようとすればするほど、速度については不確実になり、粒子の速度を正確に特定しようとすればするほど、位置については不確実になる。

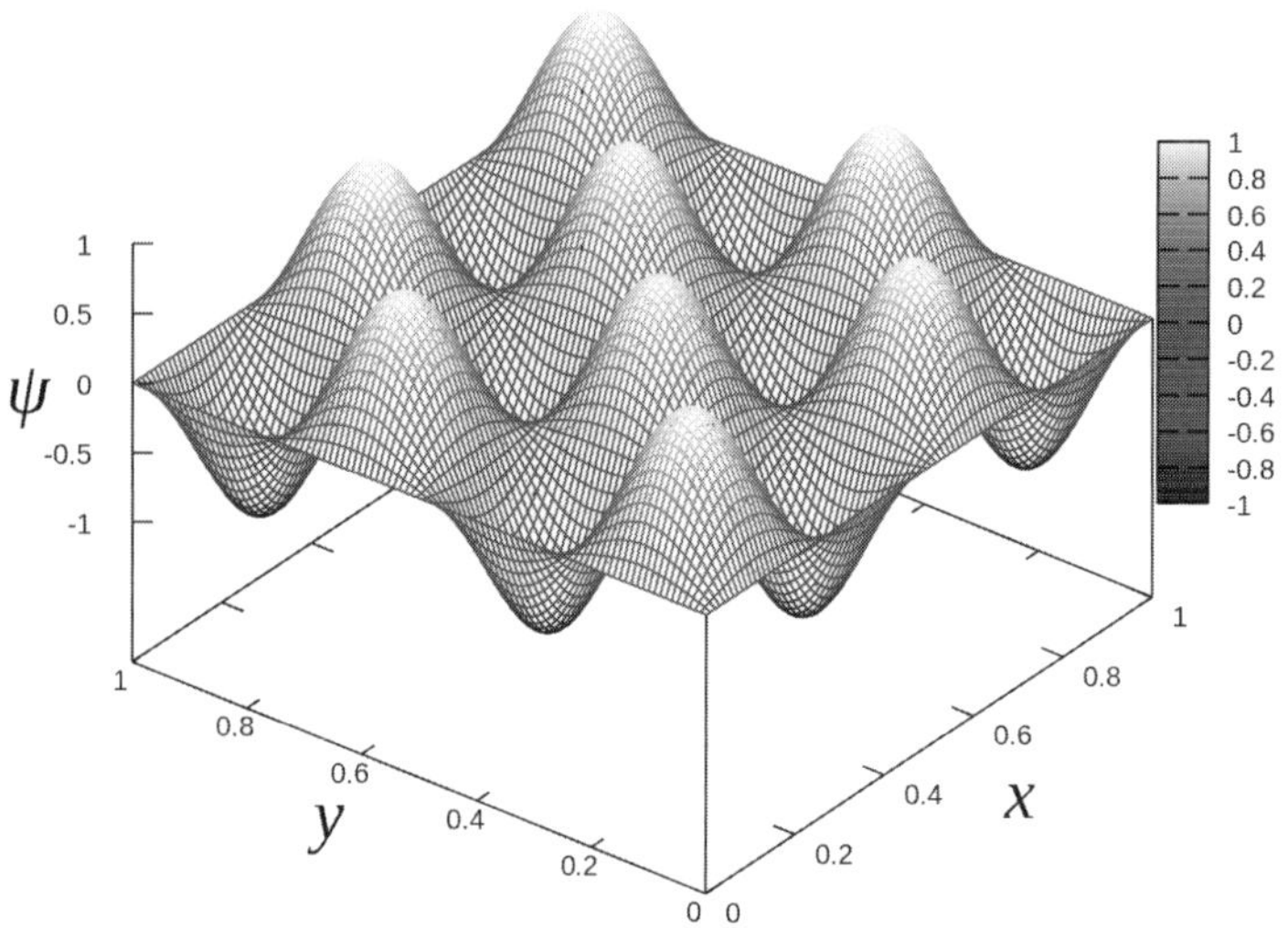

図18：ある粒子がもつ確率の波の例(25)

問題の核心
——粒子と波動の二重性

現代物理学の核心にあるのは、アインシュタインが光に、他の研究者たちが電子などの原子より小さな粒子に見いだし、物理学界の卓越した頭脳を悩ませた効果である。それは、量子の世界において、光や電子など特定の物質が、粒子と波動の性質を併せ持っている、ということだ。

粒子は、1カ所にのみ存在するものと考えることができる。粒子を、映画館に来た人にたとえてみよう。観客のひとりが、粒子だ。ひとりなので、一度にひとつの席にしか座れない。これを粒子の「局所性」という。

一方で、波は、粒子の位置が確率に基づいているような場所を表すことができる。先ほどのたとえに従えば、観客が映画を見るために、映画館のどの席に座るかという確率が波である。図18は、ある粒子の位置を表す確率の波の例である。ある点に対応する確率が、粒子がその位置にある可能性となる。

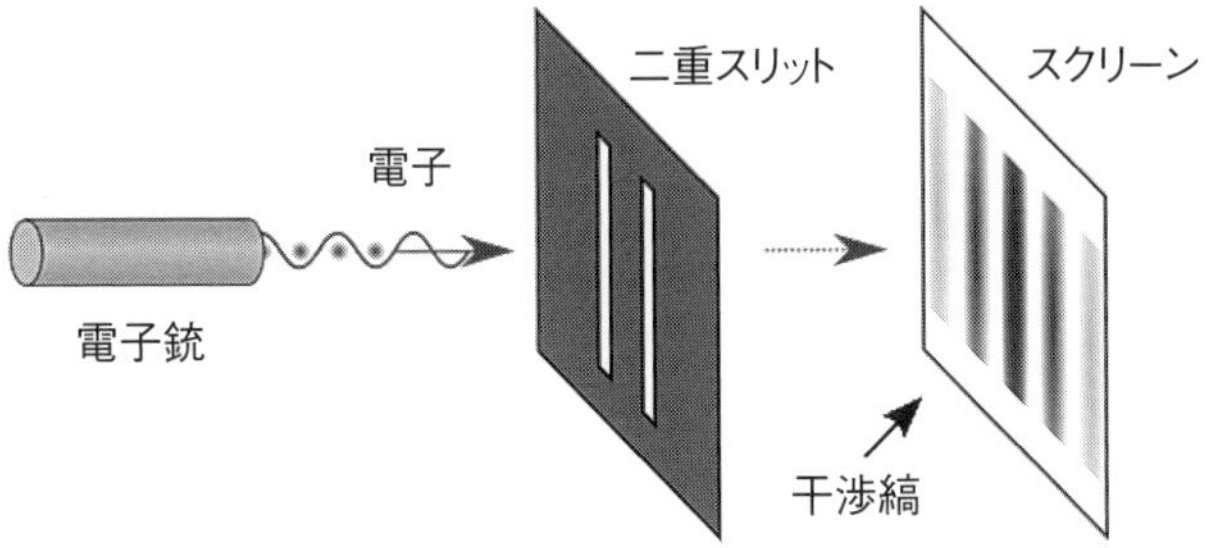

図19：二重スリット実験。電子が干渉縞を示している(26)

図19に示す有名な「二重スリット実験」は、電子や光子などの物質が、粒子の働きをするのか、波の働きをするのかを表すための実験である。もし、発射されてスリットを通った電子が波としてふるまっているなら、両方のスリットを通り、スクリーンには干渉縞が映るはずだ。一方、粒子としてふるまっているなら、一度にどちらかのスリットしか通れないので、スクリーン上の異なる場所に現れるはずである。

映画館のたとえに戻ると、それぞれの席に座る可能性にばらつきがあるか、ある席に座っている可能性が100パーセントであるかという違いになる。

二重スリット実験の結果は予想外だった。光子や電子などの基本粒子は、波のふるまいと粒子のふるまいを併せ持ち、発射された後の最終的な着弾点は、観測するまでわからなかったのだ。

先ほどのたとえに戻ると、映画館は真っ暗で映画も上映されていないとする。そのとき、懐中電灯で1つの椅子だけを照らすか、すべての照明を一度につけるかのいずれかを行う。1つの椅子だけを照らすと、物質はその椅子にだけあるように見える。しかし、すべての照明を一度につけると、あちこちの椅子に物質が散らばって、縞のように見える。このたとえには限界もあるが、量子のふるまいの不思議さを表している。

■量子確率の波の収縮

初期の量子物理学者たちはこの結論に戸惑い、確率の波を「量子確率の波」と呼んだ。そして、量子確率の波は、観測されたときにはじめてひとつの可能性に収縮する、つまり、電子が発射されてからスクリーン上の点に到達するまでの経路がひとつに決まることになる、という考え方を提唱した。この収縮を、「量子確率の波の収縮」という。

では、収縮は何によって引き起こされているのだろうか。この点については現在に至るまで議論が続いているが、ハイゼンベルクは「電子の経路は、観測者が観測したときに初めて存在するようになる」と述べている。言い換えれば、観測という行動自体が、電子が存在する「非局所的」な確率の波から、「局所的」な現実を確定させる鍵になるようなのだ。オレゴン大学の元教授、アミット・ゴスワミは、次のように述べている。「電子を測定すると、必ず粒子として見つかる。私たちが測定したことによって、電子の波が粒子の状態に収縮したということができる」[27]

物理学者たちは、この重要なジレンマ、すなわち粒子と波動の二重性が、古典物理学に基づく原子モデルだけではなく、科学的観測、そして主観と客観の二重性の考え方そのものに対しても疑問を投げかけるパンドラの箱を開いたことを悟ったのだ。

■主観と客観の二重性の終わり

現代科学は、客観と主観は別物であり、互いに無関係で、観測者は実験に影響を与えることなく結果を測定できる、という考え方の上に成り立っている。量子物理学は、この考え方と衝突する。観測が結果に影響を与えているように思われるからだ。

量子物理学の先駆者のひとりであるジョン・ホイーラー（ウィーラー）は、実験の観測者と参加者を次のように区別する。

「量子の原則のなかで何よりも重要なのは、世界が『その場にあり』、観測者が20センチの分厚いガラス板で安全に隔てられている、という概念を破壊することだ。

電子のようにごく小さい物体を観測するときにさえ、観測者はガラスを割り、中に入らなければならない。起こっていることを説明するためには、古い『観測者』という言葉を消して、代わりに新しい『参加者』という言葉を入れなければならない。ある奇妙な意味で、この宇宙は参加型宇宙なのである[28]」

確率を収縮させるのは、観測という行動である――これが、確率の波の収縮に関する最善の説明になっている。まるで、物質が何であるかを観測している人が必ずいなければならず、さもなければ、物質は単なる可能性の集合であるようなのだ（これは量子泡とも呼ばれる）。

つまり、少なくとも原子より小さなレベルでは、意識をもつ生命である観測者が、物理現象の結果に参加していることになる。このことが、ある不穏な考え方につながった。この物理的世界に、「意識」がなんらかの形でかかわっている、というのである。この考え方は、1930年代に著名な数学者、ジョン・フォン・ノイマンが提唱し、それ以来議論の的になってきた。

量子物理学の基本的な発見については他の解釈のしかたもあるが（そのうちのひとつである「多世界解釈」については、次章で検討する）、しかし代表的な解釈はマックス・ボルン、ハイゼンベルク、ボーアが提唱した「コペンハーゲン解釈」である。これは、確率は観測によって収縮するというものであり、この世界観と一致する。

たとえ、量子泡が確率である、というコペンハーゲン解釈に反対するとしても、二重スリット実験のような実験が繰り返し裏付けるように、観測者と観測対象は分かつことができない、という考え方は認めざるをえない。

■量子のさらなる不思議――不確定性原理

観測者と観測対象を分かつことはできない、という考え方は、ハイゼンベルクの最も有名な発見である「不確定性原理」の中核である。ハイゼンベルクはこの考え方を、ニールス・ボーア研究所で働いていた1927年に初めて提唱した。

ハイゼンベルクが発見したのは、量子レベルでは、ひとつの粒子がもつ複数の性質を正確に知ることができない、ということだった。たとえば、粒子の速度を正確に求めようとすると位置がわからなくなり、ある時点での位置を正確に求めようとすると速度がわからなくなる。ハイゼンベルクは、「運動量」と「位置」という用語を用いて、この原理を示した。

このことが示すのは、観測者の側で測定対象を選ばなければならないということであり、ここでもまた、観測者が物理的世界に影響していることがわかるのである。位置と速度（あるいは運動量）の両方を正確に測定することが、なぜ難しいのだろうか。物理学者がこれまでに考え出した最善の説明は、位置は単一の粒子の特性であるのに対し、運動量は粒子の運動を扱うので、より波の性質に近い、というものである。したがって、粒子を単一の粒子として測定するか、波のように測定するかは、測定者が判断しなければならない。ここでも問題の核心は粒子と波動の二重性であるといえる。

■シュレーディンガーの猫と量子の重ね合わせ

量子物理学に関するこの議論は、今ではすっかり有名になった「シュレーディンガーの猫」につながる。量子物理学に少しでも触れた人なら、この仮想の猫に遭遇しているだろう。実のところ、量子の不思議について一般の人に知られている唯一の逸話かもしれない。

1935年に、オーストリアの物理学者エルウィン・シュレーディンガーは、「量子の重ね合わせ」の概念を説明しようとした。これは、ある粒子が、観測されるまでは任意の時点において

2つ以上の状態をとることができ、観測された時点でいずれかひとつの状態とみなされる、という考え方である。これもまた、粒子の状態に着目して、確率の波の収縮を説明する方法である。

シュレーディンガーは、量子の不思議を、ミクロの領域から、物理学者以外の人にも理解しやすい日常的なものに置き換えて伝える試みの中で、例の不幸な猫を考えついた。シュレーディンガーが説明した実験では、箱の中に猫を入れ、一緒に一定の確率で減衰する放射性物質も入れる。最初に提唱した話では、放射性物質が毒を放出してから1時間後に猫が生きている確率は50パーセント、死んでいる確率も50パーセントだという。

私たちが箱を開けて「観測」するときに、猫はどのような状態にあるだろうか。生きているのだろうか、死んでいるのだろうか。

猫が死んでいるか、生きているかは、箱を開けて猫の状態を観測しないとわからない。ゴスワミは、著書『The Self-Aware Universe』で、この50パーセントの確率について、普通の人は単なる結果が見えていないコイントスのように思いがちだ、という。しかし、ゴスワミも他の物理学者も言うように、量子力学ではこの場合、常識で理解できるような結果にはならない。

常識で判断するなら、猫は生きているか、死んでいるかのどちらかだ（観測者はただ、どちらだかわかっていないだけである）。確率によれば、猫は半分死んでいて、半分生きている。ゴスワミが「アンサンブル解釈」と呼ぶ解釈であれば、このような箱に100匹の猫がいれば、50匹は死んでいて、50匹は生きていることになる。[29] しかし、重ね合わせは常識にとらわれない。量子物理学における重ね合わせでは、物質は同時に両方の状態にあり、観測という行動によって、いずれかの現実が確定する。たとえば、電子は観測するまでは波であり、観測して初めて、局所化された粒子になる――確率の波の崩壊によって、ひとつの現実に収縮する、というわけだ。

重ね合わせは、量子コンピューターにも活用されるようになっている重要な概念で、本書でも後で説明する。従来のコンピューターでは、ビットは0と1のいずれかの値をとるが、量子コンピューターでは、シュレーディンガーの猫のように、ビットは「重ね合わされて」いる――ビットは観測されるまで、1と0の両方の値をとる。

量子不確定性からビデオゲームへ

量子物理学が古典的な世界に導入したいくつかの「不思議」を見たところで、ギアを切り替えてみよう。「不思議」の根源は、粒子と波動の二重性、1カ所にある（局所的な）粒子と確率の波との違い、そして一方の状態からもう一方の状態へ移行する方法であった。宇宙が意識を持つ観測者と一切関係しない、紛れもなく不変の物質的な存在であるとすれば、これらの発見は不可解なものに思える。

問題の核心にあるのは「量子不確定性」、つまり、特定の結果が観測されるまで、すべての結果が存在するという性質である。量子ビットの場合、これは、観測されるまで0と1の両方の値をとることを意味する。

不確定性自体は、量子力学の登場以前から物理学分野にある概念だったが、これは測定精度の不足が原因だった。古典物理学における物理的世界は、決定論的であるとみなされていて、私たちはそれを正確に測定する方法を知らないだけである。つまり、シュレーディンガーの猫は箱の中で死んでいるか生きているかのどちらかであり、私たちは（箱を開けずに）状態を知る術がないだけだ、というのだ。しかし、量子力学は、量子不確定性が宇宙の基本的性質であると教えてくれる。観測されるまでは、猫は死んでいて、かつ生きているのだ（！）。

ここから、現実世界が、ビデオゲームの開発方法や利用方法の理論と重なり合うようになる。物理的世界の基本原則である量子不確定性は、コンピューターグラフィックスとビデオゲームの世界で行われる最適化に驚くほど似通っている。グラフィックスは、個々のマシン（コンピューターやスマートフォン）でレンダリングされる。操作を行い、動作を観測しているのは、意識のあるプレイヤーだ。

ここで現在のビデオゲームの構造を概観し、シミュレーション・ポイントへの道のりを歩むうちに、これが今後どのような進化を遂げる可能性があるかを見ていこう。そうすれば、量子不確定性とその存在理由について、従来よりずっと優れた説明が得られる――量子不確定性は、共有されたシミュレーション宇宙の中の「条件付きレンダリング」の一種である、というものだ。

ビデオゲームにおける条件付きレンダリング

コンピューターグラフィックスのリソースは、いつでも限られている。当初は、メモリー、保存領域、処理能力などに限界があった。実のところ、コンピューターグラフィックスの歴史は、圧縮と最適化の歴史でもある。画像の解像度が高くなるほど（静止画または動画——といっても実際に動いているのではなく、フレーム単位の静止画の集合である）、ファイルサイズは大きくなる。インターネット上における最も一般的な静止画と動画の形式であるＪＰＥＧとＭＰＥＧは驚嘆すべき圧縮手法だ。冗長性の削減や視野の最適化、人間の目が特定の色どうしを見分けられない性質などを利用している。

グラフィックスがシンプルな２Ｄから、シミュレートされた３Ｄへ移行するのに伴い、とりわけ難しい問題が発生した。３Ｄ環境ですべてのピクセルをレンダリングするにはどうすればよいか、というのだ。解像度（とピクセル数）が大幅に増加すれば、計算能力もいずれ足りなくなる。

■２Ｄ世界の複雑なマップ

２Ｄグラフィックスでは、「世界」と「レンダリング内容」の区別はなかった。つまり世界は、ピクセルとしてデジタルにレンダリングされた絵だった。これらの「レンダリングされたピクセル」は、ディスクあるいはメモリーのどこかに、ビットマップとして保存されていた。

完全な仮想世界という考え方が確立する前から、ある時点で見えている内容よりも大きい「マップ」がある、という考え方は、２Ｄスクロールゲームに登場していた。左または右（あるいは上または下）にスクロールすれば、マップの次の部分がレンダリングされた（図20は、隣接部分のあるマップを示している）。

『キングズクエスト』や『ゼルダの伝説』のような2D世界では、マップのうち見えていない部分はピクセルとしてレンダリングされ、ディスクやメモリーに保存され、プレイヤーが該当する場所に移動したら画面に表示されるようになっていた。新しいシーンを表示するには、現在のシーンのピクセルと新しいシーンのピクセルを入れ替えるだけだった。計算をせずにコピーするだけなので、非常に早く処理することができた。

■3D仮想世界のレンダリング

2Dグラフィックスから3Dグラフィックスへの移行に伴い、そのとき見えるより大きな世界という概念は、大幅に拡張された。現代のMMORPGにおける仮想世界は、画面サイズより大きいだけでなく、必要になるまでは完全にレンダリングされてピクセルとして描画されることはない。

では、レンダリングはいつ必要になるのか。プレイヤーのキャラクターがシーンにいる場合のみだ。そして、シーンのうち、ある時点で見えるのは一部だけである。

あるいは、先ほどの量子不確定性の話と関連付ければ、世界のうち観測者がいるところだけが完全にレンダリングされてピクセルとして描画される、ともいえる。

パートIで見てきたように、これがレンダリングエンジンの基本的な発想だ。数学的な点をピクセルに変換して、ビデオゲームのプレイヤーに表示する。

では、一度にごく一部しかレンダリングしないのなら、残りの世界はどこにあり、どのように

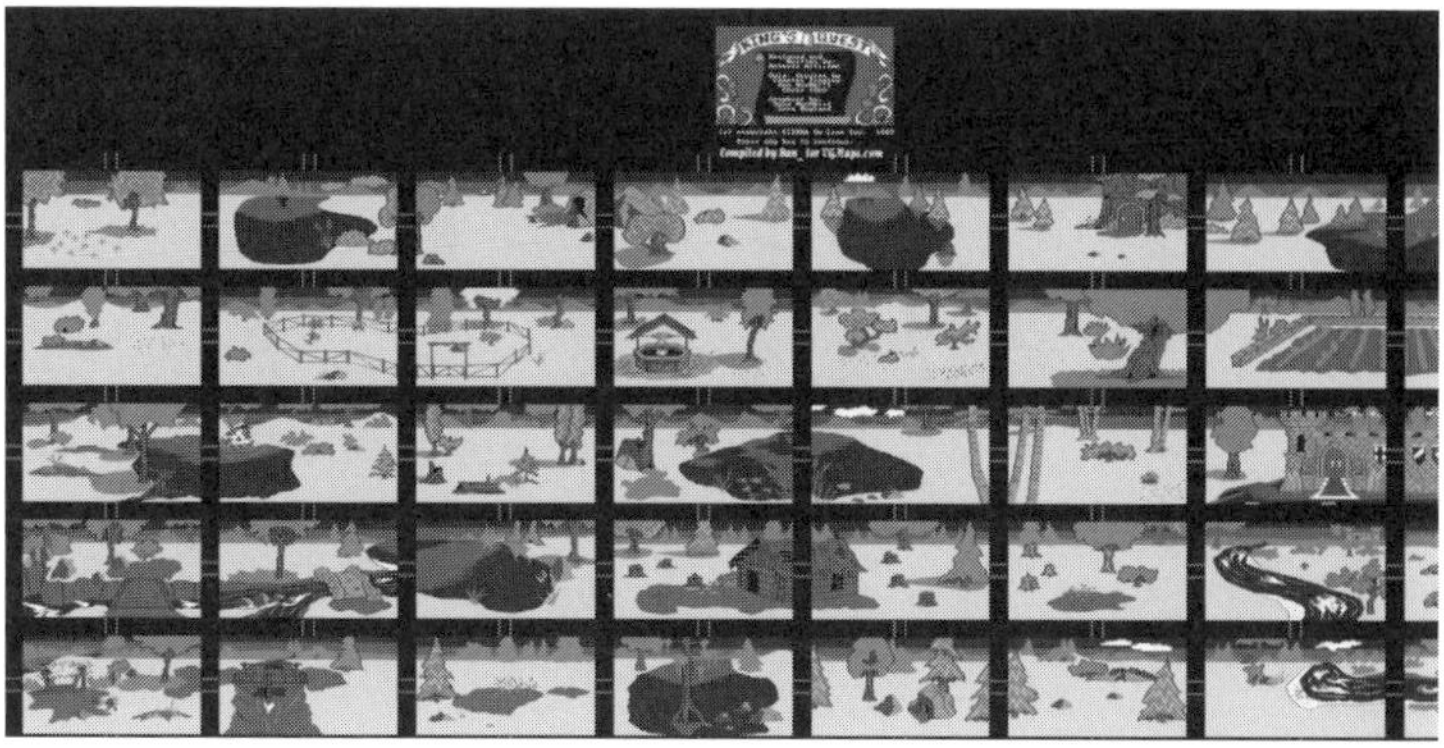

図20：『キングズクエスト』における、レンダリングされた世界の各セクションの例(30)

保存されているのだろうか。それらは3Dコンピューターモデルとして保存されていて、レンダリングされない限りプレイヤーは見ることができない。言い換えると、世界は観測されない限り、情報としてのみ存在するのだ。

第1章で、ゲーム『DOOM』を紹介した。3Dグラフィックスを高速に生成し、プレイヤーの視点に合わせて調整することができたごく初期の作品である（これを、プレイヤーの視野、あるいはFOVという）。この一人称視点は重要だった。3Dシーンのすべてのピクセルをリアルタイムでレンダリングするのは、当時のプロセッサーでは不可能だったからだ。

ある3Dシーンでは、視野には部屋の一部しか映っていないかもしれない。あるいは、オークやウィザードのようなきわめて複雑なキャラクターの後ろ姿しか見えていないかもしれない。

複雑なオブジェクトのピクセルをすべて計算するのは、時間がかかることがある。初代『フライトシミュレーター』のような古いゲームを、特に古いコンピューター上で実行すると、飛行機や視点が移動するたびに、レンダリングのラグが見られる。ドットプリンターの時代に印刷が終わるまで待っていた人のように、プレイヤーはシーンがもう一度描画されるまで待つことになる。グラフィックスの処理速度を上げ、ゲームの読み込みを速くするために、GPU（グラフィックス・プロセッシング・ユニット）が開発された。CPU（中央処理装置）は、ピクセルのレンダリングや移動に最適化されていなかったからだ。

■レンダリングエンジンのルール

シーンのレンダリングに時間がかかりすぎると、シミュレーションのリアルさが失われる。プレイヤーは没入感を失う――移動するたびに、シーンが再レンダリングされるのを待つのだ。

レンダリングエンジンは、『DOOM』のようなFPS（ファーストパーソン・シューティングゲーム）における固定されたルールセットから、オブジェクトやキャラクターを含むシーンを、シーン内のどの視点からでも（さらにはシーン外からでも）レンダリングできる、より汎用的なエンジンに進化した。

レンダリングエンジンが従う可能性のある具体的なルールには、次のようなものがある。

・他のオブジェクトに隠れているもの（プレイヤーから見えないもの）はレンダリングしない。
・すでにレンダリングされているピクセルをすばやく調整して視野を調整する。

・現在のシーンに隣接するシーンを先に読み込んでおき、読み込みをスピードアップする。
・新しいピクセルの計算やレンダリングは、必要なときにのみ行う。

レンダリングエンジンの基本的な考え方は、仮想のカメラから見えるものを表示する、ということだ。カメラは、仮想世界内の（x, y, z）座標に、特定の方向に向けて配置する。ビデオゲームのレンダリングエンジンの基本ルールは、確率の波の崩壊が起きるルール、そして不確定性原理のルールと同じだ。観測しているものだけがレンダリングされるのである。

■マルチプレイヤーとVRレンダリング

シングルプレイヤーゲームからマルチプレイヤーゲームへの移行に伴い、共有された3D世界という考え方が生まれ、レンダリングはさらに複雑さを増した。ゲーム世界の3Dモデルを用意しなければならないだけではなく、多数のキャラクターがそれぞれ独立した選択を行い、さらに世界の同じ場所にいる可能性がある。

MMORPGは、今でも個々のコンピューターにレンダリングされている。つまり、レンダリングされた共通の世界が実在するわけではない。

それぞれのコンピューターが、シーンで起こっていることをレンダリングしている。

私のキャラクターがいて、あなたのキャラクターがいるとすれば、私とあなたのCPUとGPUの両方で、共有された情報に基づいてシーンがレンダリングされている。

では、この情報はどこにあるのだろうか。分散しているとも、集中しているともいえる。プレイヤーのすべての選択に基づく情報がクライアントマシンから送信され、中央のサーバーで同期されて、同じシーンにいる他のプレイヤーに送信される。

同様の最適化手法が、完全没入型の3D環境を実現するVRヘッドセットにも使われている。世界全体をレンダリングするにはコンピューターが遅すぎる（そして、現在の保存領域に対してピクセル数が多すぎる）ので、プレイヤーの位置と視点に応じて、シーンのうち隠れずに見えているところだけがレンダリングされる。

シミュレーション仮説と量子不確定性

イーロン・マスクは、シミュレーション仮説が真実である可能性が高いと考える理由を語った多くの対外的な発言のうちのひとつで、次のように述べている。

「量子不確定性とは、実のところ最適化手法である」

どういう意味だろうか。二重スリット実験で電子がどの経路を通ったかわからない理由も、観測するまでシュレーディンガーの猫が死んでいるか生きているかわからない理由も、私たちの物理的世界におけるあらゆる事象を追跡しているコンピューターがあって、すべての可能性をレンダリングするだけのリソースがないからだ。コンピューターは、私たちが意識的な参加者（言い換えればゲームのプレイヤー）として観測するものだけをレンダリングする必要がある。同様に、プレイヤーが実際に選択を行い、ゲームにログインするまでは、ゲームプレイのやりとりは確率にすぎない。そう、量子泡の確率と同じだ。ビデオゲームにおける事象を観測するには、それがレンダリングされている必要がある。

事前にレンダリングされていたかつての2Dゲーム世界は、物理的世界における古典的なニュートン力学のモデルに似ている。各粒子は、どの観測者（ゲームならプレイヤー）とも関係なく存在する。

量子物理学で客観性と主観性をもはや分かつことができないように、現代のビデオゲーム、特にMMORPGでは、プレイヤーと、レンダリングされた世界との区別が難しくなっている。

量子不確定性が提起する哲学的な問い

ここで注意してほしい。すべてのものを見ることができないからといって、それらのものが存在していないわけではない。だが、それらは本当に存在しているのだろうか？　3Dビデオゲームでは、3Dモデルを使って世界をマッピングする。ゲームによっては、自分がログアウトしてもその場に残り、他のログインしたプレイヤーが見ることができるようなコンテンツを生成できる。この情報は、レンダリングされた世界の外部に保存される。それでも、仮想世界は、あるゲームのすべてのプレイヤー間で「共有された現実」であると考えられる。

量子物理学とビデオゲームの両方で、次のような哲学的な問いが持ち上がる。3D世界のある部分に誰もいないとき（誰もおらず、誰も観測していないとき）、その可能性は実際に存在するのだろうか。

観測されるまで死んでいるわけでも生きているわけでもないシュレーディンガーの不思議な猫のように、ビデオゲームの世界におけるレンダリングも、ログインするプレイヤーに左右される。

たとえば、『ワールド・オブ・ウォークラフト』のようなMMORPGのサーバーに誰もログインしていないときは、何が起こっているのだろうか。サーバーは稼働しているが、プレイヤーが事象を観測するまで、ほとんど何も起こらない。これは量子物理学と実に似ている。

さきほどの問いは、ビデオゲームについても、重ね合わせられた粒子についても、シュレーディンガーの悪名高い猫についても、簡単に答えられるものではない。ひとつの考え方は、すべての確率がどこかに情報として存在し、プレイヤーが意識的に（あるいはAIが自動で）選択することで、特定の経路を通り、確率が現実に変わる、というものだ。

次章では、無限大の選択肢があるゲームと、その中で選択肢を選んで実現する方法を深く掘り下げる。たとえ量子不確定性が十分に不思議でなかったとしても、次に紹介するパラレルワールドの考え方は、まさにSFの世界そのものに思えるだろう。

第6章 並行世界、未来の自分、そしてビデオゲーム

前章で見てきたように、量子不確定性は不思議だが、原子より小さいさまざまな粒子がもつ基本的な特性である。これらの粒子は、最終的に物理的現実を形作っている以上、マクロな現実になんらかの影響を持っているはずだ。このことを直観的に理解したり視覚化したりするのは難しい。私たちは、マクロのレベルで世界をそのように捉えていないからだ。

私たちは粒子を、特定の空間（と時間）に存在する物質だと考えることに慣れているが、量子物理学における説明は、確率の波に近い。粒子が占有する可能性のある位置が複数あり、観測を通じてのみひとつの結果にたどりつく、というのだ。それまでは、その粒子がとりうる値はすべて、何らかの確率の波あるいは確率の世界に存在することになる。

この章では、量子物理学におけるもうひとつの不思議で解せない側面、多世界解釈について掘り下げる。この量子解釈では、（単一の粒子の観測を含む）選択が行われるたびに、宇宙は複数の並行宇宙に分離する。本書で取り上げる概念の多くと同様、これはSFのように思えるかもしれないが、多くの物理学者が採用するまじめな解釈である。

また、量子物理学における、もうひとつの不可解な側面についても検討する。未来の事象が、

過去に起こるべきだった事象に実際に影響を与えるということだ。これは、時間の流れに関する直観に反する。しかし、量子物理学の世界では、観測は未来になるまで起こらないので、未来が粒子の過去のふるまいに影響を与えているように思えるのだ。

未来の自分とパラレルワールドに関するこうした考え方は、あまり意味がわからない——シミュレーション仮説に戻って、宇宙を複数の動作や結果がありうる複雑なビデオゲームとしてとらえない限りは。ここでは、これら2つの考え方を組み合わせて、ビデオゲームやシミュレーションに存在する、ありうる（または、ありそうな）未来世界を検討する。また、これらのパラレルワールドが実際に存在するのか、私たちの住む世界をレンダリングしている誰か、あるいは何者かが作成した確率のツリーに組み込まれた確率にすぎないのかも問う。さらに、ＡＩがどのようにビデオゲームに組み込まれているかを振り返り、ＡＩの基本的な考え方が、ありうる未来をスキャンして、与えられたパラメーターにおける最善の結果を選ぶことである、という点についてあらためて考える。

遅延選択実験

まずは、量子不確定性によって未来が過去に、少なくともある程度の影響を与えることがあるという、直観に反する発見の説明から始めよう。

前章でみたように、量子不確定性の核心は、粒子と波動の二重性であった。これは、アインシュタインから現在に至るまで、さまざまな物理学者が実施した数々の二重スリット実験で、何度となく示されている。

現代物理学において特に著しい発展の多くにかかわった著名な理論物理学者、ジョン・ホイーラーは、この実験をさらに進め、2つのスリットの後にもうひとつの選択肢を加えた。

これは、確率の波の収縮が観測時に起こっていることに疑いを持つ一部の物理学者を説得するための、間接的な方法だった。懐疑的な学者は、量子はスリットを通った時点ですでに粒子か波のいずれかだったのであり、測定によっていずれかの事実が裏付けられるだけだ、という説をとっていた。シュレーディンガーの猫は死んでいるか生きているかのどちらであり、両方ではありえない。箱を未来のある時点で開けることによって、猫がどちらの状態であったかが「判明」するだけだ、という説と同じようなものである。

ホイーラーが提唱した実験を、「遅延選択実験」という。この実験は、最初の二重スリット実験を発展させ、二重スリットを通った量子を別の方向へ反射させるような鏡を設置する。スリットを通った時点で量子がすでに「粒子」の状態をとっているならば、「波」とは異なるふるまいをするだろう、という発想だ。

ホイーラーは遅延選択実験を思考実験として提唱したが、時が経つにつれ、他の科学者がさまざまな実施方法を編み出している。二重スリット遅延選択実験の構成のひとつを、図21に示す。スリットの後ろにレンズを配置し、このレンズに当たることで量子の経路が分かれるようにする。つまり、スリット1を通った場合と、スリット2を通った場合とで、行き先が異なる（望遠

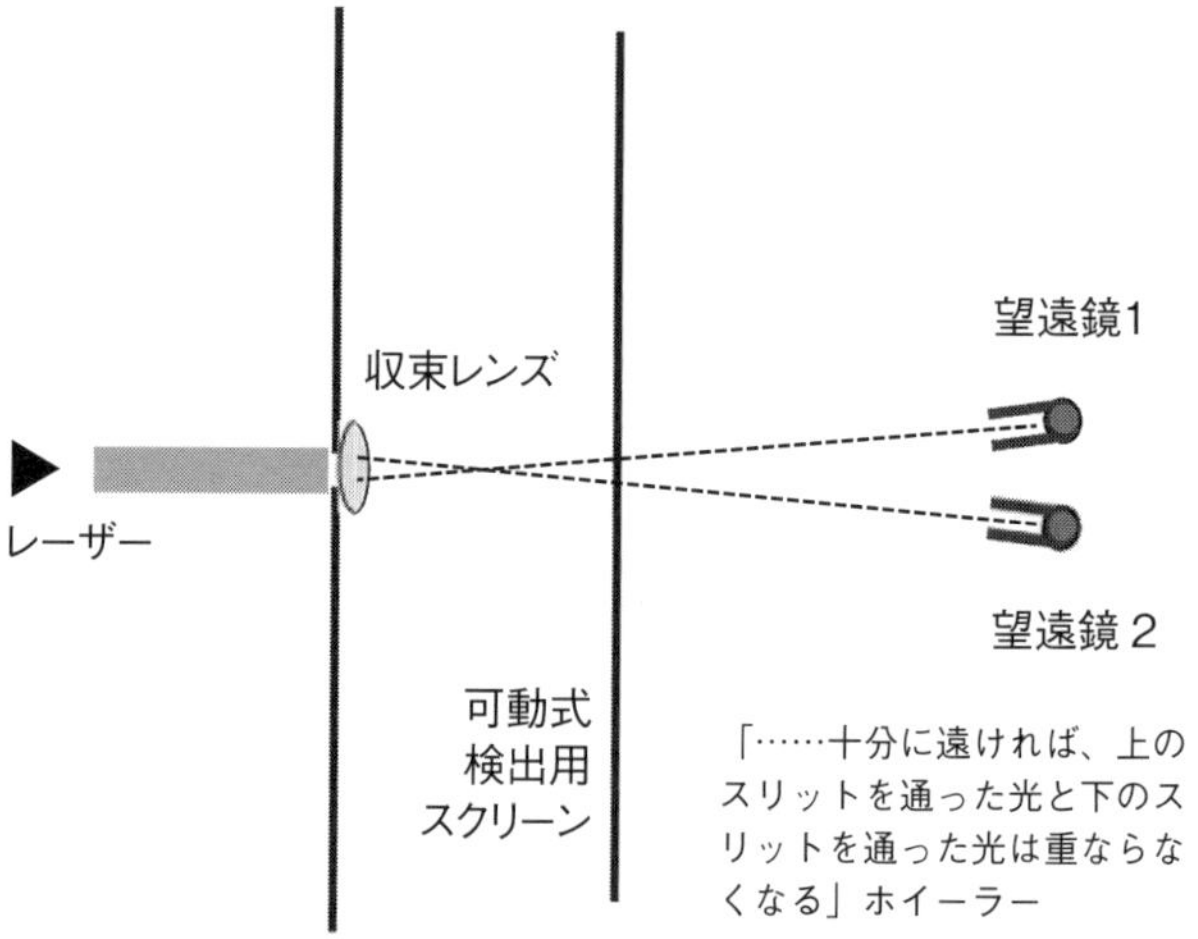

図21：ホイーラーの二重スリット遅延選択実験の例(31)

鏡1または望遠鏡2に到達する）ことになる。

しかし、レンズと望遠鏡のあいだに一瞬だけ「干渉スクリーン」と呼ばれる検出用のスクリーンを置くと干渉縞が現れる。干渉縞は、量子が両方のスリットを通っている、つまり波でなければ発生しない。しかし、両方ではなくいずれか1つのスリットを通った粒子でなければ、望遠鏡には到達しないはずなのだ。

ホイーラーらは、量子はレンズを通った後も粒子と波動の二重性を維持したが、望遠鏡で観測するまで行き先は決定しなかった、と結論づけた。ここで、2つの矛盾する結果が示された。

1. 検出用のスクリーンに干渉縞が現れた。つまり、量子はレンズを通った後も波としてふるまっている。

2. 量子は望遠鏡に到達した。望遠鏡に到達するには、いずれかのスリットを通ってレンズを通らなければならないはずである。つまり、量子は「粒子」であって、「波」ではない。

量子は、たとえ「いずれかのスリットを通る」という選択を終えていても、測定されるその瞬間まで定義されていない。これがホイーラーの結論だった。ここでもまた、猫は観測するまで死んでも生きてもいなかったのだ。

未来の測定と過去の測定

遅延選択実験——あるいは「遅延測定実験」とも呼べるだろうか——の不思議さは、実験の後半部分で粒子の移動距離を大幅に長くして測定することで、さらに明確に示される。

2017年に、イタリアの物理学者のチームが、さらに長い距離における遅延選択実験を行うため、人工衛星を使ってレーザーを反射させたところ、小規模な実験と同じ結果が出た[32]。レーザーの光子は、波なのか粒子なのかが決定してから相当の距離（この実験では、人工衛星まで数千キロメートル）を移動することになるが、測定は、光子が最初に実験機械に向かって発射された時点からみれば、間違いなく未来に行われている。

しかしチームは、測定を行うそのときまで、光子は波と粒子の両方の特性を示していることを発見した。つまり、未来の事象（観測）が、過去の事象（スリットを通過したときに、粒子と波のどちらになったかの選択）に影響を与えている、ということになる。

この概念を「逆因果律」と呼ぶ物理学者もいる。原因が未来に起こり、結果が過去に起こる、という意味だが、この名称についてはさまざまな議論が残る。遅延選択実験を開発したホイーラー自身は、逆因果律という用語を使うのをためらっていた。未来が過去に影響を与えていることになるからだ（もうひとつの解釈である多世界解釈については、この後で詳しく説明する）。

ありうる未来はたくさんあるのか

物理学者にも一般の人にも、この発見を額面どおり受け取って、未来の事象（このケースでは観測）が、過去の事象（スリットの通過）に影響を与えることは可能であるという結論を出した人は何人もいる。一般化すれば、この結果は時間、空間、そして物理的世界に関する私たちの理解を変えることになる――未来の事象が、過去の事象に影響を与えることができる、というのだ。

たとえば、物理学者のフレッド・アラン・ウルフは、ありうる複数の未来からの情報が現在の私たちに届き、現在の私たちが未来へ送った「提案の波」が、未来から現在へ届いた波と影響しあうという。どの未来に行くかは、私たちがとる選択と（意識と観測の両方の意味で）、未来への波と過去への波がどのように重ね合わせられるか（あるいは相殺されるか）によって変わる。

これはつまり、未来の自分がそれぞれ過去の自分に向かって情報を送り、現在の自分がどの道を通るかを意識的に選択しているということだ。驚くべきことであり、常識と真っ向から対立する。

遅延選択実験の逆因果律的な解釈を支持する人の中には、この解釈をマクロレベルにも適用して、過去と未来の両方に、私たちが存在するさまざまな可能性があるという人もいる。つまり、量子物理学について私たちが話題にする「確率の波」は、量子（あるいは、もっとマクロなレベルにおいては、人間）がその瞬間存在する場所だけではなく、将来存在する可能性のある場所にも関係することになる。

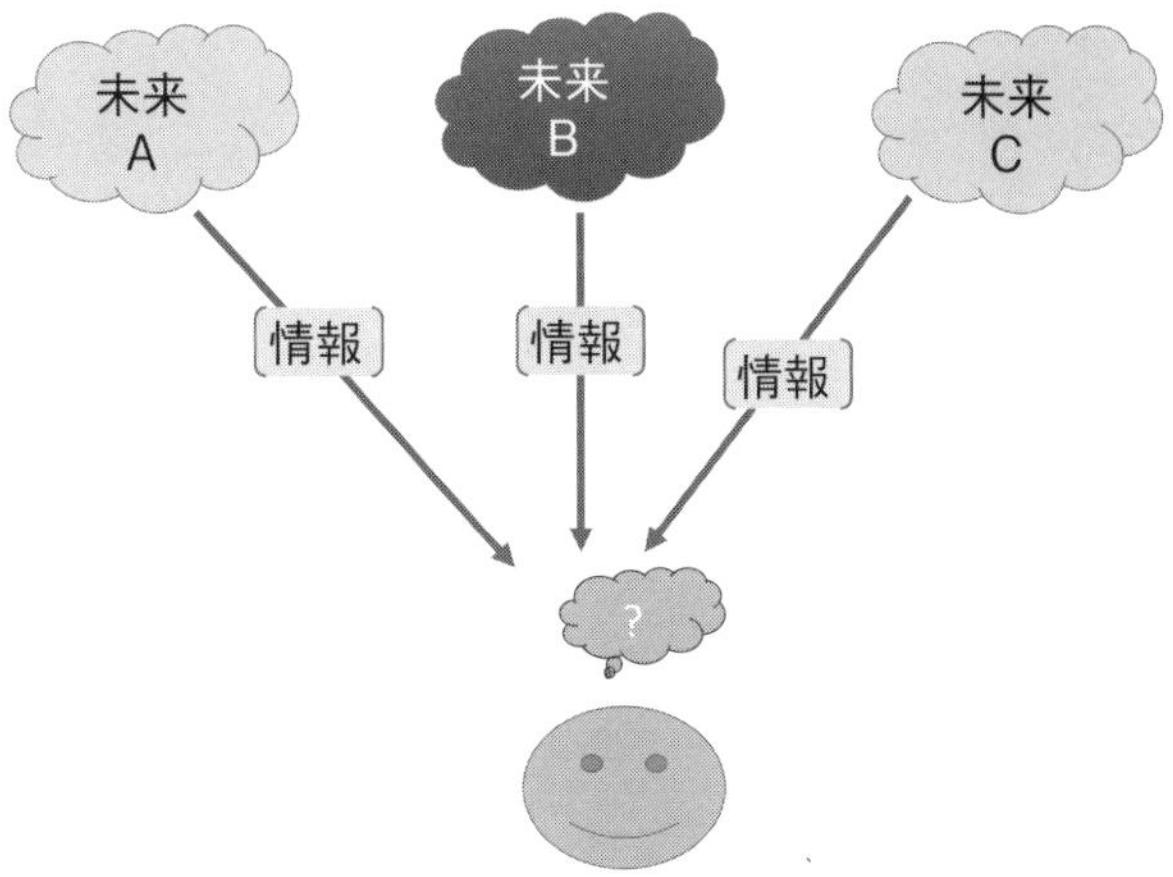

図22：判断を下すための情報が、ありうる複数の未来から現在に届く

この可能性は、何を意味するのだろうか。未来の自分たちは実在するのだろうか、それとも数学的な存在にすぎないのだろうか。そして最も重要な点として、それほどたくさんの可能性がある中で、自分の人生はどの道をたどるのだろうか。

これらは難しい問いで、数学はあまり答えてくれない。しかし、否定できないことがひとつある。確率の波がどのようにして収縮するのかは、今もって量子物理学における最大の謎のひとつである、ということだ。

物理学者が考えついた最善の答えは、「意識がなんらかの理由で確率の波を収縮させる」ないし「測定はプロセスの一部である」だ。観測が現在、過去、未来のどのタイミングで行われても、この結論を避ける方法はないようなのだ。

パラレルワールドとマルチバース

過去へメッセージを送るという考え方はSFのように聞こえるかもしれないが、量子物理学のもうひとつの一般的解釈である多世界解釈は、SFやファンタジー分野の冒険小説の一大サブジャンルに火をつけた。

プリンストン大学でジョン・ホイーラーに師事したヒュー・エヴェレットは、量子物理学における多世界解釈について最も貢献度の高い人物である。

多世界解釈は、量子不確定性に着目するもうひとつの方法である。この解釈では、確率の波が収縮してひとつの測定可能な現実になるのではなく、量子選択が行われるたびに複数の宇宙が存在するようになる（あるいは作成される）のだという。この場合、すべての可能性は真で、別々の宇宙に存在することになる。

ただし、エヴェレットもホイーラーも「多世界」という言葉は使っていない。「多世界解釈」（略してMWI）は、もうひとりの理論物理学者、ブライス・デウィットが1960年代から1970年代に著した一般向け記事によって広まった。デウィットは、まるでSF作家が著したような有名な説明で、次のように述べている。

「あらゆる星で、あらゆる銀河で、そしてあらゆる宇宙の片隅で起こる量子転移によって、私たちの局所的な世界は、無数のコピーに分裂している」(33)

もし、あらゆる量子的決定がそれぞれ異なる世界を作成するとしたら、少しずつ異なる選択が行われた無限の数の宇宙が存在するはずだ。その中には、人生において異なる選択をした、別のバージョンの自分も含まれているはずである。

いまでは、このアイデアはシンプルに「マルチバース」(多元的宇宙)と呼ばれている。マルチバース理論がまじめに検討されているのは、量子物理学が暗示するように思われる「主観的宇宙」という考え方に対して、別解を提示してくれるからだ。さまざまなパラドックスが、この理論によって説明される。たとえばシュレーディンガーの猫なら、2つの異なる宇宙にそれぞれ生きている猫と死んでいる猫がいることになる。

マルチバース理論が回避しようとしている最も有名なパラドックスは、「祖父殺しのパラドックス」だろう。あなたが時間をさかのぼることができたとする。もし、自分の親が生まれる前に祖父を殺してしまったら、親は生まれないので、あなたは生まれないことになる。では、なぜあなたは最初に時間をさかのぼり、祖父を殺しに行くことができたのだろう?

言い換えると、もし未来から過去に情報を送ることができるとすれば、未来から送った情報が過去を変えられることになる。過去を変えることで、きっかけになった未来からの情報送信が必要でも可能でもなくなるように、未来を変えることができる。

マルチバース解釈では、最初のタイムラインは、2番目のタイムラインとは別物である。過去に戻って何かを変えた、たとえば祖父を殺したとしたら、そこから別のタイムラインが生まれる。あるいは並行宇宙ともいえるかもしれない。あなたは2番目のタイムラインでは生まれないかもしれないが、最初のタイムラインではたしかに生まれているのだ。

マルチバース理論を探求するSFの例は数多いが、とりわけ有名なのが、映画『ターミネーター』だろう。この映画では、汎用のキラーAIであるスカイネットが、独立した自律型AI、つまりアーノルド・シュワルツェネッガー演じるターミネーターを送り込み、サラ・コナーという女性を殺そうとする。それによって、レジスタンスのリーダーになるジョン・コナーが生まれなくなるはずだ、というのだ。

イギリスの長寿SFサーガ、『ドクター・フー』の主人公は、時空を旅することができる謎めいた地球外生物・タイムロードだが、シリーズの中で何度も、異なるタイムラインという考え方に基づくストーリーが数多く作られている。

並行生命と未来の自分――グレート・ゲーム

もし、重要な判断（あるいは、量子物理学の領域ではささいな判断）を行うたびに並行宇宙が作成されているのなら、図23のように、枝分かれする複数の宇宙を表す有向グラフ（方向をもつグラフ）が書ける。

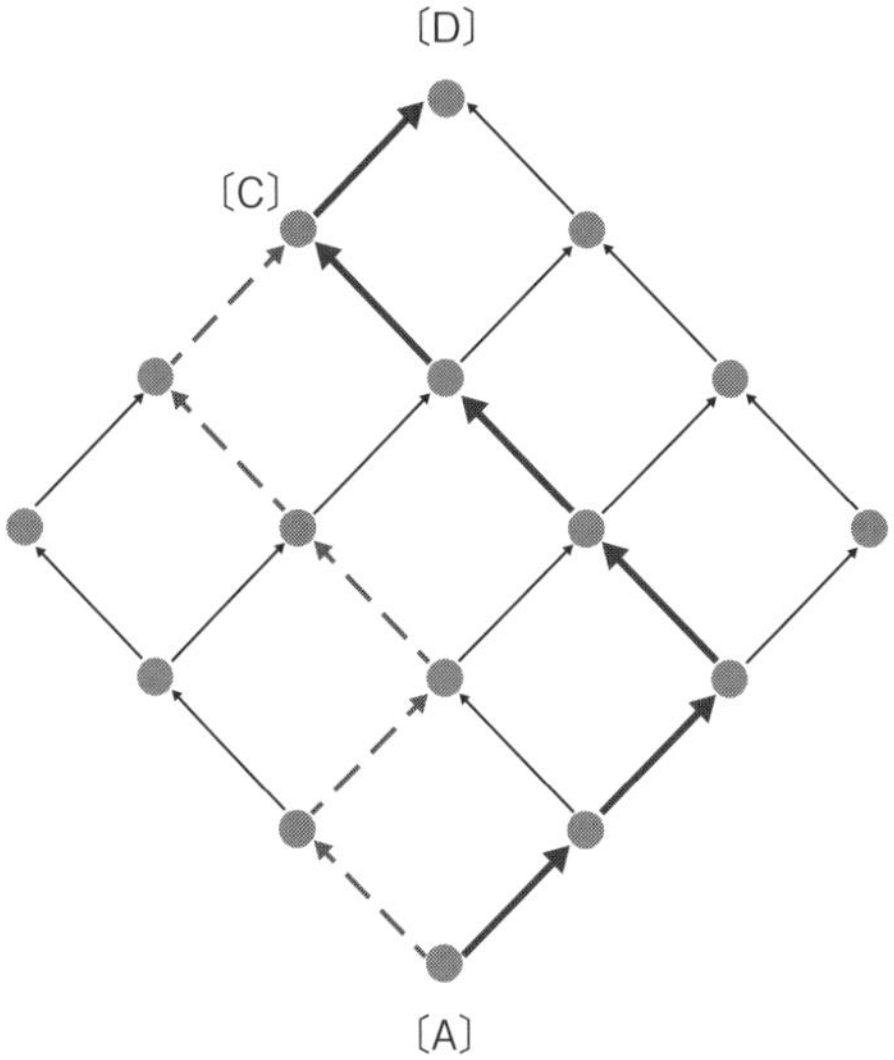

図23：可能性が分岐する有向グラフ、あるいは「ワールドマップ」

それぞれの分岐はさらに分岐するはずなので、量子的決定が下されるたびに、宇宙の数が増え続けることになる。しかし、スティーブン・ホーキングが晩年に発表した論文のひとつで主題とされているある理論によれば、並行宇宙の実数は無限大ではなく、もっと小さな有限の数に限定されているかもしれないという。

「有限種類の量子構成（あるいはもっとマクロな構成）に基づく有限種類の並行宇宙と、有限の選択肢」というこの考え方では、あらゆる量子的決定が宇宙を生み出すとしても、そのうちのいくつかは似通っている。

マクロレベルで考えると、特定の宇宙同士は実質的に同じであるということになる。これは、直観的にはわかりやすい。たとえば、あなたが今日の朝食をトーストではなく卵にしようと決めてから、翌日も卵を食べたとする。こうして分かれた世界は、あなたの視点からは十分に似通っているだろう。特に、他の人と結婚した世界、他の国に住んだ世界、そもそも生まれなかった世界と比較したら、違いなどないも同然である。

この状況を表すひとつの方法は、選択肢ごとに異なる場所に進むとしても、いくつかの選択肢では同じような宇宙の状態に進む、とすることだ。結果は、図23のような「ありうる未来」のグリッドとして考えられる。これは実のところ、さまざまな可能性を表す有向グラフである。いわば、点Aからスタートする実体あるいは量子にとっての、「未来マップ」だ。

点Aは今日の選択肢で、とりうる結果は2つある（もちろん、一般化して任意の数の選択肢に増やすこともできるが、ここでは量子重ね合わせを扱っているので、とりあえず2つから始めよう）。各選択肢が枝分かれして2つの異なる宇宙を作成し、それがどんどん続く。しかし、選択肢によっては、「ほぼ同じ」宇宙に戻ってくる可能性がある。点Aから点Cには2つの異なる経路と異なる選択肢を経由して到達できることがわかるだろう。

原子サイズの粒子のレベルではなく、よりマクロなレベルで考えると、自由意志と運命の関係や、とりうる選択肢の範囲について、物理学の範囲を超えた興味深い問いが持ち上がる。私たちが現在、あるいは将来的に選ぶ、こうした選択肢の「ワールドマップ」について考えるうちに、もうひとつの哲学的な問いにたどりつく。

これらの並行世界は、すべて実在するのだろうか？

それとも、人生の中で量子レベルあるいはマクロレベルで行える各選択肢に基づく「可能性」

にすぎないのだろうか?

また、情報を送ってきた未来の自分は、「ありうる未来」の自分でしかないのだろうか?

あるいは、本物の物理的な自分なのだろうか?

もちろん、これらはまさにホイーラーが多世界解釈によって避けようとしている問いなのだが、それでも自然と湧き起こってくる。そしてこれらは、決して答えやすい問いではないのだ。

『フリンジ』とパラレルワールド

パラレルワールドの考え方が知られるやいなや、多くのSF作家がこれを取り上げ、非常に人気のあるテーマになった。おそらく、ほとんどの人が初めて並行宇宙について考えたのは、SF作品がきっかけだろう。

近年で特によく知られた例は、2008年から2013年まで放映されたテレビドラマ『フリンジ』だ。この作品は、パラレルワールドのアイデアを深く追求したことで有名になった。ドラマの主人公であるFBI捜査官のオリビア・ダナムは、ストーリーの開始時点で精神病院に収容されていた典型的なマッドサイエンティスト、ウォルター・ビショップと、その息子ピーター・ビショップの協力を仰ぐ。

シリーズが進むうちにわかってくるのは、天才科学者のウォルターと、その科学・ビジネス面のパートナーであるウィリアム・ベル博士（演じたのはレナード・ニモイ。2015年に逝去する直前、最晩年に出演した）が、もうひとりの自分たちがいる、もうひとつの世界を見る方法を発見したということだった。もうひとつの世界への窓として機能するスクリーンを開発することで、登場人物たちはもうひとつの世界でのできごとと、もうひとりの自分の行動を見ることができる。難病で死にかけているピーターのために、ウォルターは昼夜を問わず走り回り、治療法を探した。息子が亡くなると、ウォルターはもうひとつの世界に行く方法を発見し、「もうひとりの」ピーターを治療する。その後さらに、ピーターを特別な存在にしていた秘密が判明する。ピーターはもともとこちらの世界の住人ではなく、「もうひとつの」世界のピーターだったのだ。

「もうひとつの世界」の考え方は、多くのテレビ番組で扱われている。『フリンジ』は、一見こちらの世界そっくりだが、ごく小さな違いと、とても小さいとはいえない違いのある世界を、絶妙な形で描いた。主要な登場人物の別バージョンは、外見こそそっくりだが、経験が違うので、性格が大きく異なっている。

ゲーム理論、シミュレーション、そして有向グラフ

ここで、シミュレーション仮説の考え方に戻ろう。「ありうる未来」のグラフを検討するうちに、私は自分がビデオゲーム開発者として作成していたＡＩのことを思い出した。

はたして、物理的な世界の数には上限があるのだろうか？　ここで、もし私たちが物理的な現実ではなくシミュレートされた現実にいるのだとしたら、「ありうる未来の自分やパラレルワー

ルドは、現実なのかシミュレーションなのか」という問いはもう少し受け入れやすくなる。コンピューターは膨大な数の可能性を、非常にすばやくシミュレートできる。実際、これはシミュレーションを実行する主な理由のひとつとなっている。たとえば、「モンテカルロシミュレーション」では、大量の「ランダムな」可能性を実行することにより、どのシナリオが起こる可能性が高いかを把握する。

ビデオゲーム、特にそのAIは、分岐により複数の可能性を作成してそれぞれを測定し、その情報を現在に持ってきて次の手を判断することに長けている。シミュレーションは、ゲーム内で行われた選択に基づいて、これらの分岐をひとつ、あるいは複数実体化させるところまで実行されるかもしれない。だが、現在の時点から見ると、シミュレートした分岐はあくまで「未来の可能性」にすぎないのだ。

図23の「ワールドマップ」を有向グラフで表したところで、私はMITの授業の課題として作成したビデオゲームを思い出した。コンピューターが次の一手を選ぶ方法は、次のようなものだ。まず、ありうる複数の未来を計算し、「評価関数」を用いたアルゴリズムで、これらの未来を「ランク付け」する。次に、これらの値を現在に戻す。AIは評価関数の最善値に基づいて、たどる経路を決める。「ミニマックス法」と呼ばれるこのアルゴリズムを、図24に示す。

では、ゲームでAIが計算したありうる未来は、実際に存在したといえるのだろうか。それとも、それらは単なる可能性にすぎなかったのだろうか。

ありうる未来を評価するために使われる評価関数の性質は、チェスやチェッカーのようなゲー

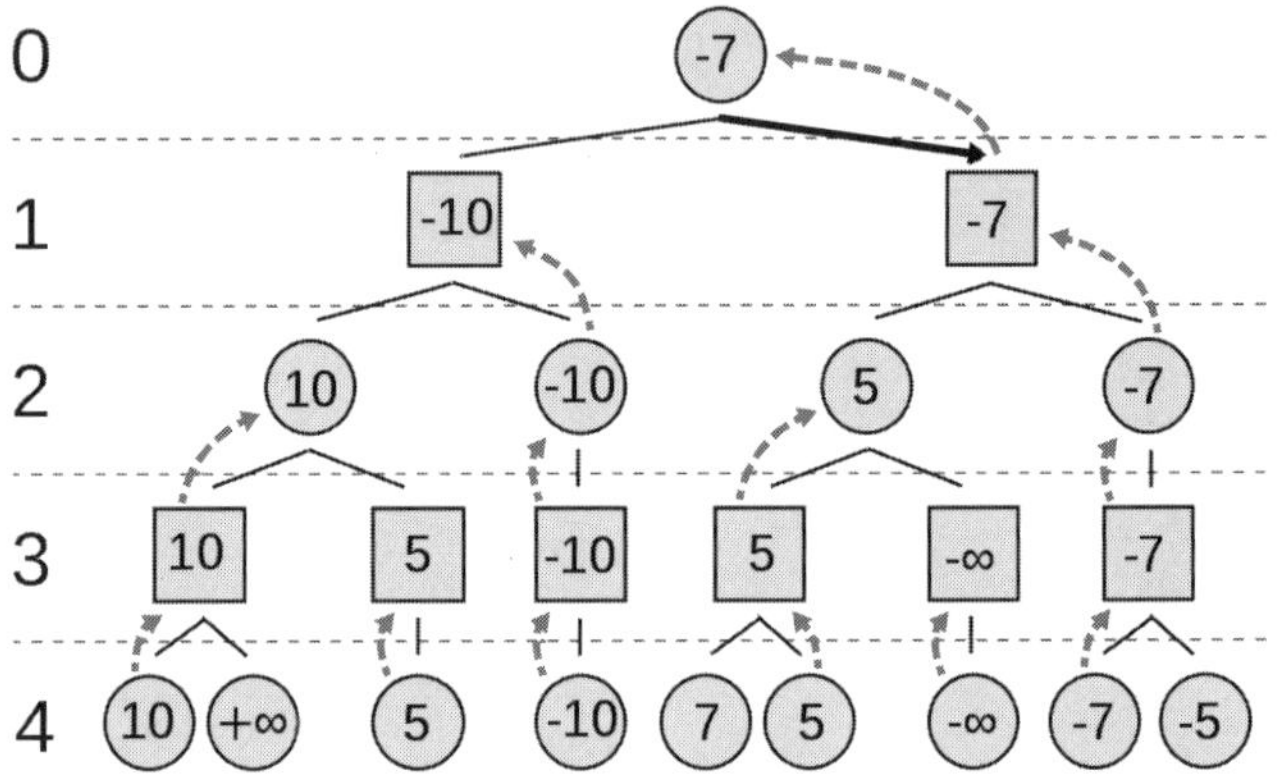

図24：ミニマックス法――未来の結果を評価し、最善の経路を選択するためのシンプルなAI(34)

ムでは比較的単純である。量子の領域で、さらにはマクロな領域でも、AIまたはいずれかの自分が、ありうる複数の未来を分岐させ、評価関数を用いて評価しているということはあるのだろうか。

この評価はどのように行われるのだろうか。この場合、なんらかの情報によって宇宙の状態を表してから、評価関数を用いて計算することになる。私たちは物理的宇宙から検討を始めたわけだが、量子の領域に深入りすればするほど、情報と計算を連想することが多くなるのがわかるだろう。もし、私たちの「ゲーム状態」を、現在の物理的宇宙におけるすべての粒子の状態として定義できるのなら、ゲーム状態はコンピュータープログラムによって、たやすく変更したり評価したりできるだろう。

あるいは、フレッド・アラン・ウルフが提唱するように、ありうるそれぞれの未来から、その未来が実現したらどうなるかという情報が現在に送信される、と考えることもできる。

膨大な数の独立変数、あるいは「シミュレートされた生命」を伴うシミュレーションでは、評価関数の性質を定義するのはそれほど簡単ではない。マルチプレイヤー型の共有オンラインシミュレーションでは、どのような評価関数を使えば、ありうる未来を評価することができるのだろうか。

これもまた、簡単に答えられるような問いではない。最善経路の評価は、「ゲーム」の性質、「スコア」のつけ方、そしてゲームの運営者が特定の状況下における最適な行動をどう定義するかによって変わってくるだろう。

この章では科学的な可能性を検討してみよう。ただし、複数のタイムラインを評価するという考え方については、東洋の神秘主義、カルマ、輪廻転生を扱う章で、もう一度取り上げる。これらは、物理学の領域を超えたところから、エレガントな答えをもたらしてくれる。

トーマス・キャンベルが提唱する基礎プロセスと収益関数

物理学者で防衛兵器開発者のトーマス・キャンベルは、2003年に著書『My Big TOE』（未邦訳）を出版して以来、自身が提唱する「Big TOE」（theory of everything―すべてに関する理論）の一部として、シミュレーション仮説を支持している。同書でキャンベルは、ありうる未来を評価し、可能な限り最善の未来を選ぶための評価関数として、利用できる可能性のあるモデルを描く。

キャンベルは、意識、生物、さらには無生物に至るまでの進化を牽引する、「基礎プロセス」があると仮定する。その定義によれば、基礎プロセスとは、あらゆる可能性を試行錯誤し、「最も有利」と評価された可能性に引き寄せられるプロセスであるという。キャンベルは、同書で次のように述べている。

進化の全体像の基礎プロセスとは、次のようなものである。ある生物は、任意の実存または存在の時点（レベル）からスタートし、自身が存在できるすべての可能性に広がり（可能性を探索し）、最終的には、ただちに有利になる状態のみを残して、その他を解放する。(35)

最も有利な状態は、対象となる生物や無生物の性質によって決まる。

キャンベルの主張では、炭素でできている生物の場合、利益の評価は生き残りに基づくので、自然界の進化のプロセスに近づく。無生物の場合、キャンベルが「最も有利」とするのは、必要なエネルギーが最小の状態、つまり最も達成しやすく低コストな状態である。人間などの意識ある生物では、一般的に「最も有利」なのはエントロピーの低い状態なので、より秩序立った状態に移行する傾向があるという。

この基礎プロセスは再帰的であり、探求すべき有利な状態が存在する限り、同じように繰り返されるものであるとも考えている。さらに、このプロセスがあらゆるレベルで起こっているとも信じている。量子レベルから細胞レベル、私たちの意識のレベル、さらにはキャンベルが「ＰＭ

R（物理的物質による現実）」と呼ぶ、私たちが観測できる宇宙の外にあるもうひとつの宇宙にでも起こっているというのだ。

キャンベルの説によれば、宇宙が複数のありうる宇宙や結果を生み出し、利益関数を用いてそれらを評価し、それから最も有利な宇宙を選んでいることになる。これは、ビデオゲームのＡＩが経路を選ぶ方法に似ている。つまり、ありうる未来の状態を、一定の評価関数に基づいて評価しているというわけだ。

パラレルワールドには計算が必要

多世界解釈で仮定されている並行宇宙は、はたして本物の物理的世界なのか、それとも一種のコンピューターによって追跡されている可能性に過ぎないのか。これについては、物理学者や哲学者のあいだでさまざまな説がある。

並行宇宙論における宇宙のコピーが現実に存在するには、誰か、または何かが、判断が行われるたびに現在の宇宙のコピーを作成する必要がある。物理的世界でこれを実現するためには、宇宙にあるすべての粒子をひとつ残らずコピーして、新しい宇宙がそのまま先に進んでいくようにしなければならない。ずいぶんと「コストのかかる」計算だ。

これは、不必要に複雑なプロセスのように思える。ここでまた、ビデオゲームの世界における計算の核心である「最適化」の考え方に戻る。

物理的な世界においては、物理的コピーは簡単なプロセスではない。生物学における細胞レベルあるいは生物レベルのクローン作成は優れた比較になるだろう。生物学的プロセスにおいてすら、クローンは時間がかかるし、育てなければならない——ただちに完成するものではないのだ。

世界をクローニングして、すべての粒子をまったく同じ場所に配置することにかかわる複雑さは天文学的だ。実のところ、このプロセスは、いかなる既知の物理的、生物的、化学的プロセスの枠にも収まらない。

しかし、コンピューターのアルゴリズム、特にコンピューターグラフィックス分野でなら、分岐とコピーは一般的な構造である。実際、前章で述べたように、初期のビデオゲームにおける世界は、ピクセルをレイアウトしたビットマップとして定義されていた。世界の一部を表示するには、ディスクからメモリーにピクセルをコピーして、画面上にレンダリングするだけでよかった。

コンピューターとビデオゲームの進化に伴い、こうしたゲームに用いられるプロセッサー（GPUやCPU）も、用途に合わせて最適化された機能を提供するように変わっていった。ならば、もし宇宙が「コピー」または「分岐」されるのであれば、そのための最適化方法があるはずだ、そしてコピーの対象が実際には物理的な粒子ではなく情報であるはずだ、と仮定するのは決して不合理ではないだろう。ビデオゲームやシミュレーションと同様に、この情報は一種のサイバースペース内のデジタル形式としてのみ存在し、粒子（あるいはピクセル）は必要に応じてのみレンダリングされるのかもしれない。

スティーブン・ホーキングは、宇宙の数は結局のところ無限大ではなく、粒子の数に限定されるのではないかと示唆した。このことは、コピーされた世界同士では多くの粒子が「似通った」構成になることを示唆している。

コンピューターの世界、特にコンピューターグラフィックスの分野では一般的に用いられる最適化手法だ。実際、ほとんどの画像は、大半のピクセルが実際にはかなり似通っているという事実に基づいて圧縮されている。たとえば、夜空の写真なら、ほとんどのピクセルは黒になる。

マルチバースを実現できる計算構造について考えると、多くの宇宙では粒子がまったく同じ位置に存在するだろう。宇宙の計算モデルを情報として考えると、相当の圧縮と最適化の余地がある。したがって、計算によってこんな結果を生み出せる可能性のあるしくみが実現するかもしれない——必要なときだけレンダリングを行うレンダリングエンジンを備えた巨大なコンピューターシステムで、大量の数値を高速処理するのだ（つまり、必要なときだけ機能する、一種の量子不確定性である）。

多元的宇宙とシミュレーション仮説

あらゆる現実が人工のシミュレーション、あるいは仮想シミュレーションであるという仮説は、多世界解釈（ＭＷＩ）、遅延選択実験、そしてありうる未来のシナリオという考え方がすべて真実である、あるいは実装可能である、唯一の現実的な道なのかもしれない。もし、この宇宙がゲーム状態をもつ仮想世界であると考えれば、ありうる複数の未来を生成し（物理的世界ではなく、情報として生成する）、それから何らかの評価関数を用いて、分岐する可能性のツリーに対して選択を行う、という方法を思い描くことができる。

具体的には、シミュレーション仮説は私たちが住む現実の次のような側面のしくみについて、より良いモデルを提示してくれる。

〈分岐〉 複数のありうる未来を分岐させることは、物理的現実ではきわめて難しいが、シミュレートされた現実にいるならばささいな問題にすぎない。同じ計算能力を用いて、物理的リソースを追加することなく、複数のシミュレーションを分岐させることができるのが、シミュレーションの本質である。これは、多世界解釈の「現実」版と「仮想」版のどちらを信じるとしても当てはまる。「現実」版であれば、物理的世界をコピーする必要がある。「仮想」版であれば、これらは可能性であり、ビデオゲームのＡＩ同様に利用できる計算の一種である。

〈最適化〉 宇宙の最大数を無限大よりも小さいものと考えれば、「宇宙」にあるすべての情報の作成と保存を最適化する方法について、検討を始めることができる。当初は物理学的問題と思われていたが、これは実際には計算の問題であって、ビデオゲームを現在の状態まで進化させるために解決されてきたものである。私たちは、グラフィック内のピクセルの同一性判断、タイル分割、重複情報の削減、キャッシュを必要に応じて利用し、最適化を行う。同様に、膨大な数の宇宙を保持する唯一の方法は、宇宙同士の同一性（つまり、互いに似通った宇宙と、分岐する宇宙の仕分け）に基づいた最適化かもしれない。

〈逆因果律〉 未来が過去に影響を与えることができるという考え方は、直観に反するうえ、パラドックスのおそれがある。しかし、この「未来」が、評価関数に基づいて現在へと情報を送信している実際の未来ではなく、「ありうる未来」ならば、このプロセスはより理解可能になる。

ここでもまた、量子物理学における説明不可能な発見と思われていたものが、シミュレーション仮説の文脈で考えることで、筋が通るようになる。次の章では、現実を物理的現実ではなくピクセル化されたシミュレーションととらえることで筋が通るようになる、物理学のその他のテーマを探求する。

第7章 ピクセル、量子、時空の構造

ここまでの章で、私たちを困惑させる量子物理学のいくつかの側面を検討し、シミュレーション仮説がこれらの謎について、より筋の通った説明を提示できることを示した。この章では、相対論的量子物理学のさまざまな概念をまとめて取り上げ、物理的世界の基本的な枠組みを探求し、この物理的世界が、私たちの思うほど「物理的」ではなく、人類が実はピクセル化・量子化された現実の中に住んでいるという可能性を示す。

第5章で示したように、ニュートンの古典物理学モデルでは、運動は連続的だと考えられていた。たとえば、惑星は、ニュートンの運動方程式に従って、太陽のまわりのスムーズな軌道上を移動する。実際に、時間と空間の両方が連続的であるとみなされてきた。

それ以来の、原子の発見や、原子より小さな粒子の不思議なふるまいの発見、そして言うまでもなくアインシュタインの相対性理論によって、空間と時間は私たちが思っていたほど不変ではないことがわかった。

現実世界のこうした性質——時空それ自体の構造——は、実際、私たちがビデオゲームの中に存在する仮想世界と同様のピクセル化された現実の中に住んでいると考えたほうが説明しやすい。空間内の量子が連続値ではなく「不連続である」こと（そして、理論的には時間も不連続であること）は、ビデオゲームのしくみにきわめて似通っている。

また、この章では、世界を連続的にとらえる（しばしば「アナログ」と呼ばれる）ことから不連続なビットとしてとらえる（しばしば「デジタル」と呼ばれる）ことへの移行が、情報科学が新たな領域として独立したことと比較できるという点についても見ていく。現在私たちがコンピューター上で利用しているものはすべてデジタル情報に基づいており、ビデオゲームとはつまるところ、この情報を保存、転送、レンダリングする方法で成り立っている。物理学がこの方向に進歩してきたことは、連続的に動く物理的物体のニュートン物理学モデルよりも、計算と情報のほうがこの物理的世界をうまく表すモデルである可能性を示唆している。

粒子と、画面上のピクセル

物理学の説明に入る前に、ビデオゲームのしくみについてある程度説明するのが適切かもしれない。ビデオゲームにおける空間と時間について考えると、現代物理学における空間と時間についての発見と似通っていることがわかる。まず空間的量子から検討し、章の後半では時間的量子（あるいは、シミュレーションにおけるクロック速度）について取り上げる。

ビデオゲームや仮想世界での空間は、世界の中の位置を示す仮想的な座標（x，y，z）で構成される。この3次元の座標が、物理演算エンジンとレンダリングエンジンに基づいて2次元に変換され、ピクセルが画面の（x，y）座標に表示される。

コンピューター画面上でレンダリングされた画像は、独立した多数のピクセルで構成されている。プレイヤーが画面上で実際に見ているのは、画面上のピクセル（あるいは「ドット」）の色を表す、メモリーに格納された一連の値である。

ピクセルは本質的に論理的な単位である。技術解説サイト「テクノペディア」では、「ピクセルはデジタル画像またはグラフィックスの最小単位で、デジタル表示デバイス上に描画することができる」と説明されている。ちなみにピクセルとは、「picture element」（画像の要素）を短縮した用語だ。

コンピューターの画面上に表示されるあらゆる画像は、ピクセルを2Dのグリッド（格子）状に並べたものと考えることができる。それぞれのピクセルは、2種類の値をもっている。

1．色を表す値。一般的には、赤、緑、青の割合を表すRGB値を用いる。ピクセルの色は、これらの3原色を混ぜ合わせて決まる。

2．グリッド内のアドレス（場所）。たとえば、700×900ピクセルの画像（または画面）で、左上（または左下）にある最初のピクセルが0×0とすると、次のピクセルが0×1、行の最後のピクセルが0×899となる。

ピクセルはひとつずつ独立して存在するわけではなく、画像のピクセル解像度を定義するグリッドの一部である。ここでいう解像度とは、画面の物理的な解像度の場合もあれば、特定の画像の論理的な解像度の場合もある。たとえば、ディスプレイの解像度は、コンピューター上で1280×1024ピクセルから1400×1200ピクセルに変更できる。

画像では、ピクセルは論理的素子である。一方、実際の画面上では、ピクセルは論理的素子でもあり、物理的素子でもある。これにより、そもそもピクセルとは何なのか、どのくらい長いあいだ画面上に存在しているかについて、興味深い哲学的な問いがいくつか持ち上がる。

一般的に、ビデオゲームのピクセルはシーンの一部としてレンダリングされる。ビデオゲームのプログラムは、ゲーム内世界のキャラクターやオブジェクトの位置に基づいて、ピクセルの色を計算する。

一連の色の値をメモリーに格納したものをビットマップ、またはラスターイメージという。いまでは、ラスターイメージをそのまま保存することはめったにない。ひとつひとつのピクセルについて色の値を保存しなくてすむように、JPEGやPNGなどのプロトコルによってデータを圧縮する。そうしなければ、1枚1枚の画像は巨大なファイルになってしまうだろう。

画面に表示するビットマップを生成するこのプロセスが、レンダリングエンジンの機能である。これは、3D仮想世界やMMORPGを扱うときわめて複雑になる場合がある。『トイ・ストーリー』（第1作は1995年公開）などの映画に使われているCGは、それぞれのシーンをレンダリングするために何時間も要した。レンダリングプロセスとは、論理的にシーンに存在しているべきオブジェクトを取得し、各オブジェクトの3Dモデルに基づいてピクセルの色を計算して、

2Dの画像を生成することである。ピクセル計算の際は、シーン内にあるオブジェクトやキャラクターの形や位置だけではなく、仮に、メインキャラクターの一人称視点で描くとすればメインキャラクターがシーンを見る視点や角度も考慮に入れなければならない。

たとえば『ワールド・オブ・ウォークラフト』の画面の一部には、自分のキャラクターから見えるシーンが表示されている。キャラクターが世界の中を動き回るか、あるいは単にその場でシーンを見回すだけでも、ピクセルの色が即座に自動更新されて、視点が更新される。ただし実際には、背景で多くの計算が進行しているので、「即座」とはいえない。プレイヤーが複数のウィンドウを開いていれば、さらにややこしくなる。その場合はさらに多くの計算が必要になる。

3Dピクセルと粒子

3Dゲームやシミュレーションは立体的に見えるが、2Dのコンピューター画面にレンダリングされている。3Dのシーンは、2Dの画面に、立体的に見えるようにマッピングされる。VRゴーグルをかけると、画像は、目の距離に応じてずらして2回レンダリングされる。すると、シーンが本当に立体的で奥行きがあるように感じられる。

さて、2Dの画面から推測を広げ、私たちのまわりのすべてを3Dでレンダリングするものをピクセルだと考えると、この考え方によって、まったく新しい複雑さが加わる。

3Dのピクセルとは、どのようなものになるのだろう。パートIでは、シミュレーション・ポイントへの道のりにおけるステージの1つとして、3Dプリンターについて説明した。

3Dプリンターは、ピクセルの概念を3Dに持ち込んでいる。コンピューター画面のビットマップ画像と同じように、3Dオブジェクトを構成するピクセルのリストが、メモリーのどこかに存在する。それから、何らかの基本的な材料、一般的にはプラスチックの一種（紙に載せるインクに相当する）を使って、「ピクセル」の層を3Dにレンダリングすることで、実体のあるオブジェクトができる。

3Dプリンターは、私たちが3次元の固体だと思っているものが実際には情報の羅列であり、それに対して計算を行えば、世界の中に物体をレンダリングできるということを示している。SF作品『スター・トレック』では、レプリケーターがこの機能を果たす。パターンを用いて3Dオブジェクトを作成し、3Dピクセルを用いてオブジェクトのビットを組み立てる。

だが、この3Dピクセルの考え方は、コンピューターによって生成された世界を私たちの住む物理的世界に例えるための類推にすぎないのだろうか。それとも、時空における何らかの深層構造が、本当にピクセル化されているのだろうか。

ここで、粒子と私たちのまわりの実世界について、物理的な特性を検討してみよう。

ゼノンのパラドックスと不連続な世界

前でも触れたように、MITの学生だったころ、夜ふかしをしていると学生どうしの会話にふ

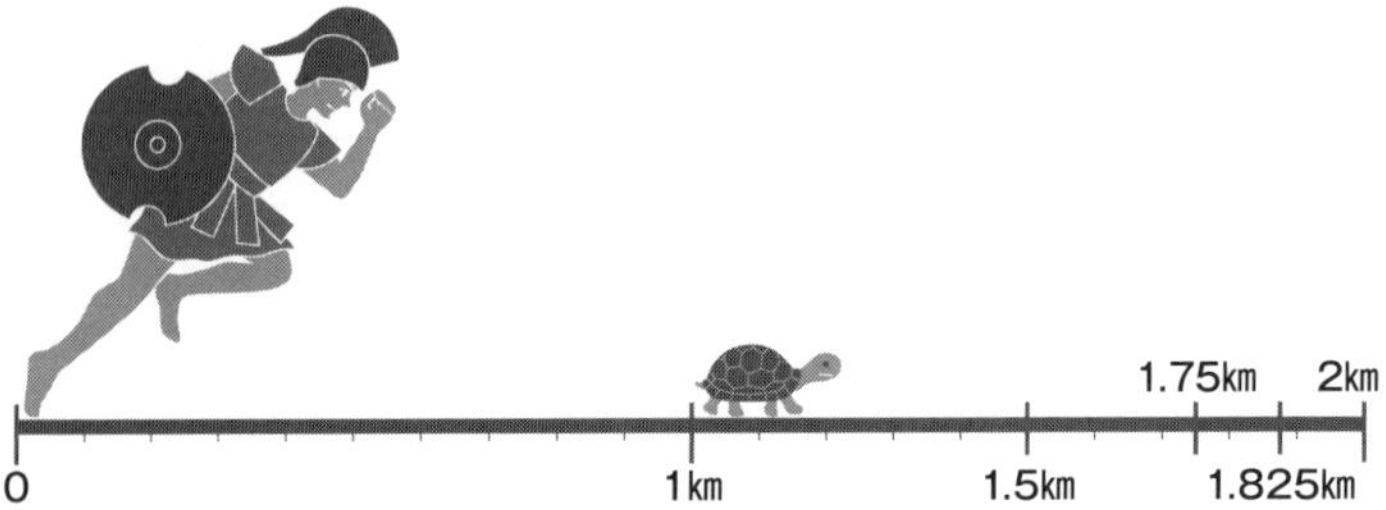

図25：ゼノンが提唱した、アキレスと亀のパラドックス

と哲学的な話題が入り込んでくることがよくあった。ある日の真夜中に持ち上がった話をいまでもよく覚えている。私たちの「物理的実在」の本質とは何か、というものだ。

そのとき初めて「ゼノンのパラドックス（逆説）」について耳にした。このパラドックスで立てられている問いはこうだ――数は連続的であり（つまり任意の2つの数のあいだには常に無限の数が存在する）、もし宇宙が数と同じように連続的であるなら、なぜ私たちは壁のような物体に触ることができるのだろうか？　出発点をスタートしてゴールとの半分の地点まで到達することはできても、残りを進むにはその位置とゴールとの半分の地点に到達しなければならず、それを繰り返していけば永遠に目的地に到達することはないはずだ。

ゼノンは古代ギリシアのエレア派の哲学者で、多くのパラドックスを提唱した。そのうちのひとつに、アキレスと亀を題材にしたものがある。現時点で亀がアキレスより先にいるなら、アキレスは亀との距離を常に縮めつづける必要があり、いつまでたっても亀に追いつけないことになる。

このパラドックスについて聞いたときに最初に感じたのは、空間は量子化されているに違いないということだった。私たちが移動する距離には最小値があるはずだ。そうでなければ、このパラドックスのとおり、現実世界にある2つの物体を接触させることは決してできない。私たちは常に、次の中間点を目指しているはずだ。

のちに、同じような感想を抱いたのは私だけでないことがわかった。この話から私は、ビデオゲームのピクセルを連想し、現実世界にもピクセルのような最小単位が存在するかどうかについて、考えるようになった。

量子物理学における量子

これも前述したように、古典物理学では、物体は中身が密に詰まっていて、運動と宇宙は連続していると考えられていた。ニュートンの運動方程式は、空間と時間が連続しているという見方を前提としたものだ。ここまでの数章で、粒子は中身の詰まった状態とはかけ離れていることを見てきた。まず、私たちが原子あるいは分子と呼んでいるものの大半は、何もない空間で占められている。そして量子物理学によると、原子より小さい粒子は確率に基づいて存在している可能性がある。

実は、量子物理学という概念そのものが同じような発想に由来している。連続動作や連続遷移などというものはなく、原子より小さいレベルでは、あらゆる出来事は不連続の量で起こっている、というのだ。この不連続の量が「量子」と呼ばれる。

世界を連続しているものとする見方に代わる、エネルギー量（パケット）は不連続であるという考え方は、物理学の世界において、20世紀初頭にアルベルト・アインシュタイン、マックス・ボルン、ヴェルナー・ハイゼンベルク、ニールス・ボーアなどの科学者の業績を通じてだんだんと形成されていった。

理論物理学者のマックス・プランクが初めて提唱し、のちにアインシュタインの光電効果の実験によって裏付けられた考え方ともいえる。

プランクは１９００年に、あらゆるエネルギー放射系は不連続なエネルギー量（量子）に分割することができると初めて仮定し、この量を振動数と結びつけた量子方程式を定義した。

アインシュタインといえば特に相対性理論が有名だが、一度だけだがノーベル物理学賞を受賞している。受賞理由は、光と光電効果の研究に関する業績である。光電効果について初めて論文にまとめたのは１８８７年のハインリヒ・ヘルツで、金属の表面から電子が飛び出す現象に関連する論文だった。ヘルツの実験によると、電子は連続的に放出されるのではなく、一定のエネルギー量が満たされた場合にのみ放出された。それはまるで、粒子を放出するにあたってエネルギーのしきい値が存在するかのようだった。アインシュタインはこの法則が光にも当てはまり、光の不連続な量、あるいは「光の粒子」が存在することを証明した。これはのちに「光子（フォトン）」と呼ばれるようになる（光子という用語が誕生したのは１９２６年ごろのことである）。

量子でできた空間

ゼノンのパラドックスにも、コンピューターで描画されたピクセルのアイデアにも、その根底には量子化の概念がある。つまり、物体は連続的なものではなく、不連続な「何か」の集まりであるということだ。

具体的にいうと、ゼノンのパラドックスこそが、空間はピクセルあるいは「粒状性」で構成されている可能性があると教えてくれる。つまり、空間には最小の長さがあるということだ。この考え方は、古代ギリシアの時代から、（ゼノンのパラドックスとは独立して）「原子」という考え方そのもののなかにあった。原子は、それ以上は分割できない、物質の最小粒子として想定された。近代になってこの用語（たとえば金原子、鉛原子、水素原子などのように）を元素の最小単位として採用したのは、20世紀初頭にラザフォードが原子核を発見し、原子核モデルを考案するまで、原子の構成要素が知られていなかったからだ。それ以来、陽子と中性子、さらに、原子より小さなその他の粒子が数多く発見されている。

では実際、空間には最小の長さ、いわばピクセルは存在するのだろうか。

これまでに人間が測定できた最小の長さを「プランク長」という。これはマックス・プランクが発見した。

プランク長は3つの基礎的な物理定数によって定義できる。「真空における光速、プランク定数、重力定数」だ。ちなみに、プランク定数とは、光子のもつエネルギーと振動数の比例関係に基づいてプランクが導いた定数である。

プランク長は ℓ_P と表記され、1.616229(38) $\times 10^{-35}$ mに等しい長さの単位で、人間が信頼性をもって測れる最小の長さと考えられている。

では、これより小さな長さについてはどうだろうか。

物理学者のジョン・ホイーラーは、「重力波」について研究している際に、この長さが一種の境界になっていて、この「長さ」のしきい値未満のものは測定困難であることに気づいた（そしてこの量子力学的ゆらぎを「量子泡」と呼んだ）。『Geons, Black Holes and Quantum Foam（ジオンとブラックホールと量子泡）』（未邦訳）においてホイーラーは、この長さ未満では「一般的な長さの概念は消滅し、時間の概念も消えてなくなる」と述べている。[36]

つまり、ここでいう最小長とは、実在する最小の長さではなく、測定可能な最小距離、最小単位の話だということになる。実際的には、このプランク長こそが、3次元の現実世界における「ピクセル」なのである。

これは、プランク長より大きなピクセルや粒子が存在できないという意味ではない。コンピューターでも、同じ画面に表示するピクセルの解像度を下げられる（解像度を下げると、ピクセルの数は減ってサイズは大きくなる）。その場合、最小単位はプランク長の整数倍ということになる。

光速と、時間への影響

プランクが彼の定数を光の特性から導いたことに気づいただろうか。実のところ、光は私たちの宇宙におけるいくつかの実数定数の基となっている。アインシュタインの特殊相対性理論では、光速は一定であると仮定している（有名な式、$E=mc^2$では、光速はcで表されている）。光速は、空間を時間と関連付ける定数であるように思われる。アインシュタインの理論は、時間は運動と相対的な関係にあることを示しており（特に超高速で移動している場合）、したがって物理的世界の事象同士のあいだで同時性を識別する方法は存在しない。

アインシュタインが構築した（のちに実験により裏付けられた）のは、移動速度が光速に近づくほど、慣性系の中にいる者（つまり、移動している者）にとって時間が遅くなるという理論だった。

この観点からは、慣性系の中にいない者にとっては、時間が「速くなる」と考えられる。ここで、もうひとつのパラドックスに行きつく。「双子のパラドックス」だ。双子の兄が、光速に近い速度で宇宙へと旅立ち、弟が地球に残るとする。宇宙に行った兄が地球に帰ってくると、地球に残った弟よりも若くなるのである。

兄は弟よりどの程度若くなるのだろうか。それは、兄がどのくらいの速度で、どのくらいの期間にわたって旅行したかによって異なる。NASAが、宇宙飛行士スコット・ケリーを被験者として行った実験がある。1年間を宇宙で過ごしたケリーは、一卵性双生児のマークよりごくわずかに若くなっていたことが判明した。帰還したときには、宇宙に出発したときより約13ミリ秒若くなっていたのである。もちろん、スコットの移動速度は光速よりもはるかに遅く（時速2万8千キロで、光速の1パーセントにも満たない）、移動距離も天体間距離とは程遠い。また、1ミリ秒未満の精度で同期された原子時計を宇宙船に持ち込んだ事例でも、時間の遅れが本当に起こっていることが証明された。地球に残した同一の時計との同期が崩れていたのである。

相対性理論は、ある予想外の意味を秘めていた。ふたつの事象が本当に同時に起こっているかを判断する手立てはない、ということだ。実際には、それは観測者の慣性座標系によって異なってくる。両方の事象に近いところにいる人にはふたつの事象が同時に起こっているように見えても、それぞれの事象をかなり異なる距離から見ている人にとっては、光が届く時間に差がある場合がある。光と運動は相関関係にあるので、ふたつの事象が本当に同時に起こっているのかどうかを知るのは不可能だ——この概念が発見されてからすでに100年以上が経過し、今ではほとんどの物理学者によって、基本的な現実として受け入れられている。

「ロンドンとニューヨークで自動車事故が同時に起こった場合」という有名なたとえがある。理論的には、もしニューヨークにいれば、ニューヨークの自動車事故のほうが早く起こったように見える（ロンドンからの光が届くには、大西洋を越えなければならないからだ）。大西洋の真ん中にいれば、両方の事故が同時に起こったように見える。したがって、どちらの事故が「先に起きたか」は、実際の事象よりも、観測者のいる場所によって決まるともいえるのだ。

アインシュタインの理論からも、それを裏付ける諸々の実験からも、光の速度、そして電磁スペクトルの一部である光そのものが、物理学の世界の中で特別な存在であることは明らかだ。光はビデオゲームとコンピューターの世界でも特別な存在だ。プレイヤーからサーバーへ信号を送信するためにも、サーバーからこの変更の表示先となる別のプレイヤーへ信号を送信するためにも、一定の速度の限界がある。したがって、ビデオゲームの中でふたりが同じ「シーン」にいて、同時に何かをしているように見えても、その同時性は錯覚にすぎない。

理論的には、情報をビデオゲームの一部分から別の部分へ送信する最も速い速度は、電磁信号の速度である――そして結局、光速に話が戻ってくることになる。

物理的世界で最も速く情報を送るための最高速度と、電磁信号の送信に用いる速度は、なぜ同じなのだろうか。これは未解決の問いであり、シミュレーション仮説そのものを指し示す問いでもある。もし私たちが、電磁信号を用いてコンピューターでシミュレートされた現実の中にいるのなら、物理学における最大の謎、すなわち「なぜ光がこれほどまでに特別なのか」という謎が解けてくる。ここでもまた情報科学が、物理的世界の構造を記述するだけではなく説明するためにも使えることがわかる。

コンピューターシミュレーションにおけるクロック速度と、量子化された時間

アインシュタインが一般相対性理論を発表したとき、物理学者たちは「時空」という用語を使

い始めた。この用語では、時間は空間の第四の次元として定義される。物体の発生を単純に座標（x，y，z）とするのではなく、時間を考慮に入れて第四の座標値とし、（x，y，z，t）とするようになった。これが、時空における座標である。

時間と空間がこれほどまでに深く関係しているのだから、空間が量子化されている、つまり不連続な値でできているのなら、時間もまた量子化されている可能性はあるだろうか。

話をあまり先に進める前に、ビデオゲームでどのように時間が管理されているかを見ていこう。

今では、仮想世界の中で起こっている事象を（x，y，z，t）と表すのは自然な考え方だろう。ここでtは、任意の時点を表す。この場合のtは、必ずしも私たちに理解しやすい値とは限らず（時間、分、秒など）、最小時間増分【訳注：システム上で認識される時間の最小単位】に基づく。

最小時間増分は、コンピューターープログラムやコンピューターーシミュレーションでは一般的だ。実際、デジタルシミュレーション自体が、クロックの各インスタンスが1ステップ進むごとに、シミュレーション内のすべての要素を更新する、という考え方で成り立っている。

ここで重要なのは、コンピューターーシミュレーションでは、この時間の「論理ステップ」が物理的な時間の増分と関連しているとは限らないということである。シミュレーションでは、1つのステップから次のステップへの移行は、シミュレーションの状態を更新するために実行する必要のある計算量によって、1ミリ秒の「実」時間で終わることもあれば、5秒、さらには1時間かかることもある。

たとえば、約1000ステップからなるフラクタル処理の単純なシミュレーションでは、各ステップはプログラムを1回実行することと考えられる。一般的に、コンピューターのプロセッサー上で演算が実行される最高速度は、クロック速度によって決まる。現実的には、プロセッサー上で測定されるすべての時間は、このクロック速度の整数倍となる。

ショウジョウバエあるいはその他の種の個体群に関するシミュレーションを行うとする。この場合、各「ステップ」は1回の生殖周期であるとみなす（この種が多くの種と同様に、1年に1回のペースで定期的に生殖するとみなす）。

たとえば、クロック速度が1・7GHzのプロセッサーであれば、1秒あたり17億回の演算のサイクルを実行できる。現代のコンピューターやスマートフォンは、たいてい複数のプロセッサーを搭載している（マルチコアと呼ばれる）。

ひとつ留意すべきなのは、ここでの演算とは、低水準演算だということだ。一般的に、ビデオゲーム開発者がビデオゲームやシミュレーションのコードを書く際には、JavaやC#などの高水準言語を用いる。このコードがバイトコードにコンパイルされ、仮想マシン上で実行される。高水準言語の1行のコードは、数百の低水準演算に変換されることもある。

では、複数の人がさまざまな処理速度のコンピューターにそれぞれログインしているビデオゲーム（オンラインRPGなど）では何が起こるのだろうか。

これらのゲームでは、共通の「サーバー時間」という考え方があり、演算をこのサーバー時間に対して記録することで、演算の順番を判定できるようになっている。同時性（ふたつ以上の操作が同時に発生したかどうか）の判定は難しいが、マルチプレイヤーシミュレーションでは、演算の順番が守られるように、多くの手を尽くしている。基本的な話として、もし私が操作するプレイヤーが、あなたが操作するプレイヤーに向かって剣を振ったら、それは両者の「戦闘」として記録される必要がある。

前述のとおり、別々のマシン上でレンダリングを行い、信号をインターネット経由で送受信することを考えると、相対性と電磁信号の速度から、この戦闘は必ずしも正確に行われるわけではないことがわかる。したがって、分散した（離れた場所にいる）複数のプレイヤーやプロセスを扱う場合、なんらかの形で競合を解消しなければならない。基本的な目安は、ビデオゲーム世界のシミュレーションでは、物理レベルでの同時性を保証できないとしても、操作の順番は守られるように最善を尽くす、ということだ。

人間の反応速度を考慮すると、複数プレイヤー間の同時性の維持は現在のビデオゲームにとっては大きな問題ではないが、ミリ秒単位の応答速度を備えた2つのＡＩが競技を行う場合は、先に攻撃したプレイヤーの判定は非常に重要（アインシュタインの考え方に従うなら、不可能）な作業である。

量子化された空間と時間は相互に関係する

ビデオゲームにおける時間は、ステップ数に基づいて量子化されている。そして、ステップは

CPU（またはGPU）が基本的な演算を処理する時間の整数倍である。

では、私たちを取り巻く物理的世界には、量子化された時間らしいものはあるのだろうか。もしあるなら、それは私たちがシミュレーションの中にいるという有力な兆候かもしれない。コンピューターによる計算を宇宙の構造として利用しようと試み、不連続のクロック速度を必要とするシミュレーションだ。

トーマス・キャンベルは『My Big TOE』で、この考えをもう一歩進め、もし光速が定数であり、かつ空間が量子化されているとみなすことができれば、この物理的世界における時間の最小量を実際に計算できることを示した。

キャンベルがPMRあるいは物質的現実と呼ぶ（そして私がグレート・シミュレーションと呼ぶ）この世界が、分割不可能な単位（量子化された空間、またはキャンベルが「3Dピクセル」と呼ぶもの）でできているとすれば、c、すなわち光速が固定である限り、この単位の数を理論的に計算できることになる。

キャンベルは、もし私たちが住む3次元の現実を定義する仮想空間が本当に存在するなら、それはおそらくコンピュータープログラムやシミュレーションの中で用いる仮想空間と似たようなものになるだろうと主張する。あらゆる物体には、この空間内における3D表現（x，y，z）と、時間を表す4番目の座標tが存在する。光速が一定、かつ使用可能な最小ピクセルの大きさも一定なら、時間の最小単位は、最小のピクセルを通過する光によって定義できる。

空間の量子化は多くの物理学者に受け入れられているが、時間の量子化は比較的新しい概念である。それにもかかわらず、物理学者が時空を論じるときには、時間が量子化されているという意味も暗に含まれる。空間が量子化されているとすれば、時間も同じように量子化されていないことはほぼありえないという。

「私たちは、時空は量子化されているはずだと長いあいだ考えてきました」

カリフォルニア大学サンタバーバラ校の理論物理学者、スティーブン・B・ギディングスは語る。(37)

量子化された時空を計算する

キャンベルの計算に戻ろう。キャンベルは、ありうる最小の時間増分を表す値をΔtと定義している（これは、シミュレーションのクロック速度といえるだろう）。ここでは単純化のためTと呼ぼう。次に、c（光速）にΔt（ここではT）を掛けると、空間の最小増分（最小長さ、あるいはL）が求められる。キャンベルが定義した式は次のとおりだ。

L＝c＊(T)

もちろん、最小空間を光速で割って、最小時間を求めることもできる。

$L / c = (T)$

最小長さにプランク長、つまり物理学者がいま一般的に3次元の現実世界における測定可能な最小長さとして認識している長さを用いると、この数式におけるTはきわめて小さな数になる。これがプランク時間である。

プランク長はわかっているので、これを光速cで割ると、プランク時間として定義されている値が得られる。

プランク時間は、光が真空中で1プランク長の距離を進むのにかかる長さで、約 5.39×10^{-44} 秒に相当する。(38)

物理学者たちは、プランク時間が現時点では数式以上のものではないことをすぐに指摘している――時間が量子化されているかいないかの確定的な結論が出ていないからだ。しかし、空間と時間の関係と、空間に対して意味のある測定ができる最小長がある事実を考えると、光がこの「最小」距離を移動する時間が、私たちが測定できる時間の下限でもある可能性は十分にある。

アリゾナ大学の天文学教授、ウィリアム・G・ティフトは、天体の赤方偏移【訳注：電磁波が波長の長い方にずれること。可視光は赤に近いほど波長が長いのでこの名がある】の研究で、光が特定の値の整数倍として届いていることを示唆した。このことは、空間に最小量があるのと同様に、時間にも最小量があることを示唆しているように思われる。

前述のように、あらゆるシミュレーションには、それを制御するためのクロックがある。私たちが本当にシミュレーションの中にいるのであれば、クロックが存在する何らかの証拠があるはずだ。もし、時間の量子化が正しいことが証明されれば、私たちのまわりの3次元世界にもクロック速度と最小距離があるという考え方が、さらに信頼感を増すようになる。

シミュレーションにおける時空の瞬間移動

光速が私たちの知る時空を移動する際の限界速度である、と考えられていることに注目するのは重要である。ただし、これは必ずしも物理的な制限とは限らない。単に、私たちの物理的現実における制限、あるいはシミュレーション世界が用いている物理演算エンジンの制限であるというだけだ。

もし、私たちが知る3次元の現実が本当にシミュレーションであれば、私たちが物理的時空と考えているものは、実のところ仮想の構築物であるということになる。仮想世界では、動作速度は、ゲームが稼働する仮想クロックと物理演算エンジンによって制限される。すべてのシミュレーションは、コンピューターによる何らかの計算の上に成り立っているので、シミュレーション内の時空のピクセルは一般的に、そのコンピューターのクロック速度と、情報の記録に用いるビットの整数倍となる。

もし私たちがシミュレーションの中にいるのなら、シミュレーション内を瞬間移動することで、アインシュタインの相対性理論の制約を回避できる可能性がある。ここからは推測になるが、次の3つの領域を検討すると、シミュレーション仮説が、瞬間的な通信（そして、ひょっとしたら瞬間移動）を可能にできるかもしれない、いくつかの興味深い洞察を与えてくれているのがわかる。これらは、シミュレーション内で仮想空間（仮想ピクセル）を通過しないことによって実現する。

1. テレポーテーション
2. ワームホール
3. 量子もつれ

■時空の移動手段その1──テレポーテーション

テレポーテーションの好例は、仮想世界『セカンドライフ』だ。『セカンドライフ』では、キャラクターは仮想世界の中を歩くことができる。この場合の移動速度は、比較的遅い。また、飛ぶこともできる。そうすると、移動する仮想距離は同じでも、速度はかなり上がる。ある場所から別の場所に移動するには、必ず仮想単位分（ピクセルあるいはその他の距離単位）の距離を通る。これが、仮想世界の基本的な物理演算エンジンである。

しかし、『セカンドライフ』では、広大な3D空間をもつ現代の多くのビデオゲームと同様に、キャラクターを仮想世界の1つの場所から別の場所に「テレポート」（瞬間移動）することができる。このしくみでは、キャラクターは仮想世界のある場所からレンダリング解除されて消え、別の場所に再レンダリングされる。最初の場所から別の場所が仮想空間でどれほど「離れて」いても、まったく時間はかからない。3D仮想世界に（x，y，z）座標があると考えると、テレポートを行うには途中の座標を移動することなく、新しい（x，y，z）座標を設定するだけ、ということになる。

『スター・トレック』テレビドラマシリーズでは、テレポートはある種の節約のために導入された。エンタープライズ号にいたクルーが、画面が切り替わった瞬間に惑星に降り立っていれば、番組制作チームはシャトルの航行から惑星の大気圏突入、着陸に至るまでの視覚効果を作らずにすむ。ビデオゲームにおけるテレポートもある意味で節約を目的としているが、どちらかというと時間の節約の面が大きい。『スター・トレック』では、テレポートは比較的短距離に限定されていて、別の太陽系にある惑星には移動できなかった。しかし、仮想世界やビデオゲームでは、世界のどの場所へでも一瞬で移動できる。

もし人類が何らかのテレポート手段を開発できれば、物理演算エンジンが物理的世界を制御している、さらなる証拠になるかもしれない。

■時空の移動手段その2―ワームホール

次に紹介する概念は、さらにビデオゲームのテレポートに近い。アインシュタイン・ローゼン・ブリッジ、別名ワームホールだ。

この概念は、アインシュタインの一般相対性理論から派生した。オーストリアの物理学者、ルードウィヒ・フラムは、アインシュタインの理論どおりにブラックホールが存在するのなら、いわゆる「ホワイトホール」も存在するのではないかと提唱した[39]。1935年に、アインシュタインと共同研究者のネイサン・ローゼンは、ブラックホールとホワイトホールをつなぐ「橋」の概念を論文にまとめ、正式に「アインシュタイン・ローゼン・ブリッジ」と呼ばれるようになった。ワームホールという用語は、1957年になるまで現れなかった。命名者はまたもや、どこにでも登場するジョン・ホイーラーである。

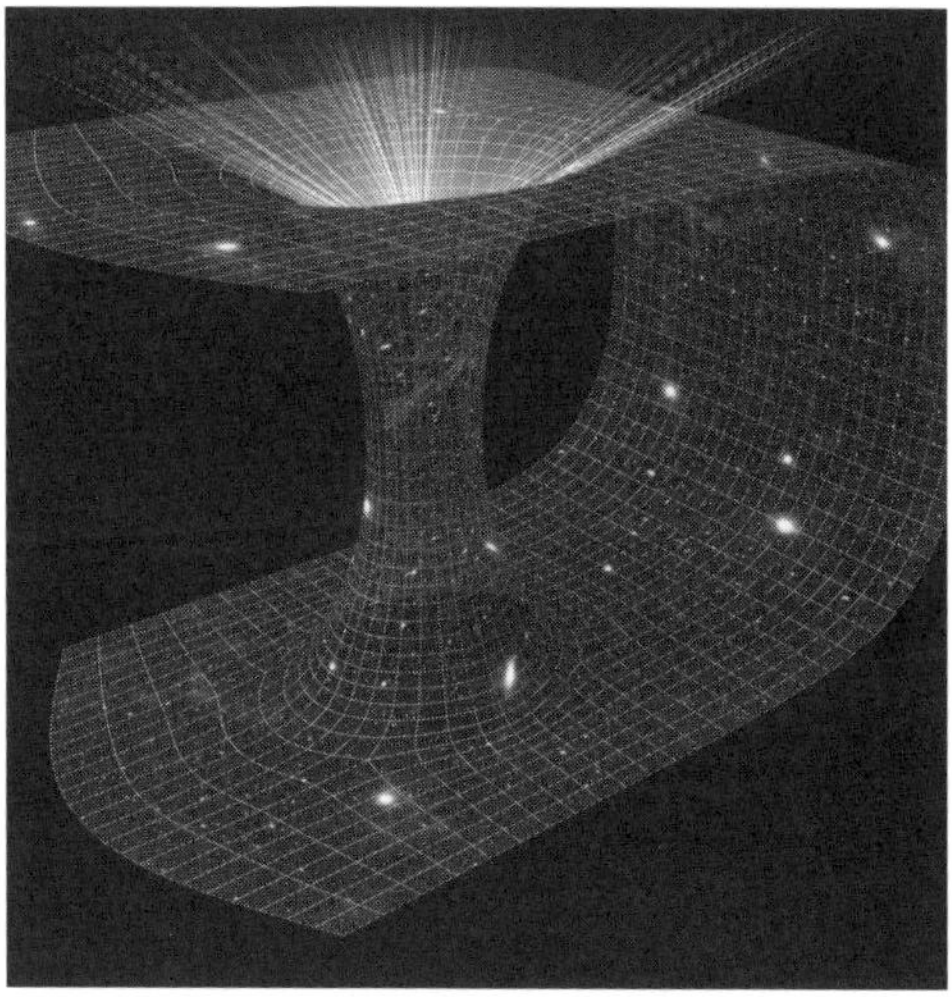
図26：ワームホールを使うと、中間の空間を通過せずに、点Aから点Bまで直接移動することができる(41)

図26に示すように、ワームホールがあれば、時空上の一点から物質が入り、別の点から出てくることが可能になる。このとき、相当な質量をもつ重力的な特異点があるなら、時空の破れが発生するのではないかと考えられた。
ワームホールの両端間の総距離を測定

するのであれば、ワームホールは理論上、光速よりかなり速く情報や物質を転送することができる。しかし、転送される実際の宇宙船や情報が、光速より速く三次元の時空を移動するわけではない。ただ、普通の時空から飛び出して、時空の「もう一方の点」から出てくるだけだ。「旅行者」の慣性系の観点からは、通常の速度で旅行したように感じられる。

ワームホールに関する問題は、それが存在しないかもしれないということよりも、実用には小さすぎるということだ。一部のワームホールは、顕微鏡サイズであると考えられている。情報の送信は妨げないが、宇宙船は通れない。さらに大きな問題もある。ワームホールは一般的に長時間にわたって安定した状態を保つことがない、と考えられていることだ。ワームホールはごく短時間しか存在しないかもしれない——私たちが発見したり、利用したりするには短すぎる時間だ。

さらに話題を複雑にするのは、ワームホールを生成できる唯一の現象が（理論的なものを含めても）ブラックホールしかないという事実だ。ブラックホールは光すら逃れられないほどの重力によって生まれるので、そこを通過しようとする者は特異点ですぐに押しつぶされてしまう可能性が高い。

量子もつれがワームホールのしくみを発見するための鍵になる、と考える科学者もいる。プリンストン高等研究所のファアン・マルダセナと、スタンフォード大学のレオナルド・サスキンドは、ワームホールはマクロレベルの量子もつれのようなもので、2つの量子的粒子を接続できるのと同じように空間の2点を接続するものである、という理論を提唱した。[40]

もし、ワームホールが実在し、途中の距離を移動せずに時空内の2点を連結することができれば、これもまたシミュレーション仮説のさらなる証拠となり、『セカンドライフ』のようなビデオゲームにおけるテレポートになぞらえることができるだろう。

■時空の移動手段その3――量子もつれ

私たちは、物理的世界（あるいは、物理的世界を構成するピクセル）の中を動き回るのに慣れているが、行程の大半は地球上なので、移動が不可能なほどではない。私たちが住む3次元の物理的現実が本当に仮想的に広がるピクセルでできていて、移動の際には仮想的宇宙にある多数のピクセルを通過しなければならないとしたら、たとえ移動速度が光速でも、太陽系外の少しでも興味深い場所に着くには、信じられないほど長い時間がかかるだろう。

地球から最も近い恒星系であるアルファ・ケンタウリは4・5光年離れている。そして、銀河系の直径は約10万光年である。もちろん、時間の膨張により、この距離を移動するためにかかる時間は短く思えるかもしれないが、元の点に戻ることはできない。

ここで、量子もつれ（量子エンタングルメント）の考え方が登場する。これは、2つの粒子が「もつれ」、たとえ互いに遠く離れていても、ひとつの粒子の状態からもうひとつの粒子の状態を推測することが理論的に可能になる状態である。アインシュタインは量子もつれを「不気味な遠隔作用」と呼んだが、実際の現象であることが示されている。

量子もつれによって、何光年も離れた距離での即時通信が実現する可能性がある。つまり、情報が世界の1カ所から別の場所へ光速を超えるスピードでやりとりできるということだ。量子もつれが存在し、量子暗号などに応用されていることは広く認められているが、もつれた2つの粒子が本当に地点Aから地点Bへ光速を超えるスピードで情報を送信しているのかどうかについては、物理学者のあいだでも意見が分かれる。

量子もつれがなぜ存在し、どのように機能するのかは、誰ひとり正確に把握していない。量子もつれの概念と量子コンピューティングについては、第11章「懐疑論者と信奉者――コンピューターによる計算のエビデンス」で詳しく扱うが、ここでもまたシミュレーション仮説がビデオゲームの世界から、これまで説明できなかった事象を説明するモデルを与えてくれる。

コンピューターの画面上で2つのピクセルが相互に関連付けられている場合、どちらのピクセルもメモリーの同じ位置から値を取得する。メモリーに格納された値を変更すれば両方のピクセルの値が変化する（たとえばRGB値を赤から緑にすれば、どちらのピクセルも画面上で赤から緑に変化する）。そのメモリー位置から値を読み込まないことに決めれば、ピクセルは理論的に「もつれ解除」される。

ピクセル、量子、時空、ワームホール、そしてシミュレーション仮説

私たちの知る時空が連続的な領域ではなく、小さな不連続の部分で構成されている、という考え方全体が、ビデオゲームとコンピューターのしくみと類似しているだけではなく、私たちが住

む物理的宇宙の構造をかなり解き明かしてくれる可能性がある。現在までのすべてのビデオゲームは3Dの世界を2Dのコンピューター画面上でシミュレートしていたが、これは変化の兆しがある。そして、3Dプリンターによって証明されているように、ピクセルが3次元に存在できないという理由はない。

そのような「仮想空間」は、私たちが計算エンジンに基づくピクセル化された世界に住んでいるというシミュレーション仮説と整合性がある。光速cが定数であることは、この物理的世界が、レンダリングされたビデオゲームと同じように、電磁的な土台の上に築かれている可能性を示す。測定可能な最小距離であり、それ未満は測定することのできない長さ、つまりプランク長が存在することは、私たちがピクセル化されたデジタル世界に住んでいるという考え方に、さらなる信頼性を与えてくれる。

さらに、この最小距離に加えて、プランク時間という最小時間があるということも、アナログ世界よりもデジタル世界を示唆している。この最小時間量は、光子が光速でプランク長を移動する時間から求めることができる。これは、シミュレーションでクロックが稼働しているという概念に例えられる。シミュレーションは、電磁波を介して生成され、情報をやり取りする。

ワームホールの謎にはまだ明確な答えが出ていないが、ワームホールの概念自体が魅力的であり、量子もつれとともに、この物理的現実における光速という物理的制限を回避する方法が存在することを示唆してくれる。量子もつれは、物理的現実の現在のモデルではまったく説明できない。

もし、前述のいずれかの方式によって光速の限界を超えられるなら、時空の外に何かが存在することが、きわめて強く示唆される。

もし、時空の外に何かが存在するならば、私たちにとって物理的現実のように見えているこの世界は、もっと大きなものの中にある仮想世界であるように思えてくる。ビデオゲームとSFは、仮想世界のしくみについて引き続き最善のメタファーとなる。そして、シミュレーション仮説は、この世界の構造について、より優れたモデルを与えてくれる。

本書の次のパートでは、物理学を離れて先に進み、宇宙をめぐる別のモデルを見ていく。これらのモデルもまた、物理的世界だけが世界ではないということを提示している。東洋の神秘思想家たちが、物理的世界は一種の幻であると長いあいだにわたって示唆してきたことについて検討し、西洋の宗教的伝統やその他の説明不可能な現象を観察する。そして、シミュレーション仮説が、これらすべての考え方をつなぎ合わせ、筋の通ったひとつの現実のモデルにまとめあげる可能性を示す。

パート III

シミュレーション仮説は未解明の現象をいかに説明するか

——神秘思想

あらゆるものは、蜃気楼、空中の楼閣、夢、幻であり、本質がないが、目に見える特性を備えていることを知ろう。あらゆるものは、幻術師が見せる幻の馬、牛、車の類《たぐい》であり、見えているままのものは存在しない。

——仏陀

私は鉱物として死に、植物になった。植物として死に、動物まで上がった。動物として死に、人間として生きた。何を恐れることがあるのだろう？　死んで下に落ちたことが一度だってあっただろうか？

——ルーミー

13世紀のペルシアの詩人、神秘思想家

第**8**章

幻のような、ビデオゲームのような、夢の世界における魂

誕生と死は、ひとつの夢から別の夢へ向かうときに通過する扉である。

——パラマハンサ・ヨガナンダ
インド生まれのヨーガ指導者、グル

西洋の科学者たちは、観測者が物理的宇宙に欠かせない一部であるという、量子物理学における逃れられない結論にショックを受けた。しかし、西洋以外の伝統に目を向けると、真理を探求する人々にとって、意識が物理的宇宙の一部であるという考え方は、目新しくもなければ驚きでもない。

あらゆる伝統下の神秘思想家、特に東洋の神秘思想家（ヒンドゥー教、仏教、および関連する諸宗教）が、このことを数千年にわたって教えてくれている。実際に、私たちを取り巻く世界は、意識と何らかの形で結びつけられた一種の幻想であるという考え方は、こうした伝統思想における中心的な教えである。

本書のこのパートでは、これらの伝統思想を掘り下げ、物理的世界とそれ以外の世界のしくみ

がどのように説明されているのかを検討する。そして、伝統思想による説明が、宗教的あるいは霊的な解釈を伴うにもかかわらず、現代科学が現時点でたどりついたいかなる説明よりも、シミュレーション仮説による説明に迫っていることを見ていく。

まず、東洋の神秘的伝統に広く普及している、世界は一種の夢であるというメタファー（比喩）を検討し、夢の「生物学的テクノロジー」を掘り下げる。すると、私たちが「夢」だと思っている現象が、パートIで扱ったシミュレーション・ポイントへの道のりの大半を満たしていることがわかる。仏教徒は、夢という概念を単なるメタファーとしてではなく、物理的世界を実際に説明する方法として扱っている。人は死ぬと生まれ変わって「目覚める」。最終目的は、この夢幻の世界から「解脱する」（自由になる）ことである。

人が亡くなった後（そして、生まれる前）に何が起こるかは、ほとんどの宗教の本質と切っても切れない。東洋の伝統では、輪廻転生とカルマの概念がかかわってくる。行動の結果が、ひとつの人生から別の人生に持ち越されるのだ。ここでもまた、物理的世界を「共有されたビデオゲーム」と考えれば、現代科学が今のところ提示できているほとんどの理論よりも、輪廻転生とカルマのほうが、世界のしくみをうまく説明できることがわかる。実際、ビデオゲームで使われる複数のライフ、アバター、クエストといった用語は、東洋の伝統の二大教義であるカルマと輪廻転生にうまく対応する。

しかし、シミュレーション仮説で説明できるのは、東洋の伝統宗教だけではない。西洋の伝統宗教（ユダヤ教、イスラム教、キリスト教）にも、この世界を「一時的な世界」であると説明し、全知全能の神が監督している天使たちによって、私たちの行動が監督、記録されているという、東洋とよく似た記述がある。これらの伝統宗教は、科学が発達する前のメタファーや言葉を用いるため、科学とのあいだに大きな不和を生んできた。宗教の言葉は、現代科学が解明できるものではないからだ。しかし、シミュレーション仮説のレンズを通してこうした伝統宗教を眺めてみると、より筋の通った宇宙の説明が得られる。「レンダリングされた世界ではなく、外の世界から私たちを眺め、私たちに影響を与えている生命」は、諸宗教が天使や悪魔と呼ぶ存在の説明として優れている。行動の記録、スコアの評価、さらには特定の事象のリプレイでさえも、ビデオゲームでは一般的な機能だ。ビデオゲームは、自律的なプロセス（「デーモン」と呼ばれることもある）を備えている。デーモンの役割は、プレイヤーの監視と、プレイヤーが目に見えないサーバーへ行うリクエストに応答する機能を備えたAIの監視である。

無神論者を自認する複数の科学者がシミュレーション仮説を検討し、「シミュレーションの外」にいる生命は、実際には神でなくても中の者からは神に見えることを悟るに至った。シミュレーション仮説は、宗教が長年にわたって私たちに伝えてきたことがらを科学に基づいて合理的に説明するだけではなく、現代の科学が解明できていないさまざまな現象の説明にもなる。これには、臨死体験（NDE）、体外離脱体験（OBE）、UFO、シンクロニシティ、デジャヴなどがある。

ここから数章を割いて、シミュレーション仮説がどのようにして、これまで不可能だった形で宗教と科学のあいだのギャップを埋めるかを検討する。要するに、シミュレーション仮説は、これまで説明不可能だったことがらを、合理的に説明するのだ。では、始めよう。

夢、あるいは幻としての世界

サンスクリットで「マーヤー」とは幻のことだが、どんな幻もそう呼ぶわけではない。マーヤーとは、「私たちの住む世界は現実であると思っているが、実際はかりそめの幻の世界にすぎない」という事実を表すための言葉である。では、この幻の世界はどのような性質を備え、いかなる目的で存在するのだろうか。東洋の神秘的伝統においては、この世界は、いくつもの人生を連続で生きる中で、各自のカルマに取り組むための場である。

マーヤーのもうひとつの意味は、本物に見えるが永続的な現実を持たないものを見せる、一種の幻術である。ヴェーダ【訳注：紀元前1000年ごろから紀元前500年ごろにかけてインドで編纂された宗教文書で、バラモン教とヒンドゥー教の聖典】の文章では、「マーヤー」は「幻術の一種で、何かがあるように見えるが、見かけどおりのものではない幻」という意味を含んでいる。また、ヒンドゥー教のヴェーダには、「リーラ」（戯れ）という言葉もある。「リーラ」には二重の意味がある。第一に、世界は遊び心と創造力によって創られたということ。第二に、私たちに見えるものは一種の演劇として考えることができるということ。神秘思想家もシェイクスピアも、この世を演劇になぞらえている。

現代人の耳には、この言葉は演劇よりも映画のように思える。しかし、ありきたりの演劇や映画ではない。対話型《インタラクティブ》の映画だ。では、対話型の映画を、私たちは何と呼ぶだろうか。もちろん、ビデオゲームだ！

ヨガの文章には、世界は幻だが、かといって世界が現実ではないというわけではない、と示唆するものもある。世界は、私たちの意識がかかわる限り現実の構築物であり、私たちに見えるものは、この幻の世界の中で造られたものである。幻術師のトリックと同じように、この幻想は私たち自身の頭の中にあり、世界の認識に影響を与えている。つまり、私たちは夢の中にいるようなものだ。

これらの伝統は、私たちを取り巻く幻の性質を説明しようとするときに、あるメタファーを用いる。それは「夢」だ。ただし、どんな夢でもよいわけではない。私たちを取り巻く世界のマーヤーは、すべての人間がその中で生きる共通の夢であり、各自のカルマを達成するために作成されたキャラクターたちが配置されているはずである。

この章では、夢のメタファーを少し詳しく掘り下げ、このメタファーが東洋の伝統思想のどのあたりに由来するのか、シミュレーション仮説にどうかかわるのかを見ていく。次の章では、この幻の世界におけるカルマと輪廻転生の考え方について検討する。

夢を見る神と、集団で見る夢

これらの伝統の多くで用いられているメタファーは、万人に理解されている。誰もが夢を見

図27：ヒンドゥー教によれば、この世界は眠っている神ヴィシュヌの夢である(42)

る。夜になると夢の中で、ひとりひとりの小さな世界を創造する。神秘思想家たちはいう。私たちを取り巻く世界はいわば夢のようなものであり、肉体はその夢の中だけの現実である。「本当の自分」はこの夢幻の世界の外にあって、この世界にいる限り「現実世界」はおぼろげにしか見えないのだ、と。

ヒンドゥー教によれば、私たちから見えるこの世界そのものが、眠っている神ヴィシュヌの夢なのだという（図27）。ヴィシュヌは、時間を司る蛇の上で眠り、夢を作り出すブラフマーを観察する。ヴィシュヌが夢から覚めると、天地創造の1回のサイクルが終了する。「夢を観察しているひとつの意識がある」という考え方は、不気味にも、複雑なシミュレーションを思い起こさせる。シミュレーションやマルチプレイヤー世界では、特定のサーバー上で稼働し、プレイヤーの一部が体験する「エポック（紀元）」や「ストーリー」が用意されることがある。その「世界」が終わると、サーバーはシャットダウンされ、新しいサーバーが起動される。

夢を見る多くの目的

夢は万人が経験する、非常に複雑な自然のプロセスである。おそらく、数千年にわたって最も多くの神秘思想家や科学者が研究してきたプロセスのひとつだろう。

聖書やタルムードの時代から、夢は多くの伝統的宗教によって、解釈すべきものとして考えられている。精神科医のジークムント・フロイトは、夢は潜在的な願望の表れであり、願望達成の一形式であると主張した。またカール・ユングは、夢は自分が無意識に備えようとしていることのヒントをくれるものであり、「調節」の機能を備えていると信じた。ネイティブ・アメリカンの伝統的社会の多くでは、現世の人間を、夢の世界から導いてくれる別の世界や知的生命と接点を持つことができると信じられている。

科学者は、夢を見ることは必要で、おそらく何らかの役割を持っているらしいことは確認したものの、まだ夢を見る生物学的理由をつきとめられていない。夢は過去数日間の記憶を統合するためにあるのだ、と考える科学者がいる。また、過去数日の記憶をニューロンがランダムに発射しているのだ、とする科学者もいる。フロイトは、夢は「無意識への王道」であり、夢の解釈には多くの道筋があると述べた。

夢と睡眠に関する生理学的研究も、夢を見る目的の特定にそれほど近づいてはいないが、いくつかのヒントは得られている。1953年に、シカゴ大学のナサニエル・クライトマンとユージーン・アセリンスキーは、現代ではよく知られている、夢はレム睡眠中に起こっているという事実をつきとめた。また、アセリンスキーはさまざまな睡眠サイクルを研究し、十分な睡眠をとっていない人が幻覚を見るようになることを発見した。決定的な説明こそ見つかっていないが、起きているあいだに幻覚を見ることを防ぐために、脳が夢を処理している、という可能性は十分にある。(43)

夢には私たちの身体が求めていることに目を向けさせる機能がある、という点も、比較的広く理解されている。ティーンエイジャーの男子なら誰でも、夢が実際に性的な妄想のはけ口になってくれていることを教えてくれるだろう。しかし、夢はそれよりもずっと複雑だ。実のところ、夢は科学の中でも「多元的決定」が当てはまる可能性のある分野である。夢にはさまざまな要素があり、研究者が提唱する理由のほとんどは、少なくともいずれかの場合には当てはまる、ということだ。

夢のもうひとつの目的は、私たちの行動や創造のインスピレーションとなることだ。多くの有名な科学者、アーティスト、小説家、ミュージシャンが、夢からインスピレーションを得ている。

たとえば、発明家のエリアス・ハウは、労働集約型の活動である「縫い物」を自動化するための機械を開発しようとしていた。しかし、開発した機械では、どうもうまく縫えない。ある晩、ハウは食人種に誘拐される夢を見た。火にかけられて煮込まれているあいだ、食人種たちはリズミカルに踊りながら槍を上下させていた。よく見ると槍の先端には穴が開いている。ここから針の先に糸を通すというアイデアを思いついた。これこそが、ミシンをうまく動作させるための最後のピースだったのだ。

化学者のアウグスト・ケクレは、蛇が自らの尾に噛みついた夢を見て、ベンゼン分子の環形構造に気づいたとされる。同じく化学者のドミトリー・メンデレーエフは、カスピ海の避暑地で暖炉の前でうとうとしていたときに、元素が整列して表にまとまっているのを夢に見たという。これが私たちの知る、元素の周期律表である。

一方、世界中の神秘思想家やシャーマンは、夢とは人間が他の世界と接触するための道であると信じている。夢はある意味では主観的体験だが、私たちの世界の外にある世界を見て、そこにいる生命とやりとりするという意味では客観的体験でもある。シャーマンの研究者によれば、夢などでシャーマンが接触する生命は「普通ではない現実」に存在しているという。

世界の宗教の多くは、一種の夢とも呼べる体験がきっかけになっている。イスラム教の創始者である預言者ムハンマドが初めて大天使ジブリールの啓示を受けたのは、聖なるラマダンの月に、メッカ郊外の山にある洞窟で眠りに落ち、夢を見たときだったという。

夢の中で、亡くなって「あの世」にいる人と会ったという話も多い。オーストラリアのアボリジニは、夢は、現世の向こうにある「本当の世界」である「ドリームタイム」と交信する手段だと信じている。アメリカ南西部のマリコパ族は、現世で起こることはすべて先に夢で起こってから現実世界にやってくると考えている。

起きているときの生活によって途切れるものの、夢の中で継続した人生を送っていると報告する人もいる。このような人は「人生」全体を鮮明に思い出すことができる。物理学者のフレッド・アラン・ウルフは、著書『The Dreaming Universe』（未邦訳）で、「毎晩、パラレルワールドで目覚め、別の体で継続した人生を送ることができると思われる」人々にインタビューしたと述べている(44)。

夢が「人生全体」を過ごすことができる「小世界」であるという考え方は、ビデオゲームで「仮想の人生」を送り、次に起動するときに「続き」から遊ぶという考え方と、奇妙な共通点がある。実際、『セカンドライフ』のような仮想世界ゲームは、もうひとつの人生を送ること自体が目的となっている。シミュレートされた仮想世界でゲームをプレイしているあいだに、現実世界で起こっていることを思い出したり、話題にしたりすることがある。プレイヤーはそれを「IRL（In real lifeの略）」や「リアル」と呼ぶ。

では、夢の中で同じようなことはできるのだろうか。

仏教の「夢ヨガ」

仏教においては、涅槃《ねはん》を追い求めることはすなわち、私たちを取り巻く幻想から目覚めることである。実際、仏陀という名前自体が「目覚めた者」という意味だ。東洋の神秘思想家は、「目覚める」唯一の方法は、現実の本質を認識し、私たちを取り巻く「現実」が幻であると気づくことだと主張している。

マーヤーが一種の幻であるならば、幻の向こうには何があるのだろうか。ヒンドゥー教には、「ブラフマン」という、外形を超えた絶対的な「現実」世界がある。仏教では、法（ダルマ）は真理の基盤であり、そこからあらゆる現象が起こる。どちらの宗教でも、その世界がどのようなものであるかを正確に述べているわけではないが、人生と人生のあいだに魂が休む時期があるとされ、仏教ではそれを「中陰」という。

天国か地獄のいずれかで死後の人生を過ごす西洋の宗教と異なり、東洋の宗教は、生から死への移行（死の過程）と、死から生への移行（誕生または生まれ変わりの過程）に、より大きな関心を持つ。実際に、『チベット死者の書』（チベット仏教ニンマ派の仏典）は、バルド・ソドルと呼ばれている（「バルド」は「中間」という意味だ）。生まれ変わりのプロセスについては、カルマと輪廻転生を扱う次章で詳しく説明する。

世界を夢になぞらえるのは、伝統仏教だけではない。チベット密教では、「目を覚まして夢を認識する」ために役立つ「夢ヨガ」という修行がある。

夢ヨガは、「ナーローの六法」のひとつに数えられ、これを修めることが、悟りや解脱への近道になるという。セリニティ・ヤングの著書『Dreaming in the Lotus: Buddhist Dream Narratives, Imagery and Practice』（未邦訳）で説明されるとおり、一般的に六法とは次の6種類のヨガである。[45]

1．トゥンモ（内なる火のヨガ）

2．ギュールー（幻身のヨガ）
3．ミラム（夢ヨガ）
4．オセル（光明）
5．ポワ（意識の転移または投影）
6．バルド（死後の中間状態）

6つのヨガは、互いに完全に独立しているものでもなければ、決まった順番で修行するものでもない。しかし、これらはすべて、起きているあいだの現実が幻覚であるという本質と、肉体や起きているあいだの意識と独立して動くことのできる睡眠中の意識と体の発達に、何らかの形で関連している。

夢ヨガは、「夢」を熟知することで、私たちを取り巻く現実世界が幻あるいは夢のような性質であることを認識できる、一連の修行である。入眠時に、特別なチャクラやシンボルを用いて瞑想を行うことが多い。これを行うと、完全に覚醒している状態から、入眠状態、さらには夢を見ている状態へと、意識を保ちながら連続的に移行することができる。夢の中で「意識を保つ」プロセスは、夢ヨガの中心的側面のひとつである。もうひとつが、夢の中で自分自身を「白日の下で見る」ということだ。

本書の用語で言い換えると、夢を一種のシミュレーションとして捉え、認識することを学べば、物理的世界も夢に似たシミュレーションとして捉え、その外に何があるかを認識できるようになる。夢ヨガは明晰夢《めいせきむ》に似ていると考える向きもある。これは、夢を見ていることを「認識する」能力につけられた、もう少し現代的な名前だ。学術研究によれば、明晰夢を見たことのある人の割合は予想よりも多いという。たとえば、悪夢や奇妙な状況に陥る夢を見て、自分が夢の中にいると気づくのも明晰夢にあたる。

明晰夢は、現代でもスタンフォード大学睡眠研究所のスティーブン・ラベルジュらによって研究の対象とされている。明晰夢を生まれつき自在に見られる人もいる。私の著書『Zen Entrepreneurship』（未邦訳）でも、明晰夢を見た個人的な体験について述べている。明晰夢だとわかる前兆は、いま自分に起こっていることが「ほんとうの真実ではない」という疑い——ある種の「違和感」だ。あるいは、SF用語を使うなら、シミュレーションに一種の「グリッチ」があり、自分のまわりが見かけほど現実的でもなければ、不変でもないことが判明するわけだ。

いったん夢の中で目が覚めると、夢の中のできごとから自分を切り離すことができる。ある程度のコントロールを得ると（夢の中で目が覚めたままでいることは難しい）、夢の状態を制御したり、私も自分の明晰夢の中でよくやるように、いろいろな場所を飛び回ったりできるようになる。

夢ヨガと明晰夢には共通するテクニックもあるが、目的は異なる。明晰夢を見る目的は、一般的に心理学上のものである。たとえば、悪夢に悩んでいるときに夢をコントロールする、夢の中で冒険するなどだ。

一方、夢ヨガの目的は、夢だけでなく、私たちを取り巻く現実世界もまた現実ではないと認識することにある。仏教では、これは単なるメタファーではない。修行を通じて、眠っているあいだに継続的に意識を保つことができ、これが物理的世界を超えて意識を維持するために役立つという。

つまり、夢ヨガの目的は、私たちを取り巻く物理的世界の幻を理解することにある——つまり、この世界も一種の夢なのだ。あらゆる夢と同様に、その中にいる限りは現実のように思えるが、夢と同様に、脳による作り物だ。共有された作り物かもしれないが、幻であることに変わりはない。

小型のシミュレーションとしての夢

夢のメタファーは、シミュレーションの概念と相性が良いだけにとどまらない。あたかもシミュレーション仮説のために作ったかのようですらある。

夢が一定の時間しか続かないように、私たちが参加するシミュレーションやマルチプレイヤーゲームも一定の時間だけ続いて完了し、それからまた新しいシミュレーションが始まる。さらに、もしレンダリングされたビデオゲームの世界にいるのなら、ゲーム内のキャラクターにとっては永続する現実世界のように思えるが、私たちは、ゲームの世界はうたかたであり、レンダリングはプレイ中しか続かないことを知っている。

科学者や技術者は、インスピレーションが必要になると、より高度なテクノロジーを構築するためのヒントを得るために、自然のプロセスに注目してきた。現在のＡＩや機械学習はたいてい、ニューラルネットワークに何らかのルーツがある。これは、脳のニューロンにインスピレーションを受けて開発された技術である。空気より重い航空機でさえ、翼の設計のアイデアを鳥やコウモリから得ている。

本書のパートⅠでは、リアルなゲームを構築し、シミュレーション・ポイントに到達するために必要なテクノロジーの各ステージを概観した。シミュレーション・ポイントへの道のりのステージ1〜5はもちろん、ステージ6（ライトフィールドディスプレイと3Dプリンティング）も、既存のテクノロジーに基づいて容易に理解できる。だが、高度なステージ（7以降）を技術的に達成するためのインスピレーションを探す場合は、自然のプロセスをインスピレーションにしたり、真似たりするのはきわめて合理的だ。

東洋の霊的伝統における力強いメタファーである「夢」は、テクノロジー文明がシミュレーション・ポイントに到達するためのほとんどのステージを私たちがすでにクリアしていることを示す、自然のプロセスなのだ。

考えてみてほしい。夢を見ているあいだは、次のことが自然に起こっている。

・「プレイヤー」は物理的に横になっていて、身体は「眠っている」（ステージ10――シミュレートされた体への意識のダウンロード）。
・映像と音がプレイヤーの脳に直接投影される（ステージ7――マインドインターフェイス）
・プレイヤーは完全に没入していて、見えている世界が現実ではないことを忘れている（ステージ11――シミュレーション・ポイント）。

・プレイヤーは、夢の外にある通常の意識には気づいていないにもかかわらず、ある程度の意識を保っている（完全没入）。

・夢はプレイヤーの意思を、脳から直接読み取る（ステージ7――マインドインターフェイス）。

・現実、または現実でないNPCがいる（ステージ9――人工知能）。

・夢を見ている状態では、夢に関連する記憶が、現実の人生の一部ではないように思える場合がある（ステージ8）。

文明のシミュレーション・ポイントへの到達とはすなわち、計算とビデオゲームのテクノロジーによって、人間が自然に行うプロセスを再現できるようになるというだけのことなのかもしれない。そう、夢だ。

仏教の用語では、「悟り」とは、夢が続いているあいだに目覚め、自分が現実だと思っていたことが実際にはそうではなかったと認識することである。あるいは、シミュレーションでも同じようなことが起こっているのかもしれない。つまり、ゲームの外に世界があって、現在の人格は「キャラクターを演じている」だけだと認識することが、ゴールの条件のひとつなのかもしれない。残ったプレイヤーはそのままプレイを続け、自分がつかの間の一時的なビデオゲームの中にいることを、幸運にも知らないまま過ごす。SFにたとえると、『マトリックス』のネオが錠剤を飲んで、シミュレーションの外にあるまったく異なる世界で目覚めた状況に似ている。

ここで、シミュレーション仮説の視点から夢を検討してみよう。

1．夢は小型のシミュレーションのようなものである。何らかの目的を果たすために、毎晩、各自の脳で作成される。私たちは、さながらゲームのプレイヤーだ。

2．夢には、なじみのある要素とない要素が組み込まれている。印象深かったテレビ番組や本の要素がその晩の夢に現れることがある。その他に、なじみのある人（愛する人）、なじみのない人（汎用のキャラクター）、どちらともいえる人（夢の中ではよく見かけるが、起きているときはそうでもない人物）が登場する。これは、私たちがシミュレーションの中で、シミュレートされていない元の現実に由来する何かを作成したり、見たりする方法に似ている。この点については、次章で詳しく述べる。

3．目が覚めると混乱する。夢から覚めると、少し混乱するが、さっきのは「ただの夢だった」、あるいは本書の言い方なら「ただのゲームだった」「ただのシミュレーションだった」のであって、現実世界ではなかったと気づく。

4．夢の中の夢。夢の中で夢を見ることがある。目が覚めると現実に戻ってきたように思うが、実際にはもうひとつの夢の中にいる。これは奇妙な種類の夢で、脳が（少なくともその中にいるあいだは）区別できない、入れ子になった現実がありうるということを示している。シミュレーションの中にあるシミュレーションという考え方については、「パートⅣ　諸説の統合」で扱う。

ダウンロード可能な意識と、秘法「第七のヨガ」

チベット仏教家は、第七のヨガについても書き残している。これは、六法から意図的に除外された、あるいは、危険だと考えられたために秘密にされたものである。これは、ポワ（意識の転移）のバリエーションであり、強制投影と呼ばれる。ヨガの六法のうち2つは、死にゆく人の意識を、肉体から「他の場所」に転送することに関連している。

文献によれば、この第七のヨガに熟達すると、死の瞬間に体をただ離れるわけではなく、意識を額から他の場所に意図的に「転送」できる。これが秘法である理由は、近くにいる他の生物に意識を「強制的に投影」できるからだ。当初、この秘法はさまざまな動物を使って実践されていた。

上達するに従って、ヨガ術者は、街の片隅に捨てられた死体に自分の意識を投影するようになった。現代のホラー映画を思い起こすような状況だ。そして、亡くなったばかりの体を再び動かす。体がまだ腐っていなければそのまま生活することもできるし、元の体に再び意識を強制的に投影することもできる。一方で「元の体」は、主が「戻る」までそのまま近くで静止している。

チベットの有名な学僧、ツォンカパによって書かれ、グレン・マリンによって翻訳された「ナーローの六法」によれば、インドやチベットの文献にはそのような説話があふれているという。チベットではこの伝統がしばらく続き、導師《グル》はたいてい秘密厳守で、弟子たちに向かって何度もこの技を実践したとされる。

これもまた、ダウンロード可能な意識という考え方を思い起こさせる。もし、意識を別の肉体に投影できるなら、「意識」を構成しているのは物理的な要素だけではないに違いない。おそらく、物理的な要素の外に存在しているが、物理的な機械に読み込める、デジタル情報のようなものになるだろう。

第3章「ステージ9～10：AIとダウンロード可能な意識」でも触れたように、現代のテクノロジー業界に属するレイ・カーツワイルらは、意識を人工の機械に転送できる時点という意味での「シンギュラリティ」を待ち望んでいる。彼らは、もしかしたら注目する「機械」を間違えているのかもしれない。ナーローの六法は、ダウンロード可能な意識がすでに存在していることを示唆している。私たちは、意識を転送可能な生体機械（または生物）を開発（あるいは育成）すればよいだけである。

意識の転送に関する最も有名な物語のひとつに、訳経僧マルパ・ロツァワの息子の伝説がある。マルパが「訳経僧」と呼ばれるのは、実際に雪の地（チベット）からヒマラヤ山脈を越え、インドでナーローに学び、その教えをサンスクリットからチベット語に翻訳したからである。マルパがいなければ、ナーローの六法もおそらく失われていただろう。

伝説によれば、マルパの息子はこの七番目のヨガを父親から学んでいたという。ある日息子は、馬に乗っていて事故に遭い、首の骨を折ってしまった。そこで、意識転送と強制投影の秘法を使って自分の体を離れ、近くを飛んでいた鳩に意識を転送した。それから、鳩の体でインドのある町の郊外に到着し、亡くなったばかりの青年の体を見つけた。当時、火葬は富裕層だけが実践していたので、郊外に行けば死体はたくさんあったのだ。彼は再び強制投影を用いて、自分の意識を鳩から青年に転送した。

この若い体でティプパ（鳩の聖者）と名乗り、インドで六法を説くようになった。ここでおもしろいねじれが発生する。マルパの直接の弟子で、チベットのヨガ行者の中でも特によく知られている聖者ミラレパは、弟子のひとりを鳩の聖者ティプパのもとに送って、このヨガを学ばせている。もちろん、ティプパがこの秘法に関する、唯一の生きた達人だからだ。

この逸話から、意識のダウンロードは新しい考えではないことがわかる。長いあいだ、東洋の伝統の一部だったのだ。実のところ、夢の中でも一種のダウンロードは発生するが、宗教的伝統の中で最も重要な「ダウンロード」は、おそらく誕生（魂または意識のダウンロード）と死（体から「現実」世界へのアップロード）だろう。ここで、シミュレーション仮説と神秘的伝統に関する私の主張の次の部分に移行する。カルマと輪廻転生だ。

第9章

複数のライフと、ビデオゲームのクエストとしてのカルマ

ある人物が、フランスの王として地球に生まれ、一定期間、国を治めて亡くなる。生まれ変わった彼はインドの森の中を荷車で移動し、瞑想するかもしれない。次はアメリカで生まれ変わってやり手のビジネスマンになり、そこで夢を見て亡くなると、チベットで仏陀に帰依《きえ》し、一生を僧院で過ごすかもしれない。何か違いはあるだろうか？　それぞれの存在は、夢の中の夢ではないのだろうか？

――パラマハンサ・ヨガナンダ

複数のライフという考え方がビデオゲームの世界に入ったのは、東洋の輪廻転生と複数の生の教義よりもだいぶ後のことだった。ビデオゲームにおける「複数のライフ」という呼び方が、東洋の神秘的伝統における複数の生と何らかのつながりがあるかどうかは定かではない。

しかし、レンダリングされたゲーム世界の外に「プレイヤー」がいて、ゲームの世界に入って「キャラクター」を演じるというメタファーは、東洋の伝統に非常にぴったり合う。このメタファーでは、私たちが演じるそれぞれのキャラクターは、「世界の中」、つまりシミュレートされた

仮想世界で生きているようなものである。そして私たちは「仮想の人生」を生きるが、それはキャラクターの視点からは現実であり、かつ唯一の生なのである。もちろん、シミュレーション仮説と東洋の伝統でこのメタファーが有効である理由は、キャラクターの一部、つまりプレイヤーがゲーム世界の外にいるからだ。

この章では、シミュレーション仮説が、輪廻転生とその基礎となるカルマ（業《ごう》）のしくみについて、非常にうまく説明していることを見ていく。

複数のライフと、輪廻転生の教義

まず、東洋の伝統から詳しく見てみよう。輪廻転生は、ヒンドゥー教、仏教、ジャイナ教などインドの宗教の多くに共通する教義であり、さらに西洋にも信奉者がいる（古代ギリシアではプラトン、近代ではラルフ・ウォルド・エマーソン【訳注：19世紀に活躍した米国の思想家】をはじめとして多くの人物が挙げられる）。

古代サンスクリットをより忠実に翻訳すると、「生まれ変わり」や「移住」のような意味になるが、考え方は同じだ。それぞれの魂（あるいは、宗教色の薄い言葉を用いるなら「意識」）は複数の人生を過ごし、それぞれの人生で教訓を学び、カルマを達成する。

このプロセスの正確なしくみについては各宗教の中でも見解が分かれるが、死と生まれ変わりのサイクルが存在することについては、一致しているようである。仏教で輪廻転生を表すのは、

図28：伝統仏教による、輪廻転生の輪の表現(46)

終わりのない車輪――「命の車輪」、あるいは「サンサーラ」だ。「サンサーラ」はサンスクリットで「放浪」という意味であり、魂が多くの生を渡り歩いているようすを表す（図28に例を示す）。

輪廻転生の考え方と密接に関連しているのが、カルマの概念だ。カルマは、世界の中における自身の思考と行動の因果を軸とする。「カルマ」をサンスクリットから直訳すると、「行動」または「行為」となる。東洋の伝統宗教によれば、カルマを積むのは私たちの行為の結果である。カルマに関連するあらゆる行動は、植えて、育て、収穫する種のようなものである。したがって、カルマは未来の経験の源なのである。カルマがある限り、私たちはサンサーラを何周も回り、このカルマを解決するために今後の命と状況を作る。

カルマは、より現代的な言葉では因果律という。「カルマとは、個人の意図や行動（原因）が、その個人の未来に影響を与える（結果）という、因果律の霊的な原則をいう[47]」

カルマの種類に関する定義には幅があるが、目的は同じだ。カルマとは、現世あるいはそれ以前の世における過去の行動の結果を保存する場所である。この「保管庫」あるいは「情報バンク」を参照し、現在と未来の体験が作られる。メタファーとしての「カルマの神々」は、私たちがカルマを解決できるように、こうした未来の状況の作成を担当する霊的な生命である。この章では、カルマのしくみを実現するのに、超自然的な存在が必要かどうか、また、シミュレーションのモデルを用いて、同様のプロセスをアルゴリズムとAIで実現できるかを探る。

仏教によれば、人が生まれ変わる必要があるのは、カルマのためだ。カルマがなければ、生まれ変わる理由もない。例外は、他の者の進化を助ける、高度で進化した生命として生まれ変わることだ（チベット仏教では「トゥルク」と呼ばれる）。

カルマと輪廻転生の目的

輪廻転生の目的は何だろうか。ヒンドゥー教と仏教の両方において、その目的は「解脱《げだつ》」である。つまり、マーヤーの呪縛を打ち破って、終わりのない生まれ変わりのサイクルから解放されるのだ。本質的に、人生の目的とはカルマを乗り越えることだ。

仏教は、釈迦（ゴータマ・シッダールタ）の教えに基づいて紀元前6世紀から紀元前4世紀ごろにヒンドゥー教から派生した宗教だが、このプロセスを「悟り」あるいは「涅槃《ねはん》」と呼んでいる。

また、「目覚め」を通じてあらゆるものやカルマが相互にかかわり合っていることに気づき、最終的にはカルマを乗り越える。フリッチョフ・カプラは、『タオ自然学』で次のように述べている。

輪廻の悪循環を超越し、カルマの束縛から自由になり、完全なる解放状態、つまり、涅槃《ニルヴァーナ》に達することができるのである。（中略）ニルヴァーナはヒンドゥー教のモクシャに相当するすべての知的概念を超えた意識の状態であるため、それ以上の説明をこばむ。ニルヴァーナに達することは悟りをひらくこと、つまり仏の境地に入ることである。(48)**【訳注：『タオ自然学』（工作舎）から引用】**

生命の輪の目的が、終わりのない輪廻を乗り越えて脱出することであるのは明らかだ。これは、輪を回し続けているカルマを克服する道を見つけることでしか成し遂げられない。

アメリカの新宗教エッカンカーの創立者、ポール・トゥイッチェルは、自らの宗教を古代インドとチベットの慣習に基づいていると主張しているが、輪廻についてはこれらの伝統宗教と似た哲学を支持し、現代人がより飲みこみやすい形で表現している。「私たちは、社会に出る準備をするために、学校に通ってシミュレートされた体験をする子供のようなものです」(49)

シミュレーションとしての「学校」や「教室」のメタファーは説得力があり、シミュレーション仮説ともぴったり合う。

カルマはどのように保存され、人生の境遇を構成するために使われているか

ヒンドゥー教の聖典のひとつ、『バガヴァッド・ギーター』によれば、カルマは実のところ創造の力、あらゆる生命をもたらす力である。

東洋の伝統思想の多くは、カルマが生まれ変わりを引き起こしているという見解で共通しているが、カルマが実際にどのように機能し、新しい人生における境遇を生み出し解決するために使われているかについては、古い文献でもあまり詳しく説明されていない。カルマはどこに保存され、どのようにして命を吹き込むのだろうか。

著述家のトーマス・アシュリー＝ファランドは、著書『Healing Mantras』（未邦訳）で、次のように概要を述べる。

「人生を過ごしていくうちに、私たちが出会う人々や、経験する状況が、個々のカルマをトリガーし、解放し、活動させる。これが起こると、私たちには、カルマの特定の部分を片付けるための機会が与えられる(50)」

別の体の中にいるときに、同じ魂あるいは同じ意識と出会うことがある、という考え方は、輪廻転生とカルマの本質的な部分である。西洋人は、カルマについて、きわめて大ざっぱに考える。たとえば、ある人生でX氏がY氏を殺したら、Y氏は将来の人生で復讐する機会が巡ってく

る、といった形だ。カルマの法則が存在するなら、情報がどこかに保存され、Y氏がカルマを解決できる状況が将来の人生で作成されることになるだろう。

カルマを解決するための状況の作成には、どのような意味があるのだろうか。これは、将来の人生において、これら二人の人物がかかわる、特定のゴールに拘束された状況またはやりとりになるだろう。章の後半では、この点について、ビデオゲームとクエストという視点から検討する。

輪廻転生の理論モデル

前述のように、ヒンドゥー教、仏教、その他の東洋の宗教の標準的な教義では、輪廻転生の内容に違いがある。しかし、これらの違いにかかわらず、生まれ変わりの全体的な構造、目的、しくみは、こうした宗教間で驚くほど一致している。

こうしたさまざまな宗教からモデルの標準的な部分を引用して作成した、輪廻転生や移住のしくみの一般的な理論モデルを図29に示す。

これを詳しく検討すると、ビデオゲームのしくみとの対応が見てとれる。ビデオゲームと同様に、1つの「生」(ゲームなら「ライフ」)が終わると、そこから教訓を得て、もう一度世界に戻ってプレイできる。東洋思想によるモデルでは、継続的なシミュレーションに異なるキャラクター、異なる人格で参加する。ただし、以前の人生の足跡がついて回る。これがカルマだ。この情報は

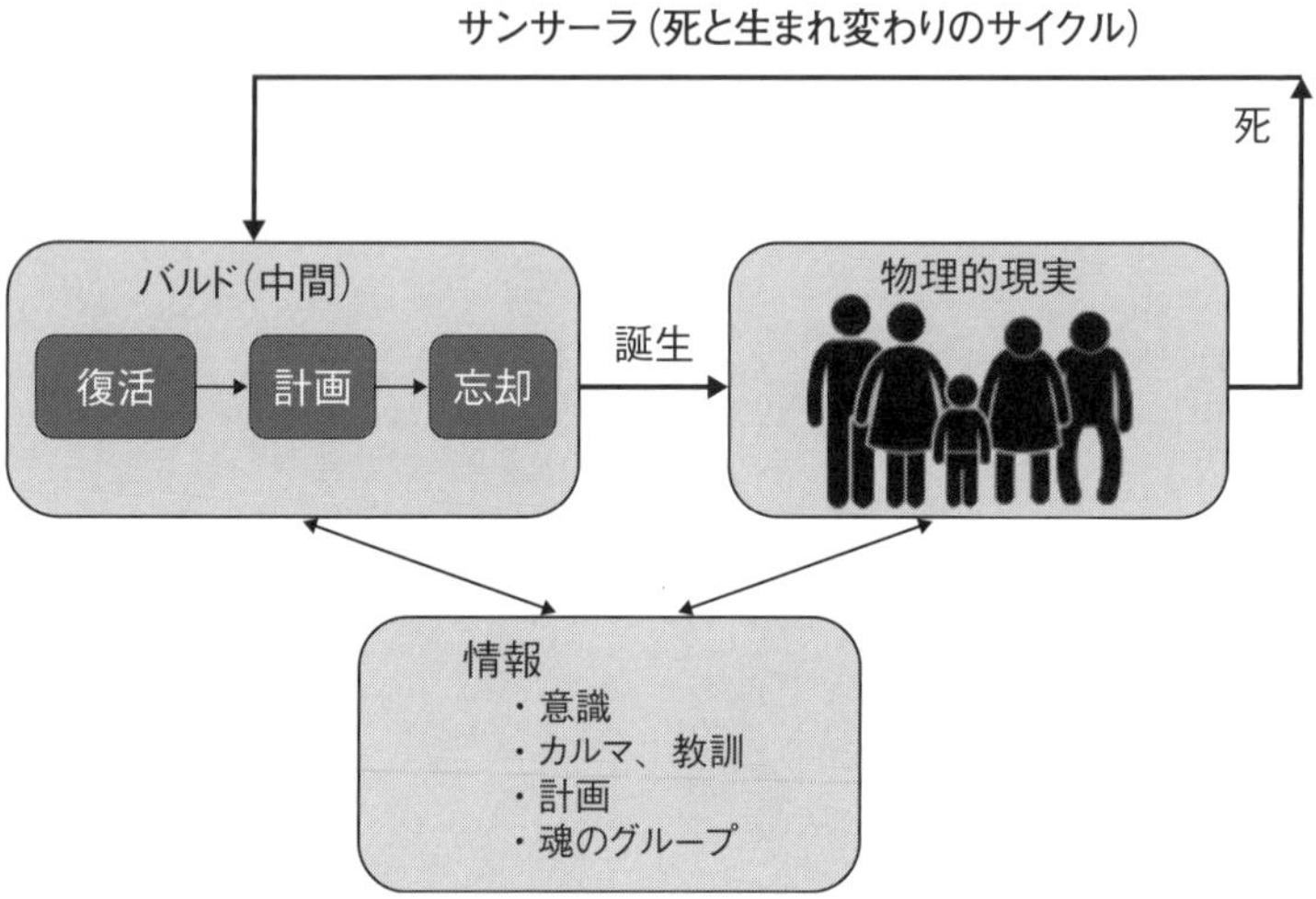

図29：輪廻転生とカルマの理論モデル

常についてきて、新しい人生における経験の基礎になる。この理論モデルに対しては、コンピューターサイエンスの分野でよく聞く2つの質問をする価値があるだろう。

1．どんな情報が、どこに保存されているか？

2．情報はいつ、どうやって使用または処理されるか？

東洋の宗教の文脈では、これらの問いには多くの答え方がある。情報がどこに保存されていて、「現世」でどのように用いられているかは、暗示されてはいるが、あまり詳しく説明されているわけではない。

『Healing Mantras』で、アシュリー＝ファランドは、カルマは実際には人間の肉体、あるいはそれに対応する目に見えない「サトル体」（微細体）に保存されていると述べる。これは一種の分散型アーキテクチャであり、何十億もの魂がそれぞれのカルマを管理していると考えると筋が通る。

一方、外部に情報の貯蔵庫《リポジトリ》があるとしている文献もある。実際、この貯蔵庫は、レンダリングされた世界の外にあるという。これは「アカシックレコード」と呼ばれ、カルマだけではなく、過去世におけるできごとをひとつ残らず保存している。トウィッチェルによれば、「これらの魂の記録は、過去世の身体的、霊的、そして因果関係的な面で構成される」という。[51]

意識の明確な定義はないが、意識のダウンロードの概念が存在することは明らかだ。現代のカーツワイルらが、意識を脳からシリコン製の装置にダウンロードできると信じるように、輪廻転生の考え方を開拓した東洋の神秘家たちも、「あの世」（バルド）から、生きた体に意識をダウンロードできると信じていた。

では、体から体へ実際に移動しているものは何だろうか。これも議論の的になっている。ダライ・ラマの通訳も務めた有名な仏教僧、マチウ・リカールは、仏教徒の視点から、この「意識」の定義を解説する。

意識が通る一連の状態は（中略）、電波のようなものにある程度なぞらえることができる。情報を伝達するが、そのものには形はない。人の未来は、この波の変化にかかっている。（中略）私たちの意識の波の連続体には、現世と過去世で体験したことがすべて、無限に複雑な網の中に含まれている……（後略）[52]

この波は、いったいどのようなものだろうか。私たちの意識の波に、情報――未来の経験の礎となる、これまでの人生経験――が含まれていることは明らかだ。コンピューターサイエンスでは、情報を保存して電磁波として送受信する。これは仏教徒の説明に驚くほど似通っている――つまり、意識は情報の一種である、ということだ。

ヒンドゥー教と仏教における輪廻転生の教義でひとつ大きく違うのが、個人の魂の存在である。仏教では、輪廻転生するものは魂ではなく、因果だ。あるいは、カルマの詰まった袋と考えても構わない。これは、輪廻転生する意識に伴う情報に相当するだろう。

ヒンドゥー教では、西洋の宗教と似た「魂」の概念があり、魂が複数の人生を通じて教訓を得て、最終的な解脱を目指す。これは「魂」の定義にかかわる根本的な違いではあるが、本書の目的上は、「魂」という言葉で両方のシナリオを表す。すなわち、実体として存在する不滅の魂と、「カルマの袋」に関連付けられた一時的な存在としての魂だ。

現代のビデオゲームの機能

モデルに深入りして、シミュレーション仮説の文脈におけるカルマと輪廻転生を検討する前に、本書の議論に関係する、現代のＭＭＯＲＰＧ（マルチプレイヤー・オンライン・ロールプレイングゲーム）の基本的な機能をもう一度振り返ろう。

■複数のライフ、キャラクターのロールプレイング

現代のビデオゲームでいち早く導入された概念のひとつが、複数のライフだ。この概念が登場したのは、当初は経済的な理由だった。ゲームセンターで25セント玉を1枚入れると、『パックマン』や『スペースインベーダー』の「ライフ」が何個か買える、というしくみだ。

やがて、ゲームを始めるたびに最初からやり直すのは面倒だということになった。RPG（ロールプレイングゲーム）ではなおさらだ。RPGでは、『ダンジョンズ&ドラゴンズ』（D&D）などのテーブルゲームでもイメージされているように、属性（体力、強さなど）、種族（エルフ、ドワーフ、人間など）、職業（盗賊、魔法使い、戦士など）によって、キャラクターを定義する。当初、これらの属性は、紙の「キャラクターシート」に記録し、キャラクターの「レベルアップ」に伴い随時更新していた。RPGの本質は、プレイヤーがキャラクターの役割（ロール）を演じ（プレイし）、そのキャラクターが複数回のゲームプレイにわたって維持されるところにある。

キャラクターの定義には、生い立ちや性格を伴うこともあるが、一般的には服、武器、アイテム、そして最も重要な要素としてスキルが含まれる。たとえば魔法使いならレベルアップに伴い高度な呪文を覚えるかもしれないし、戦士ならクロスボウのような新たな武器の扱い方を習得するかもしれない。

RPGからMMORPGへの移行に伴い、複数回のゲームプレイにわたってキャラクターが維持されることはますます揺るぎない重要な機能になり、キャラクターの外観もさらに大切な要素になった。『セカンドライフ』や『ワールド・オブ・ウォークラフト』などのゲームが登場する

と、キャラクターが所有する大量のアイテムや、達成度、バックストーリーが記録されるようになった。ゲームのキャラクターは仮想の命を持つようになった。情報は、フレンドやアイテムの一覧とともに、レンダリングされた世界の外に保存される。

■プレイ状態――オンライン、リアル、離席

プレイヤーがログインしていないとき、キャラクターはどうしているのだろうか。

ほとんどのゲームでは、キャラクターは世界の中にレンダリングされてはいない。それでも、キャラクターはどこかに存在している。これは、正確にはどういう意味なのだろうか。レンダリングされた世界の外のどこかに（一般的にはクラウドサーバーに）、キャラクターとゲーム状態についての情報が保存されているということだ。

これは、東洋の伝統思想とビデオゲームの重要な対比となるので、後でもう一度言及する。ビデオゲームにおいて、プレイヤーキャラクターを表す情報はどのようなもので、どこに保存され、アクセスされるのだろう。プレイヤーやアカウントに関する情報、プレイしているキャラクター（アバター）、キャラクターの属性や所有物、クエストやアチーブメントの進捗状況などはすべて、プレイヤーキャラクターに関する独立したデータだ。

ログインしているがキーボードの前にいないプレイヤーは、離席中（AFK＝away from keyboard）とみなされ、一般的には他の人がやりとりしないようにアバターが特殊な状態で表示される。ゲーマーたちは、互いにやりとりする際に、便利な頭字語をたくさん開発した。ひとつは「ＩＲ

L」。これは「in real life」（現実生活では……）の略で、キャラクターではなくプレイヤー本人の情報を聞いたり、伝えたりするときに使う（日本語では「リアル」などという）。

MMORPGにログインしていないあいだも、他のプレイヤーはログインしていないプレイヤーのキャラクターとコミュニケーションを取ることができる。たとえば、ログインしていないプレイヤーにプライベートなメッセージを送ると、そのメッセージはキューに保存され、そのプレイヤーが世界に再びログインしたときに読むことができる。このメッセージはどこにあるのだろうか。これらもレンダリングされた世界の外にあるが、ビデオゲームのサーバーによって扱われているので、ビデオゲームの一部である。

■ビデオゲームにおけるクエストとアチーブメント

ほとんどの高度なビデオゲームには、プレイヤーが次にやることの指針となる「クエスト」（課題）や「アチーブメント」（達成項目）が用意されている。たいていは、「オークと戦って勝つ」、「家を建てる」、「宝の地図を見つける」などの具体的な行動である。

クエストは、ゲームによってはシンプルだが、複雑なミッションを伴うゲームもある。『セカンドライフ』のような仮想世界の重要な問題のひとつは、あまりに自由度が高いことであった。何をしてもよいと言われると、新しいプレイヤーは次に何をすればよいのかわからなくなるのだ。『ワールド・オブ・ウォークラフト』では、最初にキャラクターを設定すると、頭の上に「！」マークの付いたNPC（ノンプレイヤーキャラクター）がいて、次にやることを与えてくれる。

毎日やるべきアチーブメントを用意しているゲームもある。クエストやアチーブメントは、ゲームを始めたばかりのときには単純な箇条書き程度でも、やがて複雑化し、ツリー状の構造に成長していく。たとえば、クエストに前提条件が課されることがある。「ゴブリンの地図を見つける」をクリアしなければ「ゴブリンの王を倒す」ことはできない、というような状況だ。他のクエストに結果を持ち越すクエストもある。

それでも、こうしたツリーはたいていすべてのプレイヤー向けに、汎用的に作成されている。どのゲームも、いずれかの時点で現在のプレイヤー（キャラクター）のクエストやアチーブメント一覧を保存する。こうした一覧には、プレイヤーが達成したクエストと引き受けたクエストが表示される。クエスト一覧は、クエストエンジンによって管理される現在の達成度一覧のようなもので、用意されているすべてのクエストの一部である。

この後、東洋の伝統思想における輪廻転生とカルマについて考える際に、クエストやアチーブメント、つまりプレイヤーがゲームプレイ時に達成・習得する必要のあるタスクの概念が、シミュレーション仮説のメタファーと実によく結びつくことを見ていく。

シミュレーション仮説
——カルマに基づくビデオゲームモデル？

カルマと輪廻転生について先ほど説明した情報モデルは、ビデオゲーム風のシミュレーション世界が、東洋の神秘思想家の説明に対する優れたメタファーになることを示すだけではない。実際、シミュレーション仮説は、ヒンドゥー教と仏教で表現されている世界観の科学的根拠となる可能性がある。

プレイヤーが席についてビデオゲームのキャラクターを演じるように、意識もシミュレーションの外部にある「基底現実」から転送され、何らかの手段で人工的に生成された体にダウンロードされる。このキャラクター（ビデオゲームではアバター、現実世界では身体）の性質はプレイヤーが選択する。家族関係、人種なども選択し、それらがDNAに書き込まれる。キャラクターとプレイヤーは、このシミュレーションにおいて、キャラクターの命が尽きるまで関連付けられる。

では、ゲームをプレイする目的は何だろうか。

教訓を学ぶことかもしれないし、競技に勝つことかもしれない。ビデオゲームでは、クエストやアチーブメントは、RPG設計の土台である。プレイヤーキャラクターはクエストを引き受け、その際に、一連の経験を積むことに同意する。そうした経験は、ある程度困難を伴う場合もある。クエスト中、プレイヤーはキャラクターのアイテムを集めたり、友人や敵を作ったりするかもしれないが、最も重要なのは経験を積み、「レベルアップ」することである。同じように、別の人生をプレイする目的は、長い時間をかけて蓄えてきたクエスト（あるいはカルマの記録）をクリアすることだ。こうして、自分のカルマによって選ばれた、何らかのマップあるいはクエストやアチーブメントのツリーに従って、経験が蓄積され、キャラクターがレベルアップする。

私たちが現在知っているビデオゲームでは、プレイヤーが達成できるクエストやアチーブメン

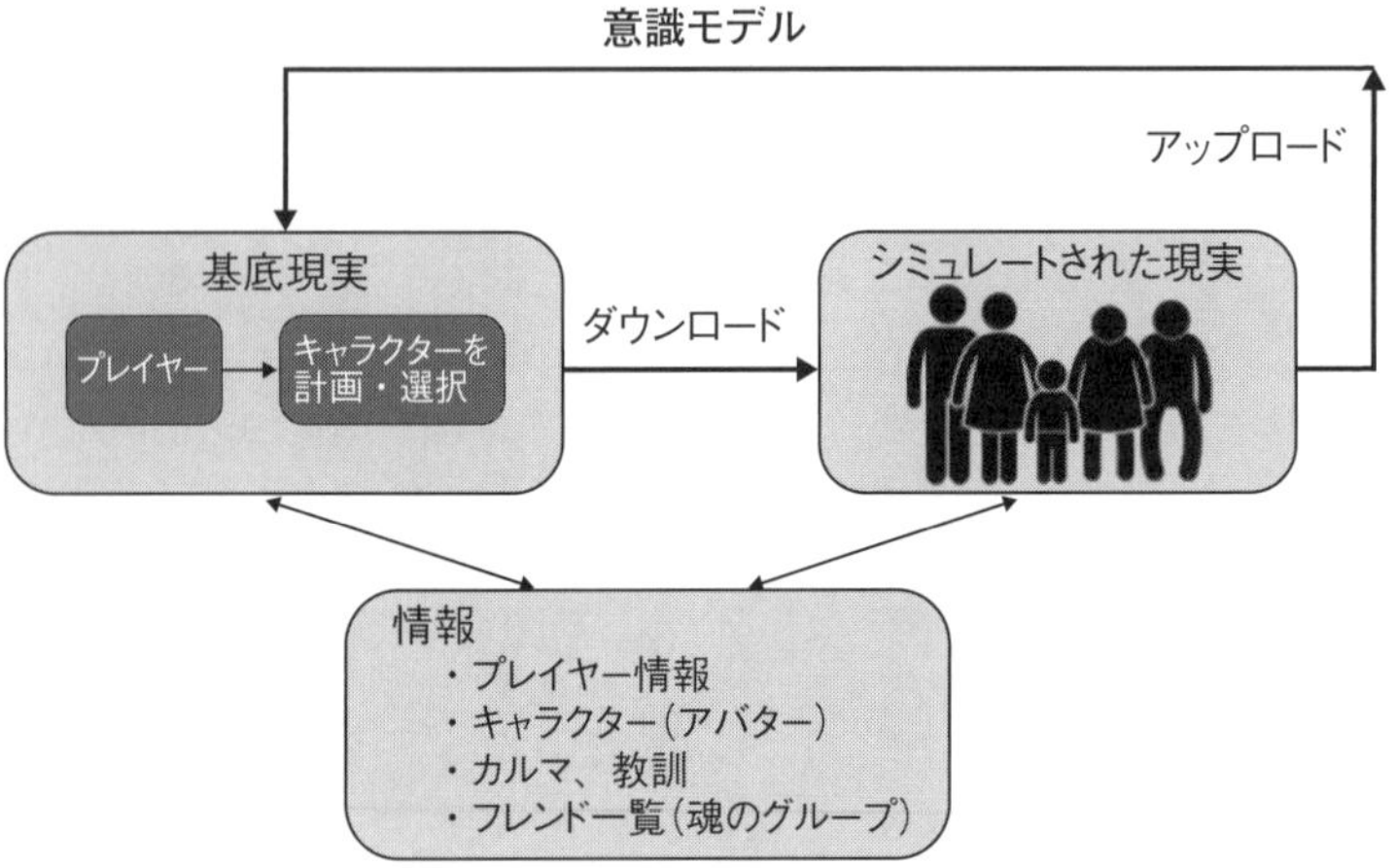

図30：シミュレーション仮説における意識とカルマのモデル

トの数は限定されている。しかし、プレイヤーの数だけクエストやアチーブメントがある、もっと高度なゲームを思い描くことはできる。

この理論上のゲームは、レンダリングされた世界の外にあるクラウドサーバーに、プレイヤーが達成済みのクエスト、まだ引き受けていないクエスト、そして最も重要な点として、他のプレイヤーと約束した将来的なクエストを記録しておく必要がある。いわば、クエストの元帳だ。

元帳は一元化されているかもしれないし、分散しているかもしれないが、いずれにしても基本的に、ビデオゲームにおけるプレイヤー（そしてプレイヤーのキャラクター）のカルマに相当するものになるだろう。プレイヤーのカルマは、複数の人生にわたってプレイヤーが引き受けて「クリアする」必要がある可能性のある教訓や功績になると思われる。一方で、キャラクターのカルマは、そのキャラクターの人生のあいだに解決しなければならない。

地球には現在70億人が住み、さらに他の世界や魂も多数存在すると考えられる状況で、これほど複雑なシミュレーションでデータを格納、処理する要件は、現在までに開発されたいかなるビデオゲームの範疇も超えてはいるが、理解が及ばないことではない。

図30に、このモデルについて考えられるしくみを示す。図29（P280）に示した輪廻転生の理論モデルと驚くほど似通っていることがおわかりいただけるはずだ。

クエストとシミュレーション仮説

ここまでの各章で説明したとおり、ほとんどのビデオゲームはゲームループ、物理演算エンジン、レンダリングエンジンを備えている。さらに、高度なMMORPGはクエストエンジンも搭載している。これは、ゲームの世界でプレイヤーがたどる道を定義する（ただし、必ずしも「クエスト」と明確に定義されているとは限らない）。『セカンドライフ』のような仮想世界には無限の可能性があるという幻想を抱きがちだが、実のところ、ゲームにあらかじめ定義され、クエストエンジンによって許可されていること以外は実行できない。

私たちの理論上のビデオゲームでは、キャラクターが次のクエストを選ぶプロセスは、現代のビデオゲームよりも複雑になる。しかし、この「クエスト生成エンジン」が、カルマを達成するために現実が生成されるという東洋の伝統思想と、現在すでに実現されているビデオゲームのしくみを結びつけるという、困難な役割を果たす。

現代のビデオゲームでは、クエストやアチーブメントは、ゲームが完成したときにすでに定義されている。

プレイヤーがクエストを引き受けると、プレイヤーの（より正確に述べれば、キャラクターの）クエスト一覧に表示される。マルチプレイヤーゲームでは、グループで取り組んで共通のゴールを達成するようなクエストもある（ボスキャラクターを倒す、宝を見つけるなど）。

これは、東洋の伝統思想において、カルマと因果の法則に従って、人間が役割を演じるための場であるリーラが用意されることと、驚くほど似たアプローチとなっている。プレイヤーは時間をかけて複数の人生をプレイすることで、スキルを習得し、ゲーム世界への理解を深めることができる。その後、プレイヤーのカルマに基づいて、クエストとアチーブメントが選択される。プレイヤーがさらにカルマを生成するたびに、その後のクエストが確定する。東洋思想では、人は生まれ変わりを通じて何度も同じ人に逢うという。カルマに規定された「運命の友」がいるのだ（これは実際の友人である場合も、そうでない場合もある）。

しかし、本書で仮定する〈グレート・シミュレーション〉のような高度なゲームでは、汎用のクエストデータベースだけではなく、プレイヤーごとの達成度の一覧（キャラクターがこの人生において達成すべきタスク）と、過去のカルマの保存領域（他のプレイヤーとかかわるクエストやタスクとも解釈できる）も、あわせて管理する必要がある。

カルマを生成するためのクエストエンジン

図31（次ページ）に、シミュレートされた現実におけるカルマエンジンとして機能するクエストジェネレーターについて考えられるしくみを示す。

まず、現代のあらゆるビデオゲームと同様に、あるシーンにどのキャラクターがいるかを確認する。図では、キャラクターX1、X2、X3が近くにいることがわかる（以下「現在のシーン」と呼ぶ）。これらのキャラクターはもちろん、プレイヤーA、B、Cがプレイしている。各プレイヤーは以前のライフから保存されたカルマを引き継いでおり、またこのライフで達成すべきタスクが割り当てられている（クエスト一覧）。

クエストエンジンは、プレイヤーAとプレイヤーBのカルマ一覧をスキャンして、カルマ的負債、あるいは二人のカルマ的利益（あるいは、現実世界での協力関係の解釈によっては、損害）となるやりとりがあるかどうかをチェックする。

カルマ的負債は、東洋思想における異なる「人生」に由来している可能性があるが、それでもプレイヤーAとプレイヤーBに関連していることは変わりない（もっとも、今はプレイヤーキャラクターX1とX2をそれぞれプレイしているかもしれない）。インテリジェントなアルゴリズムを使用し（間違いなく複雑なものになるだろうが、ルールを集めたものである以上はコンピューターのコードで管理できるだろう）、クエストエンジンはクエスト候補を生成する（図31の右側に示す）。

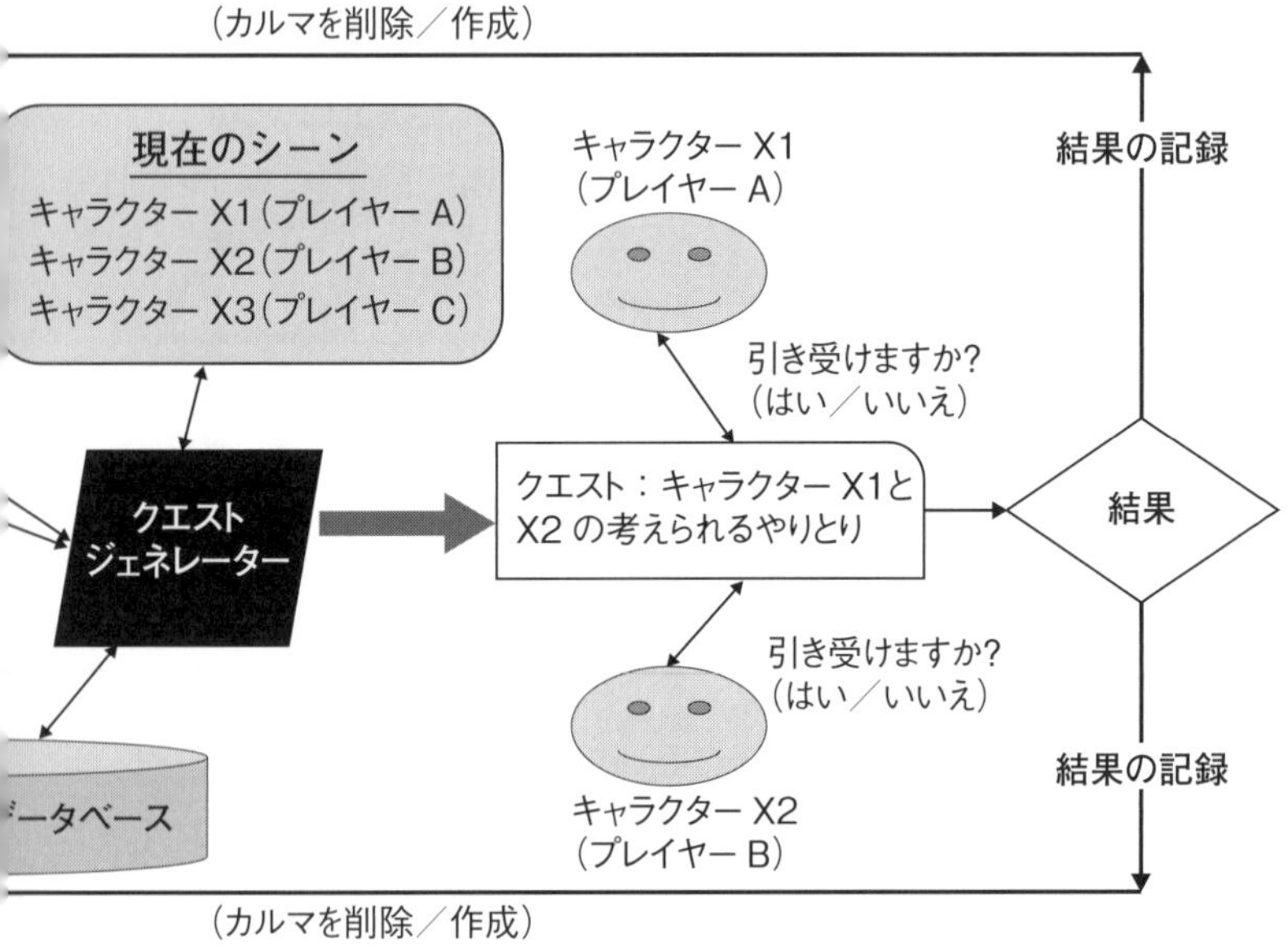

図31：カルマに基づくクエスト生成エンジン

次に、クエストエンジンはキャラクターX1とX2に、クエスト候補を提示する。キャラクターはこれを引き受けることも、拒否することもできる。両方のキャラクターがクエストを引き受けた場合、以前のカルマ（現世のものである場合も、前世以前のものである場合もある）によって規定された状況が生成され、現世で新たなやりとりが生まれることになる。

このやりとりは、友情、暴力の応酬、性的関係、互いの考えの気軽なやりとりなど、さまざまなケースが考えられる。東洋思想では、こうしたやりとりによって、プレイヤー間にさらなるカルマが生まれることもあれば、古いカルマが解決することもある。

この理論上のクエストエンジンで

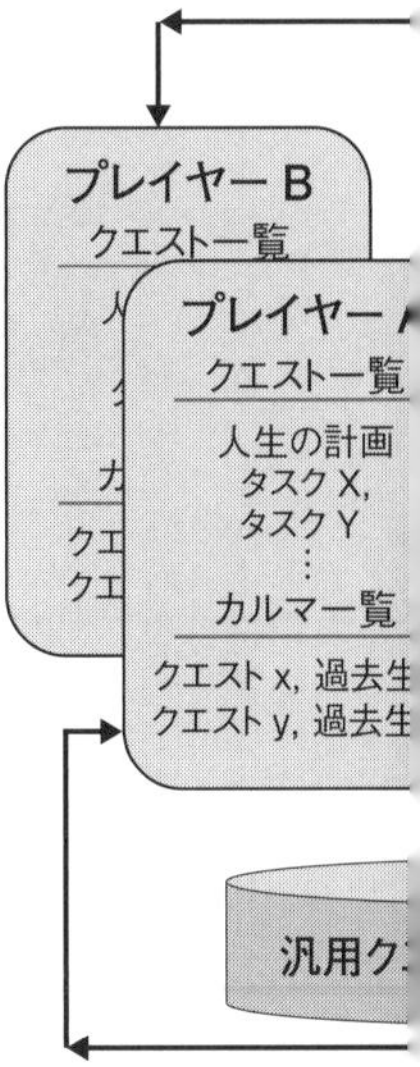

は、クエストの結果が保存され、プレイヤーAとプレイヤーBのクエスト一覧に記録される。これは、図の右側からプレイヤーのクエスト一覧に戻る矢印で表される。

このフィードバックが、過去のカルマの解消（条件が満たされた場合）や、新しいカルマの作成につながる。カルマが未来の行動の源となり、キャラクターX1とX2の両方の状況や、今後のライフで他のキャラクターに宿るプレイヤーAとBの状況によって、現世または来世で満たされる必要が生じる。

仏陀の終わりなき輪廻はアルゴリズムなのか

このシナリオでは、仏陀のいう終わりなき輪廻とは、ゲーム内で生成されたカルマを保存し、その後のゲームプレイセッションで、近くにいるプレイヤーとの過去のカルマ（因縁）という条件を満たすため、絶え間なく新たな状況を生成するコンピューターアルゴリズムである。「カルマの神々」は、数十億人のプレイヤーを追跡し、レンダリングされた世界の中におけるプレイヤーの位置に応じて人生のクエストを動的かつリアルタイムに生成する機能を備えた、高度なAIだということになる。プレイヤーの組み合わせは非常に多いため、同じ人と二度と会うこともなくいくつもの人生を過ごすこともあれば、同じグループと何度も何度もかかわることもあるだろう。

このクエストエンジンの理論モデルを公開した後、ある賢明な読者から、既存のカルマすべてを同じプレイヤーが消化する必要がないのではないか、という質問をいただいた。たしかに、プレイヤーAがプレイヤーBとのカルマを蓄積し、そのカルマをプレイヤーCとの交流で解決することもありうる。これによってさらに複雑にはなるが、同じクエストエンジンの枠組みが有効であることには変わりない。このケースにおける「クエスト候補」は、プレイヤーBではなく、プレイヤーAの近く（同じシーン）にいるプレイヤーCとの縁に基づいて生成される。これにより、カルマの生成と解決の両方が、他の方法よりもずっと簡単に行える。

MMORPGと、シミュレートされた現実のモデルのあいだのひとつの違いは、MMORPGのプレイヤーはプレイを一時的にやめられることだ。ログインしながら「離席」することもできるし、ログインしなくても構わない。東洋の伝統思想の多くや、それを現代風にアップデートしたニューエイジ思想では、意識が含まれるサトル体は、私たちが眠っているあいだに肉体を離れると信じられている。これは、「離席」と同じだろう。これは、夢における多くの未解明要素についての神秘思想家の説明と重なる――夢とは、死者や天使、その他レンダリングされた世界にいない者との対話だというのだ。

以上のように、東洋の伝統思想である輪廻転生とカルマにおける情報の保存と処理の理論モデルは、シミュレーション仮説と驚くほど一致する。実際、これらを実装する唯一の方法は、意識をダウンロードすることでその一部となれるような一種のシミュレーションであると考えられるかもしれない。

もしそうならば、シミュレーション仮説は、ヴェーダで述べられている幻術《プレイ》である「リーラ」の概念と、シェイクスピアの有名な一節「この世はすべて舞台で、男も女もその役者《プレイヤー》にすぎない」に、新たな意味合いを与えてくれることになる。

第10章

未解明の領域

——神、天使、臨死体験、UFO

ＭＩＴ時代に、科学について私が学んだ最も重要な教訓のひとつは、科学とは現実を正確に説明するためのものではなく、一定の条件下で現実を近似することのできる、実用に耐えるモデルを考えるためのものである、ということだった。モデルは信頼できるもので、既存のデータに適合しなければならない。しかし時折、観測したデータが既存のモデルに当てはまらないと気づくことがある。その場合は、新しいモデルが必要になる。

たとえば、18～19世紀の科学者が宇宙の誕生や星の燃焼を説明しようとしたら、さぞ困惑することだろう。当時は、原子核、周期表、核融合と核分裂、ブラックホールなどが含まれるモデルや説明がなかったからだ。科学者たちはこうした不思議な現象を説明できるように、物理的世界のしくみに関して、より優れたモデルを作らなければならなかった。優れたモデルによって、説明不可能な現象が説明可能になったのだ。

先ほども述べ、ここでもまた繰り返したいのは、より優れたモデルが登場したら、科学界は新しいモデルを探求しなければならないということだ。

ここまでの数章で、シミュレーション仮説が提示するモデルは、現代物理学の多くの不思議な発見を説明するうえで、従来より優れていること、さらには東洋の神秘主義者による古くからの教えにも科学的根拠を提示することを見てきた。

しかし、これで終わりではない。この章では、西洋の宗教にみられる概念である天使、死後の世界、神といった概念に加え、臨死体験、体外離脱（OBE）、シンクロニシティ、さらにはUFOといった、未解明の超自然的体験を引き合わせる。いずれも、唯物論的世界観とは折り合いがつかない。これらはいずれも現代の科学的モデルでは説明できないだけではなく、ほとんどの科学者は近寄らない。かかわったら仕事がなくなると思っているか、そこまでいかなくても「疑似科学」として切り捨てている。

この章では、シミュレーション仮説のレンズで眺めれば、情報と計算というふたつの概念が、主流の科学では説明できなかった、あるいは無視されたいくつかのことがらに科学的根拠を提供できることを示す。物理的現実がコンピューターで生成されている（すべての裏に情報とコンピューターによる計算がある）という考え方を検討することで、これらすべての不思議な現象に対し、より優れたモデルを発案するだけでなく、宇宙のしくみに関する宗教的な考え方と科学的な考え方の橋渡しとなることもできる。

神と天地創造

東洋の宗教と、それらを生んだ神秘的伝統は、私たちを取り巻く物理的現実が実のところ一種のシミュレーションであるという考え方を強く支持しているが、この考え方は西洋と中東で主流となっている、いわゆる「アブラハムの宗教」（ユダヤ教、キリスト教、イスラム教）にどのようになじむのだろうか。

これらの一神教の主な焦点は、「創造主」である唯一神の存在である。イスラム教ではアッラー、ユダヤ教ではエホバと呼ばれる。神は壮大なテーマで、本書の一節で触れるにはおそらく大きすぎるが、ここでは、天地創造、天使など神の言葉を伝える者への指示、人の行動に対する判断、祈りへの傾聴、そして、死後の世界、すなわち天国あるいは地獄への振り分けなど、神が各宗教で果たす役割を検討する。そうすることで、これらすべてを実現するしくみを説明する優れた基礎モデルをシミュレーション仮説が提示できる可能性を探る。

これらの宗教の信者は「啓典の民」とも呼ばれる。啓典とは、ユダヤ教とキリスト教なら旧約聖書と新約聖書、イスラム教ならコーランである。各宗教の啓典や口述による伝統にどのようなメッセージが込められているかを詳しく見ていく。

創世記第1章第3節では、世界の始まりはこのように書かれている。

「神は仰せられた。『光、あれ。』すると光があった」【訳注：『旧約聖書　新改訳2017』から引用】

創世記によれば、神はこの後6日間かけて世界を創り、7日目に休息をとったという。多くの科学者は、これほど短い期間に世界を創ることのできる創造主が存在するという考え方を退けているが、シミュレーション仮説の視点を取り入れれば、結局はそれほど非合理的ではないかもしれないとわかる。

コンピューターによってプログラミングされた現実が実体化するまでにどの程度の時間がかかるだろうか。プログラミングがすでに完了していれば、わずか数秒かもしれない。しかし、ここで「計算既約性」の考え方に戻ると、複数のステップにわたって実行されるコンピュータープログラムで創らなければならないものもあるだろう。ビデオゲームのプロシージャル生成にはこれが当てはまるが、私たちが住む物理的現実についても同様に当てはまるかもしれない。宗教的な視点を信じるならば、この世界が6クロック単位のあいだに創られたということは十分に考えられるだろう（6「日」間というのは語弊がある。地球は物理的宇宙の一部だが、聖書に書かれている「日」が地球における日数に相当するとは限らないからである）。さらに、天地創造にコンピュータープログラムを用いるには、電磁信号が必要になる（言い換えれば、光だ）。したがって「光あれ」も文字どおりの真実であることが判明するかもしれない（！）。

現代の科学者には無神論者が多いが、過去には必ずしもそうではなかった。ニュートンもアインシュタインも、著作の中でしばしば神について語っている。学術界にシミュレーション仮説の考え方を初めて広めたオックスフォード大学のニック・ボストロムは、シミュレーションの中にいるという推測によって、そのような科学者の一部は認識を改めるかもしれないと述べている。シミュレーションの「外側」にいる生物は、内側にいる生物の限られた世界観からは「天使」や「神」に見えるに違いない。シミュレーションの「外側」にいるのは誰か、というテーマについては、シミュレーション仮説に隠された意味を検討する最終章でもう一度取り上げる。

しかしここでも、「情報と計算としての物理的宇宙」というモデルを採用すれば、唯物論的な物理的宇宙モデルを採用するほとんどの科学者には笑われるような、科学で説明できない各種の概念に、合理的でほとんど科学的ともいえる説明を提供できる。

神と死後の世界

さて、西洋の各宗教が死後の世界をどのように見ているかを検討していこう。これらの宗教の主要な宗派では、輪廻転生の概念は支持されていない。しかし、死後の世界の概念はあり、考えようによっては西洋の宗教の中心的教義ともいえるかもしれない。

カルマも明確に定義されているわけではないが、「まいた種は刈らねばならない」（これは聖書の引用だ）ことは信じられているし、魂の最終的な安息の場所は、地球での善行と悪行などに基づいている。

■イスラム教の死後の世界と最後の審判

イスラム教では、死後の世界を預言者ムハンマドが用いていたアラビア語で「アルアーヒラ」という。ざっくり訳すと「将来」のような意味だ。

死後の世界を信じることは、ムスリムが信じるべき6項目（六信）のひとつと考えられている。アルアーヒラは、現世、言い換えれば私たちが住む物理的世界である「アルドゥンヤー」と比較される。イスラム教では、地球での人生は一時的なもので、人がどのように生きたかを神が判断する最後の審判に備えた試練の場、あるいは試験である。

イスラム教における最後の審判の日は「キヤマー」と呼ばれ、アッラーによって、人の魂は善行や悪行に基づく判断を下される。天国は「ジャンナ」（「庭」の意味）と呼ばれ、牛乳と蜂蜜の川が流れているという。イスラム教の地獄は、業火の地「ジャハンナム」だ。ここには、善行より悪行のほうが多かった人や、イスラムの「真の信仰」を拒否した人が行く。

審判の日には何が起こるのだろうか。イスラム教によれば、天使のラッパが鳴り響くと地球上の山々が破壊され、死者が蘇生されて審判を下される。それぞれの人間には、善行と悪行を記録した「行動の帳簿」がある。また、人間は必ずしも善行や悪行やその影響をすべて自覚しているわけではないため、審判の際に帳簿の内容を示される[53]。その際、帳簿が読み上げられるだけではなく、それぞれの行動が周囲の人にどのような影響を与えたかを、映像のように示されるのだという。この章で何度か振り返ることになる「ライフレビュー」の最初の例である。「ライフレビュー」は、シミュレーション仮説の文脈ならはるかに理解しやすい。

ここで考えてみよう。天国や地獄があるのなら、それは私たちが住む物理的世界のどこにあるのだろうか？　そして、行動の帳簿があるのなら、それはどこに記録されているのだろうか？　私たちが住む世界ではないのは間違いない。あれば目に見えるはずだからだ。

物理的世界（あるいはレンダリングされた世界）にいるあいだ、人間の行動とその結果の記録を取る、という考え方は、先ほども取り上げている。ビデオゲームのクエスト一覧とキャラクタースコアカードだ。実際の記録は、レンダリングされた世界の外にあるクラウドのどこかに保存されていて、私たちには見えないが、キャラクターにはリンクされている。これは、東洋の伝統思想において、「プレイヤー」（本来の魂）とその「キャラクター」（この世界における姿）に対する「カルマ一覧」が保存されているのと似たような状況だ。

「プレイヤー」の行動だけではなく、ゲーム内におけるその影響についても、誰かが見ていて「スコアをつけている」ということについて、シミュレーション仮説は最も優れた答えを提示してくれる。カルマとスコアカードについては前章で触れたが、イスラム教はさらにはっきりと、私たちは最後の審判で自らの行いを「見せられる」としている。これは、人生とその影響の「リプレイ」、あるいは「ライフレビュー」に相当する。ゲームのプレイを録画し、終了後に映像を確認して、うまくできたこととできなかったことを振り返る習慣は、現代のゲーマーにとっては一般的だ。MMORPGにおいても、それは変わりない。

■キリスト教とユダヤ教

キリスト教における死後の世界の働きは、宗派によって若干の違いがある。罪と赦《ゆる》しに重点を置くキリスト教の死後の世界は、重要な違いもあるものの、イスラム教と多少は似ている。

審判に基づいて天国または地獄へ行く魂については、カトリック教のカテキズム（教理問答書）で明確に説明されている。

「人は死の直後に、不死の魂の中で永遠の審判を受ける（中略）清めを通じて天国の幸福に入るか、即時、永遠の断罪を受けるかのいずれかとなる(54)」

カトリック教会は、煉獄の概念も導入している。これは、魂が死後にたどりつく第三の場所だ。煉獄とは、魂が天国に受け入れられる前に必要な、清めの状態のことである。東方正教会（ローマカトリック教会との分裂により、キリスト教史における初めての大規模な分派となった）では、煉獄を明確に定めてはいないが、魂の「中間地点」の概念は認識しており、それをギリシア神話の冥界の神から「ハデス」と呼んでいる。

キリスト教における「行動の帳簿」はイスラム教ほど明確ではないが、よく似た概念はある。新約聖書には次のように記されている。[55]

また私は、死んだ人々が大きい者も小さい者も御座の前に立っているのを見た。数々の書物が開かれた。書物がもう一つ開かれたが、それはいのちの書であった。死んだ者たちは、これらの書物に書かれていることにしたがい、自分の行いに応じてさばかれた。（「ヨハネの黙示録」第20章第12節）

私たちはみな、善であれ悪であれ、それぞれ肉体においてした行いに応じて報いを受けるために、キリストのさばきの座の前に現れなければならないのです。（「コリント人への手紙」第2・第5章第10節）

ユダヤ教は、キリスト教やイスラム教と異なり、死後の世界や天国と地獄への振り分けのしくみについてあまり詳しく語っていない。これらの概念はユダヤ教に存在はするが、神学者間の議論の的となっている。ユダヤ教では、魂は不滅であり、ユダヤ教の天国（ガン・エデン、エデンの園、オラム・ハバなどと呼ばれる）または地獄（アラビア語と縁の深い用語で「ゲーヒンノム」ともいう）に行く。ユダヤ教のゲーヒンノムは、魂がエデンの園に受け入れられる前に、過去の罪を反省するために一定の期間だけ行く可能性のある場所である。

「いのちの書」は伝統的なユダヤ教にも、やや簡素な形で存在し、天国へ行く人と地獄へ行く人の名簿となっている。

「いのちの書」は「行動の帳簿」と同じ機能を果たすことがわかる。もし、誰かが私たちの行動をすべて記録し、私たちが死んだ後でそれを「再生」し、スコアを表示して次のステップを教えてくれるなら、これはビデオゲームの概念とかなり似てくる――そして、シミュレーション仮説こそが、唯一の説明かもしれない。

天使

それでは、これらの宗教で私たちの行動を記録しているのは誰なのだろうか。誰が、イスラム教における「行動の帳簿」や、キリスト教・ユダヤ教における「いのちの書」に書き込んでいるのだろうか。

イスラム教やキリスト教の一部宗派では、行動を記録する天使がいると信じられている。「記録」を担当する天使の概念は、キリスト教やユダヤ教よりもイスラム教のほうが明確である。イスラム教の家庭で育った私は、2人の天使が言動をすべて記録し、善行と悪行の2種類のスコアをつけていると教えられた。

キリスト教では、守護天使は私たちが神の道から外れないように守り導いてくれるとされている。守護天使は記録天使の役割も果たしてくれるので、イスラム教のような2人の「記録天使」は「いのちの書」には必要ない（「マラキ書」第3章、第16節）[56]。ユダヤ教では、天使ガブリェルがこの責任を負い、「腰に書記の筆入れを付け」ていると考えられている（「エゼキエル書」第9章、第3・4節）[57]。

大衆向けの漫画やメディアでは、守護天使はよく、片方の肩に善の天使、もう片方の肩に悪の天使（小さな角を生やした悪魔のような姿）が乗っている形で描かれ、善行や悪行を奨励したり妨げたりする。

この漫画はどこからアイデアを得たのだろうか。このようなことは、新約聖書には明記されていない。しかしイスラム教では、預言者ムハンマドが次のようにはっきりと述べている。

「あなたのまわりには誰もいないが、彼のまわりには常に伴侶がいる……ジンからひとり、天使からひとりだ」[58]

英語の「genie」（精霊）の語源でもあるジンは人間の背後に、天使は前にいると書かれている。いずれも、「守護天使」の一種である。

名作映画『素晴らしき哉《かな》、人生！』（1946年公開）では、ジェームズ・スチュワート演じるジョージ・ベイリーが自ら命を絶とうとしたのに対し、ヘンリー・トラヴァース演じる守護天使のクラレンスは、ベイリーが生まれなかったら家族や知人の運命がどうなっていたかを示す。ある人の行動の結果を伝えるために、その人がいなかった場合にどうなっていたかを示すというのは、通常とは逆のパターンだが、一種のライフレビューだといえる。

AI——神と天使とシミュレーション仮説

もし、守護天使や記録天使が本当に存在するなら、どこにいるのだろう。そして、なぜ目に見えないのだろう。今までのところ（シミュレーション仮説の登場までは）、現代科学はこの点について沈黙を保ち、天使を「幻覚」と呼ぶか、そもそも完全に無視している。

記録天使について考えると、「存在」であると同じくらい「機能」であることがわかる。この地球における、私たち人間の「試練」を支えるという目的があり、そのために従うべきルールが決まっている。

もし私たちがシミュレーションの中にいるのなら、天使はレンダリングされた世界の外にいて、行動を見守り記録していると結論づけることができるかもしれない。

さすがに、140億人もの天使が常に人間を見張っているというのは考えづらい（人間70億人に対し、それぞれ2人。なお、少なくとも一部の宗教で考慮されている、他の惑星に住んでいる魂については勘定に入れていない）。

では、天使はどのようなルールに従っているのだろうか。ここでひとつの問いが持ち上がる。

天使（つまりメッセンジャー）が、「意識をもつ」存在なのか、それともルールに従い、行動を記録し、メッセージを伝え、時折私たちの物理的現実に介入する単なる自動装置なのか、ということだ。キリスト教には、それぞれ異なる目的と能力を持つ天使の階級がある。

コンピューターサイエンスが答えを与えてくれる。もし記録天使がいるとすれば、おそらくそれは、視覚的あるいはその他の形式で人生のできごとを記録する、一種のコンピュータープログラムなのではないか。ビデオゲームをプレイしているときのインテリジェントな録画のように、「天使」は記録だけではなく、ゲームプレイの評価も提供し、ゲームのスコアを維持する手助けをしてくれる。記録は死後の世界で見ることができる。「神」は私たちとともに記録を閲覧して、西洋の宗教に記される「審判」を下す。

一方、守護天使は単純な自動装置よりはもう少し複雑かもしれない。より複雑な形で判断を下し、人間を導いたり守ったりする必要がある。宗教によっては、守護天使は、少数あるいは多数の魂を見守る仕事を与えられた、高度な魂である。つまり、彼らが私たちのような意識ある生命であったり、「ギルド」や「魂のグループ」を率いている上級プレイヤーだったりする可能性は十分あることになる。

西洋の宗教の信者は、神に祈ることを奨励されており、決まった手順による礼拝を行ったり（イスラム教、キリスト教など）、神に救いを求めたりする。ここでもまた、神に毎日祈りを捧げるイスラム教やキリスト教の信者が10億人いるとして、それを聞き届ける側はどうなっているのだろうか。受信した数十億件のリクエストを記録するだけではなく、それぞれに答えられるような存在が、はたして私たちの知識の範囲内にあるだろうか。

シミュレーション仮説の場合、神が存在するとすれば、おそらく何らかの高度なコンピュータープログラムである可能性が最も高いだろう（あるいは、シミュレーション外の意識ある存在が、個人の行動を追跡し、記録し、導く、数十億の「天使」コンピュータープログラムを活用しているのかもしれない）。

コンピューターサイエンスにおいて、「デーモン」という用語は、そのコンピューターの管理や他のコンピュータープログラムの監視など、なんらかの目的を達成するために自動で実行されているプロセスを指す。

神のようなＡＩは、世界で起こるすべてのできごとを、各種のルールに基づいて把握するだろう。これはいかにも、あらゆることを記録する非常に高度なプログラムが稼働するサーバーのように思える。イベントの発生を監視してリアルタイムで応答することができる、一種のデジタル意識だ。

臨死体験

言うまでもなく、さまざまな宗教が死とその後の世界に関心を寄せている。しかし、科学がこの面をまったく無視してきたわけではない。現代の医学では、死の定義はややこしい。医学と医療措置の進歩のおかげで、命を脅かす重病を患った人も生きながらえるようになった。これにより、ここ数十年のあいだ、臨床的に亡くなったはずの人がしばらく経ってから生き返る現象が何度も起こっている。

伝統的な宗教による死後の世界の考え方に密接にかかわるのが、より現代的な用語である臨死体験（Near-Death Experience、ＮＤＥ）だ。この用語は、レイモンド・ムーディ博士による１９７５年発刊のベストセラー『かいまみた死後の世界――よりすばらしい生のための福音の書』（邦訳１９７７年、評論社）で一般に広まった。そして近年の研究の結果、スコアの記録、ライフレビュー、死後の世界での邂逅などと共通点があることが判明している。

１０００人以上の臨死体験者にインタビューした結果、ムーディは臨死体験が現実に存在すると確信するに至った。『かいまみた死後の世界』が出版されて以来、医療従事者と体験者本人の両方によって、多くの本が出版された。

臨死体験という用語を広めて関心を高めたこと以外で、ムーディの貢献が最も大きかったのは、臨死体験者の経験における共通項を特定したことかもしれない。現在では臨死体験の核心と考えられている要素がいくつかあり、次が含まれる。(59)

- **心が安らぎ**、満たされ、痛みがない。
- **体外離脱**。後でも触れるが、臨死体験の報告者の多くは、自分の体がベッドに横たわっているのを見ることができたという。また、自分の体を囲んでいる家族や医師の姿を見、声を聞くことができたという人もいる。
- **「トンネル体験」**。暗いトンネルを通り、光に向かって移動する感覚がある。

・**光の生命**。体験者の多くは、光輝く生命、あるいはその他の霊的に高度な生命が到着を待っていたと報告する。
・**ライフレビュー**。この項目については後で詳しく検討する。
・**生に関する判断**。体験者の多くは、障壁の存在と、そこを越えるか自分の体に戻るかを判断したこと（あるいは判断するように指示されたこと）を報告する。
・**復活**。突然、体の中に戻っている。

臨死体験を報告したすべての人がこれらすべての要素を報告したわけではないが、「中核的体験」の一部と認識される程度には一般的である。

ムーディに連絡を取り、自分の臨死体験を語った人物のひとりに、ダニオン・ブリンクリーがいる。1975年に雷に打たれ、1994年にポール・ペリーとの共著『未来からの生還――臨死体験者が見た重大事件』（邦訳1994年、同朋舎出版）を出版した。雷に打たれたブリンクリーは、病院に搬送され、臨床的に死亡してから28分後に生還した。光の生命に遭遇し、ライフレビューに導かれたことは、彼の体験の中でも特にドラマティックな一幕である。

私は自分の人生をもう一度生き、起こったできごとをひとつずつ体験した。パノラミック・ライフレビューとも呼べる経験で……自分の人生を二人称視点で見たのだ。この体験の

あいだ、私は自分自身であるとともに、自分がやりとりしたあらゆる人物でもあった。(3)

臨死体験は、唯物論的かつ科学的な視点からは説明が難しいが（ただし、ニューロンの活動として説明しようとした科学者はいる）、体験に一貫性があることを考えると、さらなる作用の存在が考えられ、より一般的なモデルが必要になる。もちろん、体験者によっては自身の信仰に基づいて体験を解釈することがある。たとえば、光の生命が特定の守護天使だったり、訪れた場所が「天国」と呼ばれていたりする。

シミュレーション仮説の観点からは、臨死体験はずっと素直に説明できる。西洋の伝統宗教の解釈と東洋の伝統宗教の解釈のどちらに従っても、あるいは一切従わなくても、それは変わりない。シミュレーション内のキャラクターが死を迎えると、プレイヤーは別の現実で目覚める。

別の現実とは、どういうものだろうか。はっきり言えるのは、共有されているビデオゲームにおけるレンダリングされた世界の外にあり、外には意識ある生命がいるということだ。『マトリックス』でモーフィアスに導かれたネオがポッドの中で目覚めるように、私たちは――光の生命であれ、天使であれ、亡くなった親戚であれ――私たちのゲームプレイを眺めている他の生命と出会う。

ライフレビューはイスラム教の「行動の帳簿」に驚くほど似通っているが、ブリンクリーは、自分自身以外に判断を下されたようには感じなかったとはっきり述べている。「地獄」と呼べるものは一切見なかったともいう。バイブル・ベルト【訳注：キリスト教の信仰が篤い米国中西部から南東部の地域】育ちの彼にとっては、これは驚きだった。

ブリンクリーはさらに踏み込み、ライフレビューについて詳しく説明する。彼はそれを「360度のライフレビュー」と呼び、自分の人生をテーマにした3D記録映画の中にいるような感触を覚え、あらゆる状況を自分の視点だけでなく他者の視点からも見て感じることができた、と報告する。これは衝撃的な経験で、臨死体験の後で他人とのかかわり方を見直す結果になったという。このことは、自分が認識しているとは限らない行動の結果を見せられる、というイスラム教の考え方を思い起こさせる。

人生で起こったあらゆるできごとに関する360度の没入型表示など、どのようにして実現できるのだろうか。これは驚異の技術的到達になると思われるが、またもやビデオゲームが、実現可能性のある方法について、すでに答えを与えてくれている。最近、ある新興ビデオゲーム企業が、複数人による対戦ゲームの3D地形を題材に、すでにプレイ済みのゲーム内容を仮想空間の任意の座標からVR仕様で再レンダリングできることを示した。他のプレイヤーの感覚を再現することはもちろんできないが、他のプレイヤーの視点から3Dシーンをリプレイするテクノロジーにはすでに到達している。

したがって、シミュレーション仮説を採用すれば、臨死体験が、謎めいた説明不可能な現象から、きわめて明快に説明できる科学的なプロセスに変わることを思い描くのはあまり難しくない。実際、「元に戻って」人生を続けるという判断は、かつて25セント玉を投入してゲームを継続《コンティニュー》していたのと実によく似ている。

さて、ここでギアを切り替えよう。原子力時代の幕開け以来、科学で説明できていない現象のひとつに、UFO（未確認飛行物体）がある。日中には物理的な飛行物体（円盤型、三角形型、葉巻型）の姿、夜には飛び回る光が、何千件単位で報告されている。米国の至るところに住んでいる一般の人に加え、軍人や航空会社のパイロットからも報告がある。どのケースでも、物体はホバリングや急加速、急停止など、慣性への理解を裏切る奇妙な運動能力を示す。

UFO学はそれ自体が一種の専門分野になり、有名な目撃情報からそれほど有名でもない目撃情報まで、多数の本が出版されている。米国政府がUFOを最後に公式に扱ったのが、「プロジェクト・ブルーブック」だ。このプロジェクトチームには、著名な天文学者でオハイオ州立大学とノースウェスタン大学で教鞭をとるジョーゼフ・アレン・ハイネックが参加していた。プロジェクト・ブルーブックは、1969年12月17日に打ち切られた。米国空軍と国防総省はそれ以来、UFOは脅威ではないという同プロジェクトの結論を引用して、政府はUFOの目撃に関知しないと述べている[61]【訳注：2021年11月26日、米国防総省がUFOなどの調査を行う新部署を設立するニュースが流れた】。

しかし、ハイネック博士はこの現象の研究を続けた。博士は、共同研究者のジャック・ヴァレ（1963年に、NASAの求めに応じてコンピューターデータによる火星の地図を史上初めて作成した人物）とともにに、スティーブン・スピルバーグ監督による1977年の映画『未知との遭遇』に登場するフランス人科学者のモデルとされている。ちなみにハイネック博士は、原題の「Close Encounters of the Third Kind（第三種接近遭遇）」のClose Encountersという用語の命名者であり、映画ではカメオ出演もしている。

さて、時は2017年。ニューヨーク・タイムズ紙は、国防総省が現行のUFO研究の存在を否定しているのが嘘であったことをスクープした。ルイス・エリゾンドという人物が、国防総省の「先端航空宇宙脅威特定計画」（AATIP）の責任者であったことを明かした。このプロジェクトには年間2200万ドルの予算が付けられ、ネバダ州選出のハリー・リード上院議員などが出資していた。[62] 国防総省が、一般向けには否定しつつUFOを真剣に調査していた事実は、同省がこれらの飛行物体の奇妙な空力的特性に関心を抱いていたことを浮き彫りにする。

このプロジェクトで調査していた最も有名な目撃事件のひとつが、「ティック・タック」遭遇事件だ。空母ニミッツから飛び立った戦闘機のパイロットが、海上でホバリングしていた飛行物体が高度8万フィートから2万フィートに数秒で降下してから消滅したのを目撃した。物体が、ミント菓子の「ティック・タック」に似た楕円形だったことから、この名がついた。パイロットたちは、この飛行特性に目を丸くした。というのも、現在の航空宇宙産業のテクノロジーでは、このような操作は不可能だからである。

UFOの目撃情報を証明したり、逆にその誤りを証明したりすることは本書の目的ではないが、UFOの公的・私的研究機関の大半は、何割かの目撃情報は説明可能で、何割かは肯定するにも否定するにも情報が不足しているが、全目撃情報のおよそ5パーセントで既知の飛行物体を除外するだけの信頼に足る十分な情報が提供されている、という結論に達している。この5パーセントの物体が、正体不明で、慣性と重力の法則を否定するような空力特性を備えており、UFO懐疑論者と信奉者のどちらにとっても悩ましい問題となっている。

一部のUFO目撃事件では、UFOあるいは飛行物体がどこからともなく物理的世界に現れたと報告されている。そのため、「隠蔽装置」が存在しているか、物理的次元から出たり入ったりできるのではないかという憶測も生まれている。

こうした現象は、私たちが実はシミュレーションの中に住んでいたとしたら、どのように考えることができるだろうか。

もしUFOが次元を越えられるのであれば、物理的次元の外に世界が存在し、UFOは物理的現実の外から来ていることになる。UFOが物理的宇宙の外から来た宇宙人なら（もちろんこれには諸説ある）、ワームホールや超光速テクノロジーを用いて、星間を超遠距離で移動してくる必要がある。これらの考え方については、第6章「並行世界、未来の自分、そしてビデオゲーム」で述べた。

ワームホール的旅行、あるいはテレポーテーションは、シミュレーションを出た後で、突然どこかから入ってくるような動きに例えられるだろう。これは、物理的現実よりもシミュレートされた現実の方がはるかにやりやすい。

さらに、UFOの目撃には客観的な部分と主観的な部分の両方があると主張するUFO研究者もいる。私が2017年にジャック・ヴァレに会ったとき、ヴァレが話してくれたのは、複数人が一緒にいて、何人かはUFOを見たが他の人は見なかったというケースが記録されているということだった。これによりヴァレは、UFOの目撃に意識がかかわっていると信じるに至ったという。ひとりがUFOを見て、すぐ隣のもうひとりがUFOを見ないようなことは、どうすれば起こるのだろうか。

ここで、私たちの意識がビデオゲームのようなシミュレーションの中にある、という考え方に戻ってみよう。この場合、ひとりひとりが自分の「コンピューター」、この場合は自分の意識に現実世界をレンダリングしなければならないことになる。人物Aの意識にUFOをレンダリングし、人物Bにはレンダリングしないという状況は、この世界が共有の物理的現実ではなく、分散型マルチプレイヤー・シミュレーションであるという状況でのみ、意味が通じる。

物理学に対する現在の一般的な理解では、UFOの目撃事件も飛行特性も理解できないし、意識に対する一般的な理解では、UFO体験の主観的な部分を考慮に入れることはできない。シミュレーション仮説は、これらをより容易にする。特に、一部の人にまぎれもなく現実的に見えるものが見える人と見えない人がいて、その違いに意識がかかわっている可能性がある、という考え方を組み込むならば、なおさらだ。

まとめると、UFO現象において、物理学者や研究者を困惑させているのは、次のような側面である。

1．機動性　ＵＦＯは、物理法則に反する機動性を示す。

2．実体化　ＵＦＯは、どこからともなく出現したり、消えたりする。

3．主観的な視認　他の人には見えないＵＦＯが、ある人にだけ見えることがある。したがって、ＵＦＯ体験には、客観的側面と主観的側面の両方があるように思われる。

ＵＦＯ目撃事件について報告されているこれら３つの側面は、物理的現実を「客観的に共有された物理的現実」ではなく、コンピューターシミュレーションやビデオゲームとしてとらえて、初めて筋が通る。具体的には、次のように解釈することができる。

1．物理演算エンジン　ビデオゲームの物理演算エンジンは、プログラマーが簡単にねじ曲げることができる。

2．レンダリング　オブジェクトはビデオゲーム内のどこにでもレンダリングして、どこからともなく物体が出現したように見せることができる。

3．条件付きレンダリング　すべてのレンダリングは個々のコンピューターで行うので、１人のプレイヤーがあるシーンでオブジェクトを見ても、他のプレイヤーには見えない場合がありうる。これを「ナローキャスティング」という。

フェルミのパラドックス

UFO現象と対立する説が、「フェルミのパラドックス」だ。物理学者エンリコ・フェルミ（主な業績に世界初の原子炉の開発があり、この原子炉がマンハッタン計画の礎ともなった）が初めて提唱したため、この名がある。もし銀河系のあちこちに異星人がいるのなら、銀河年齢を考えると、異星人は銀河のほとんどの場所に入植あるいは到達しているはずである。したがって、人類ももっと異星人をはっきりと見ているはずではないか、というのだ。

かつて人類は、地球が宇宙の中心にあると考えていたが、今では太陽系の中心は太陽であり、その太陽は銀河系の無数の星のうち、特に目立ったところのない恒星にすぎないことを知っている。しかも、外惑星（太陽系の外にある惑星。すでに2000個が確認され、毎年さらに発見されている）の発見の結果、惑星の数自体も、そのうち居住可能な惑星の数も、これまでに考えられていたより多いと思われるようになった。ある推定によれば、居住可能な惑星が10億個以上あるという。

では、異星人はどこにいるのだろう。

UFO学の専門家は、すでに人類は異星人と何度も遭遇しているのだと言うだろうが、大半の科学者はUFO遭遇の証拠を単なる伝聞として却下し、光速以上の速度で移動できないことを最も有力な理由として挙げるだろう。

フェルミのパラドックスに対するもうひとつの説明は、異星人を見るために必要なツールが手元にない、あるいは正しい周波数をスキャンしていない、というようなものだ。MITテクノロジーレビュー誌の最近の記事では、地球外知的生命を探すためのパラメーターを検討した結果、調査すべき検索グリッドには8つの次元があることを発見した。SETI（地球外知的生命探査）などを通じてこれまでに行われた探査は、このうちのひとつの次元のごく一部にすぎないので、まだまだ先は長い(63)。

フェルミのパラドックスに対する説明にはさらに、人類以外に文明は存在しないという説もありうる。これもシミュレーション仮説と矛盾しない。もし、私たちが見ている星はすべて現実ではなく、プロシージャル生成された惑星や恒星で、地球から見ることはできるが訪れることはできないとしたらどうだろう。

第1章「ステージ0〜3：『ポン』からMMORPGまで」において、『ノーマンズスカイ』というゲームを例に挙げた。このゲームには1800京個の惑星が登場する。しかし、開発チームは実際に惑星をひとつひとつ創ったわけではない。これらの惑星は、シミュレーションにおける必要に応じてプロシージャル生成されていた。これらの惑星は実在するわけではなく、シミュレーションの状況に応じて生成される。プレイヤーが惑星を訪問して、初めてレンダリングされるのだ。異星人の生活もプロシージャル生成されるのなら、それをシミュレーションに組み込むこともたやすいだろう。一方、単純に死後の世界がたくさんあると考えると、シミュレーション仮説が成り立つ可能性がさらに高くなるかもしれない。

並行世界を論じた第6章「並行世界、未来の自分、そしてビデオゲーム」に戻ると、それぞれの宇宙は、別々の路線で稼働するシミュレーションであると考えることができる。私たちが住んでいるシミュレーションでは世界がプロシージャル生成され、他の種類の生命は存在しないが、他のシミュレーションでは異星人がたくさんいるだけでなく、すでに地球人に知られている可能性もある。

だからこそ、シミュレーション仮説は、フェルミのパラドックスとUFO信奉者のどちらとも矛盾しない。いずれかの側にあまり肩入れするのは本書の範囲を超えてしまうが、シミュレーション仮説がどのようにかかわる可能性があるかを示すことで、議論の両側、つまり異星人がいるだけでなく、とっくに地球を訪れているという説と、銀河系には人類以外に高度な文明は存在しないという説の両方を説明するのに役立つかもしれない。

ユングとシンクロニシティ

さらにギアを切り替えて、「シンクロニシティ」(共時性)を見ていこう。この用語は、高名な精神科医のカール・ユングが、人生における超自然現象すれすれの多くの概念を説明するために初めて提唱した造語である。ユングは多くの論文でシンクロニシティを取り上げたが、1951年にこのテーマに関する決定的論文を書き上げ、シンクロニシティを「因果律にとらわれないつながりの規則」と説明した。

ユングが提唱したより一般的な定義は、シンクロニシティとは「意味のある偶然の一致」である、というものだ。これは世界のしくみを説明しようとする多くの科学者と一般の人にとって、アイデアの源泉となった。最初の論文で、ユングは複数の例を提示している。とりわけ有名なのが「甲虫」の例である。ユングは、ある女性患者の治療に苦心していた。ある日この患者は、前の晩にスカラベの夢を見たと話した。スカラベとは、エジプトの壁画によく登場する甲虫である。その話を聞いていたところ、ユングの診療室の窓に、スカラベに似た甲虫が止まった。窓を開けると、虫は中に入ってきた。ヨーロッパで診療をしていたことを考えると、スカラベそのものではなくとも近縁種というだけで十分似ていると言えるだろう。彼は女性に告げた。「ここに、あなたの夢に出てきたスカラベがいますよ」このできごとがきっかけで、女性の気持ちがやわらぎ、治療は大幅に進んだという。

シンクロニシティに関する従来からの多くのケースと同様、因果関係を論理的に定義するのは不可能だ。しかし、心理的なできごと（ここでは、何かを思い出して人に話すこと）と、外部のできごとが、意味のある形で同時に起こった（同期した）とはいえる。シンクロニシティは、純粋に自然科学的とも、心理学的とも目されていない。両方が含まれる数少ない概念のひとつだ。前述の例では、ちょうどよいタイミングで甲虫が窓に止まったことが、甲虫の夢について話してくれた女性患者によって起こったかどうかは判断できないが、両方のできごとを完全に分けてしまうこともできない。実際に、ユングはシンクロニシティに関するこの決定的論文を書き上げる前に、量子物理学の創始者のひとりであるウォルフガング・パウリと緊密に連絡を取っている。

私の著書『トレジャー・ハント（Treasure Hunt）』では、シンクロニシティと、その可能な解釈や由来に、多くの時間を割いて執筆した。シンクロニシティに関する理論はいろいろあるが、この現象が存在すると信じる人は、シンクロニシティの発生源として、一般的に次の2つの考え方のいずれかを採る。

1．霊的、あるいは宗教的観点　この章の前半で説明したとおり、伝統的宗教の観点では、シンクロニシティは、神や守護天使が、人生において重要になる可能性のある行動やできごとに注意を喚起するために送り給うた、意味のあるメッセージかもしれないと考えられる。

ニューエイジ寄りの観点では、自分にとって今後重要になる人や場所に注意を払うときなど、人生の計画——カルマ——にとって重要なヒントがあるときに、シンクロニシティが働く。

2．科学的（量子物理学的）観点　より科学的な視点からは、シンクロニシティは、未来の自分がメッセージを送っていると説明することができる。つまり、現在の私たちに、ありうる未来、または可能性の高い未来に行きつくための選択や判断をしてもらうために、何かに注目する必要があるわけだ。これらの考え方については、第6章「並行世界、未来の自分、そしてビデオゲーム」で探求した。

以上の2つとは別に第三の説明が考えられ、筋も通る。

シンクロニシティとは実のところ、物理的世界からは見えない命令を知らせる機能ではないか、というものだ。シミュレーション仮説では、この点がさらに明確だ。プレイヤーは、次のクエストについてのヒントを与えられる。そのヒントを見逃さないように、無関係なイベントが与えられる。これが、もともと考えていたことに対応する。

著書『トレジャー・ハント』でビジネス界のシンクロニシティについて書いたとき、私はそうしたできごとを「『マトリックス』のグリッチ」と呼ぶようになった。当時はまだ、本書の中心となっているシミュレーション仮説に関する主張は完成していなかったが、私たちがシミュレーションの中に住んでいて、思考と行動が①監視され、②各プレイヤーのゲーム状態とクエストやアチーブメントの状況に合わせて、一見して無関係のイベントを生成するループにフィードバックする、というモデルは、ユングが提唱したシンクロニシティの概念に、きわめてうまく当てはまる。

ジャック・ヴァレは、2011年に行った「その他のすべてに関する物理学」と題するTED講演でさらに明確に述べている。シンクロニシティと偶然は、宇宙が情報を保存する方法の基礎的な構造の一部を明かしているのかもしれない、というのだ。ヴァレは図書館の比喩を用いている。この図書館からは、物理的な座標（本x，棚y，スロット7）に基づいて本をしまうか、あるいは取り出す。高度なコンピューターサイエンスでは、物理的な場所を指定して取り出すのではなく、情報を値と関連付けて保存し、値によって取得する（棚14など）。

現代のコンピューターサイエンティストは、空間と時間による整列は、データの格納に最も不向きだと気づいた。時間の次元がなければ（通常はそうだろう）、できごとを関連付けによってたどるかもしれない。一般的なコンピューターは、関連付けによって情報を取得する。(64)

ヴァレが言及しているのは、より洗練された形のデータの保存および取得方式、つまり関連付けに基づく方式である。これにより、シンクロニシティは宇宙の成り立ちの本質となり、「奇跡」や「説明不能」とはいえなくなるかもしれない。

シンクロニシティにきわめて近いのが、デジャヴ（既視感）の概念だ。これは、実際には体験していないはずの場所、物、できごとなどを過去に体験していると感じる現象である。奇妙な感覚だが、これもまた「『マトリックス』のグリッチ」として考えると腑に落ちる（ちなみに、『マトリックス』にもデジャヴのシーンが実際に登場する）。

本書の導入部で、SF作家フィリップ・K・ディックに言及した。彼は、私たちがコンピューターによって生成された現実の中に住んでいることを信じていると公言していた。ディックの信じるところによれば、私たちがデジャヴを感じるのは、そのできごとや場所を実際には見ているが、現実の方が変わってしまったからだという。要するに私たちは、いったん巻き戻され、現時点まで実行されて結果が変わった、パラレルワールドの現実を感じている、というわけだ。ディックは、1977年にフランスのメッツで行われたSFコンベンションの有名なスピーチで、次のように述べた。

我々はコンピューターによってプログラミングされた現実の中に住んでいる。その手がかりを得られるのは、何らかの変数に手が加えられ、現実が改変されたときだけである。私たちは、おそらくはまったく同じように（同じ言葉を聞き、同じ言葉を喋り）現在をもう一度生きているという抗いがたい印象を抱く。それがデジャヴだ。私は、これらの印象は妥当で、重要なものだと思う。さらに、こうした印象は、過去のある時点で変数が変更され、再プログラミングされたために、もうひとつの世界が枝分かれしたという手がかりなのではないかとも考えている。

科学的に説明できない秩序が世界に存在することを明らかにするデジャヴやシンクロニンティは、シミュレーション仮説が現実を表す最も優れたモデルであることを示す、日常のありふれたエビデンスなのかもしれない。

体外離脱体験（ＯＢＥ）、リモートビューイング、未解明の諸現象

アニータ・ムアジャーニは、香港の病院で臨死体験を経験し、その後リンパ腫から奇跡的に生還した。著書『喜びから人生を生きる！：臨死体験が教えてくれたこと』（邦訳２０１６年、ナチュラルスピリット）で、自分がいる部屋の中だけではなく、他の人のしていることを感知できたという。

その中には、数百マイル離れた場所にいる人も含まれていた。インドから香港へ向かっていた兄も、そのひとりだった。先ほどの臨死体験の項で触れたダニオン・ブリンクリーも、「死んでいる」あいだに何が起こっているかを見ることができた、と同様の経験を報告している。

この現象は対外離脱体験（OBE、またはOOBE）と呼ばれる。臨死体験に限らず、宗教的な神秘主義者や、意識の謎を探求してきた人々によって、数百年、いや数千年前から報告されている。科学の唯物論的な視点からは満足に説明できない、意識における未解明の領域のひとつだ。OBEの報告者が得たメリットに、死への恐怖が薄れ、幸福感を覚えるということがある。自分が死んで、体を離れるときに起こることがあまり怖くなくなるからだ。

OBEのしくみにも、より優れたモデルが必要となる。多くの伝統的宗教やニューエイジ哲学によれば、肉体は霊体に包まれているという。霊体は肉体と比べ、はるかにとらえどころがない。霊体はさらに、アストラル体に包まれている。

ヨガの文献では、体は「コーシャ」という透明なさやに包まれているという。これは、体のまわりを包む電磁場の層のように見える。科学界では意見が分かれているが、多くの宗教実践者はオーラが見えると主張する。異なるオーラのレベルで起こっていることをとらえるために開発されたのが、「キルリアン写真」だ。オカルト的な説明では、アストラル体は肉体を離れ、アストラル界の中でどこへでも移動することができるという。このアストラル界は現実世界を多くの面で忠実に反映しており、ここから現実世界をのぞき込むことができる。

体外離脱による旅の経験を2冊の本、『体外への旅』（邦訳版1985年、学習研究社）、『魂の体外旅行』（邦訳版1990年、日本教文社）に綴ったロバート・モンローは、OBEには現実世界の旅だけではなく、肉体とまったく関連しない別の領域への旅も含まれるという考え方を提示した。

この現実モデルでは、アストラル界の向こうにもさらに別の領域があるという。たとえば、コーザル体（原因体）は、私たちが死後に行く「コーザル界」に属している。『ヴェーダ』によれば、5つのコーシャは、3つの体、すなわちグロス体（粗大体）、サトル体（微細体）、コーザル体（原因体）に対応するという。グロス体（ストゥラ・サリラ）は、私たち皆が知る肉体である。サトル体（スクスマ・サリラ）は、肉体を生かす機能を備え、魂とともに肉体から肉体を渡り歩き、死とともに肉体を離れる。コーザル体（カラナ・サリラ）は、サトル体とグロス体を生み出す種子の役割を果たす[65]。

これらの哲学と現象の説明は本書の範囲を超えてしまうが、ヴェーダ関連の文献で、微細体が肉体のひな形と考えられていることは重要である。ニューエイジ系の多くの教義によれば、霊体は肉体の細胞の形状と活力を定義するひな形であると考えられ（しばしば体を取り囲む水色の綱として描かれる）、アストラル体はOBEまたは死の際に肉体を離れる。

この現象についても、シミュレーション仮説がより優れた説明を提示できるかもしれない。シミュレーションでは、それぞれのキャラクターに、レンダリングされた体が割り当てられている。これは何に基づいているのだろうか。肉体（キャラクター）に関する情報は、未レンダリングの状態で保存されているが、3Dモデルによって肉体の外観が定義されている。この3Dモデルは、レンダリングされた世界で他者が見られるわけではないが、メモリーまたはディスクのどこかに保存されており、実際のキャラクターおよびプレイヤーとは切り離せない。モデルは一般的に、ポリゴン(多角形)で描かれ、キャラクターの体の外観は線でできたメッシュであると考えられている。これにテクスチャーが貼られ、ゲーム世界におけるキャラクターのレンダリングができあがる。

さて、ここまでの説明に関連する現象に「リモートビューイング」がある。リモートビューイングとは、遠く離れた場所で起こっている内容を認識することだ。冷戦当時、アメリカのCIAとソ連は、リモートビューイング能力者を使って、互いの陣営の秘密施設で起こっていることをこっそり探る実験を行った。スタンフォード大学研究所で行われた研究では、インゴ・スワンやユリ・ゲラーなどの被験者が、異なる視点から離れた場所を「見る」驚異の能力を示した。

リモートビューイングとOBEの両方に対するシンプルな説明は、ほとんどのMMORPGと3Dゲームで使用されている「バーチャルカメラ」によって提示できる。バーチャルカメラは、プレイヤー視点で見えるものを示す。バーチャルカメラがキャラクターの視点で配置されていれば、キャラクターの目を通じて世界を見たように思える。多くのMMORPGでは、キャラクターのすぐ後ろにカメラが設置されていて、キャラクターの外観がわかるようになっている。

クライアントソフトウェアがバーチャルカメラの位置に応じてレンダリングを行っているだけなので、仮想世界の中では、部屋のどこにでもカメラを配置できる。キャラクターを真上から見たり、レンダリングされた世界の別の場所を見たりすることもできる。単純に、世界の中で適切なxyz座標を選択し、レンダリングするだけだ。物理的世界の他の場所を「内なる目」で見られるという意味ではまさにリモートビューイングであり、「内なる目」を肉体の外に置けるという意味ではまさにOBEである。共有されたビデオゲームの中の現実で、バーチャルカメラを調整するだけの問題なのだ。

リモートビューイングはテレパシーの一種と考えることもできるが、テレパシーという用語は心から心へとメッセージを伝達することに限定して使われる場合も多い。この章で紹介した、科学で解明されていないその他の現象と同様に、テレパシーは現在の唯物論的世界観ではまったく説明できない。しかし、他の現象と同じく、シミュレーション仮説は、テレパシーのしくみについてもはるかに優れた説明を提示することができる。あらゆるMMORPGには、他のプレイヤーにプライベートメッセージを送る機能が搭載されている。そのプレイヤーが同じシーンにいるかどうかは関係ない。ゲーマーなら、いつでもやっていることだろう。

以上のように、シミュレーション仮説は、現在の科学的、唯物論的世界観よりも、過去の宗教やオカルトの教義よりも、これらの未解明現象に対する優れた説明になる可能性がある。かくして、シミュレーション仮説は、東洋の宗教的伝統だけではなく、西洋の宗教的伝統、さらには科学者を悩ませてきた数々の未解明現象にぴったり合うのである。

シミュレーション仮説こそが、時折衝突する宗教的世界観と科学的世界観の論理的な橋渡しとなり、現時点で乗り越えられないように思えるギャップを埋めてくれるかもしれないのだ。

パート

Ⅳ

諸説の統合

人間思考の歴史においては、最も実りの豊かな発展は、二つの方向を異にする思想が出会う点で起こりがちであるということは、おそらく一般的にかなり正しいことであろう。これらの思想の方向はその根を人間文化のいろいろの部分に、いろいろの時代に、またさまざまの文化的環境や宗教的伝統の中にもっているであろう。そのことから、もしそれらが実際に出会えば（中略）そのときには、新たなまた興味ある発展が続いて起こることが期待できる。(66)

――ウェルナー・ハイゼンベルク
ノーベル物理学賞受賞者

［『現代物理学の思想』（みすず書房）から引用］

第11章

懐疑論者と信奉者
――コンピューターによる計算のエビデンス

私がよく聞かれる質問に、はたして物理的な実験によって、シミュレーション仮説が真実であることを証明できるのか、あるいは少なくとも知ることができるのか、というものがある。ビデオゲームの登場キャラクターが、自分自身が人造のキャラクターであると気づくことができないのと同じように、人間がシミュレーションの中にいるかどうかを検知する手段はない、と考える人もいる。

シミュレーションにいるかどうかを知りようがないとすれば、いずれにしろ我々には関係ないのだから、気にするだけ無駄であって、そのまま「ゲームのプレイ」を続行すればいい、というわけだ。

ローレンス・バークレー国立研究所のマーカス・ノアックは、シミュレーション仮説を総合的にテストすることは不可能だという説をとる人物のひとりだ。私たちにできるのはせいぜい、シミュレーションがうまく機能する方法を追い求めることだという。ただしノアックは、シミュレーションの「証拠品」を見つけることは、おそらく可能だろうと考えている。なぜなら、シミュレーションの設計者が、私たちが発見できるヒントをうっかり残しているだろう、というのだ。[67]

ニューヨーク大学の哲学教授デイヴィッド・チャーマーズは、人間がシミュレートされた生命である可能性がきわめて高いというボストロムの主張をたとえ受け入れるとしても、これは空しくなるような発見ではないし、私たちを取り巻く世界が何らかの意味で現実ではない、というのも違うのではないか、と述べる。たとえシミュレーションの中にいたとしても、中にいる人物の視点からは、何もかも結局事実ではないか、というのだ。[68]

しかし、仮説を証明するとなると、少々ややこしくなる。ボストロム自身、他の論者とともに挑んでみたものの、答えを100パーセント確実に得られる、明確かつ明白な実験があるとは考えていないという。しかし、私たちがシミュレーションの中にいる可能性が比較的高い（あるいは低い）エビデンスを見つける方法はあるかもしれないと認めている。[69]

この章ではまず、「私たちはシミュレーションの中にいる」という説を信じない懐疑論者を紹介し、なぜシミュレーション仮説がありえないかという彼らの主張を説明する。その後、コンピューターによる計算が物理的世界に組み込まれているエビデンスを示す可能性のある、理論上の（そして実際の）実験を紹介する。これは、私たちが本当にシミュレーションの中にいるエビデンスとなりうる。

決定的な結論の出ている実験はないため、この章では推測の領域に踏み込むことになる。

今後数十年のあいだに、こうした実験がますます多く導かれ、またテクノロジーがシミュレーション・ポイントに向かって着実な進歩を遂げれば、より確定的な答えを得ることができるのは疑いない。

主張と実験の分類

シミュレーション仮説に反対する主張は、次のようなカテゴリーに分類される。

〈意識のエビデンス〉科学者にも、それ以外にも、意識が宇宙の中核であると考える一群がいる。これには、マックス・プランクからアミット・ゴスワミまで、多くの物理学者が含まれる。宇宙に関するこの基本的な考え方を、シミュレーション仮説に反対する主張に用いる論者もいる。人間は意識ある生命ではなくシミュレートされた生命にすぎない、というのがボストロムのシミュレーション議論であるため、意識が宇宙の中核である以上、この説は真実ではありえない、というのだ。これは、「人間がシミュレーションの中にいる」という説ではなく、「人間は意識ある生命ではなく意識のないＡＩである」という説に対する異論である。

〈否認のエビデンス〉「私たちがコンピューターによって生成されたシミュレーションの中に住んでいることはありえない」と証明された、と主張する実験や議論もある。その多くは、何らかの物理特性を理由にした反論、あるいは私たちが住む物理的世界に類似した世界のシミュレーションを生成するために必要なリソースを計算した結果に基づく反論である。これらの実験や主張によくあるのは、宇宙のシミュレーションには無限大のリソースが必要になる（したがって不可能と思われる)、あるいは、少なくとも物理的現実と同じだけの原子が必要になるので、シミュレーションを行う意味はないのではないかということだ。

一方、シミュレーション仮説のエビデンスを探すために提案されている主張や実験も、一般的に2つのカテゴリーに分けられる。

〈条件付きレンダリングのエビデンス〉この物理学の実験群では、物理的宇宙がコンピューターのビデオゲームのように動作しているエビデンスを探す。ビデオゲームでは、プレイヤーに直接見えるものしかレンダリングされない。これは、計算能力とリソースを節約するためにあらゆる3Dビデオゲームで用いられている、重要な最適化手法である。

このカテゴリーに入る実験はたいてい、第6章「並行世界、未来の自分、そしてビデオゲーム」で説明した、遅延選択二重スリット実験のバリエーションである。これらの実験に基づく一部の議論では、観測者が必要であることに注目する。こうした説は、「もしビデオゲームの中にいるのなら、プレイヤーがいるはずだ」と暗示しているかのようにも思える。

〈ピクセルと計算のエビデンス〉第7章「ピクセル、量子、時空の構造」で見てきたように、もし私たちがコンピューターによって生成された現実の中に住んでいるのなら、コンピューターによって現実が生成されているヒントがこの世界に残っているはずである。これらのヒントは、一見物理的なこの世界の構造に組み込まれた、ピクセル（この後詳しく論じる）、ピクセルのぶれ、あるいはその他のコーディング手法の「証拠品」という形をとっているかもしれない。

形而上学的実験と意識に関する簡潔なメモ

パートⅢで見たように、神秘思想や宗教による説もまた、シミュレーション仮説に結びついている。しかし、この章の目的上、科学的モデルに絞って検討する。そのため、物理学者が提唱した実験と、コンピューターサイエンティストが提示したエビデンスに注目する。シミュレーションに直接影響する2つの分野だ。

この章では神秘主義的解釈を省略するが、この分野で実験できることがないという意味ではない。実際、仏陀は弟子たちに、自分の教えをそのまま受け入れるのではなく、瞑想、カルマ、生まれ変わりを通じて、自らの体験によって検証するように伝えている。パートⅢで検討した守護天使、臨死体験、ＯＢＥにかかわる現象や、その他の超自然現象を、直接の主観的経験によって自ら検証できると考える人も多い。

こうした手法に価値があると考える人は、神秘思想家だけではなく科学者にもいる。たとえば、カール・ユングは、私たちの身体的意識と独立した霊的な生命が存在し、それらとコミュニケーションを取ることが可能だと信じていた。また、この章の後半で詳しく検討する実験を行った物理学者トーマス・キャンベルも、ＯＢＥ研究の先鞭をつけたモンロー研究所での実験に参加している。キャンベルがシミュレーション仮説を信じているのは、これらの領域の研究に裏付けられている。

意識に基づいてシミュレーション仮説に反論する懐疑論者についても、（宇宙そのものが意識を持っている、という説にしても、宇宙にプレイヤーがいる、という説にしても）シミュレーション仮説の範囲内で対応できる。本書をここまで入念に読んだ読者の方なら、ビデオゲームのメタファーはまさにこの考え方に対応するために用いられていると気づいていただけるだろう。このメタファーによれば、私たちはビデオゲームの外部にいて、ゲーム内のキャラクターを演じているプレイヤーである（したがって、意識ある生命である）。

したがって私は、意識に基づく反論はシミュレーション仮説への異論ではなく、すべての人間が意識ある生命ではなくAIだという考え方への異論だと考えている。意識のダウンロードという発想を拡張し、人が生まれるときにダウンロードが起こり（このように考えた場合、魂がなんらかの情報としてコード化されている必要はある）、亡くなるときにアップロードが起こると考えれば、この異論は崩壊するだろう。実際、この後いくつかの実験で見ていくように、意識に関する要件は、むしろシミュレーション仮説を裏付けるかもしれない。その意識は、まわりの物理的な生命と独立して存在する必要があるからだ。

懐疑論者——リソースに関する議論

シミュレーション仮説の支持者すらも、シミュレーションの中にいる確率が100パーセントではないことは認めているが、その一方で、実験あるいは議論により、シミュレーションの中に「いない」エビデンスを示すことができると考える者もいる。

しかし、これらはエビデンスというよりも主張でしかない。懐疑論者の主張は基本的に、宇宙をシミュレートするために必要な計算能力に基づいており、しかもそれはコンピューティングに関する既存のイメージに基づいている。懐疑論者は、現在知られているいかなる種類のコンピューティングをもってしても、私たちが住んでいるような複雑な宇宙をシミュレートするのは不可能だと、実験や試算を通じて示しているかのように称している。必要なリソースは宇宙全体と等しいので、宇宙の完全なシミュレーションは、少なくとも実用的には不可能だという。

たとえば、オックスフォード大学のゾハー・リンゲルとドミトリー・コヴリジンのチームは、磁場を持つ粒子に関する「ホール効果」に関するシミュレーションを実施した。ここで重要な論点はホール効果そのものではなく、そのシミュレーションに必要な計算能力、さらにそれを敷衍《ふえん》した、他の量子やプロセスのシミュレーションに必要な計算能力である。サイエンス・アドバンシズ誌で公開された論文で、二人はこれらの粒子をシミュレートする場合に、必要なメモリーと情報の量は粒子数に対して指数関数的に増大する。したがって、少なくとも現代のコンピューターを用いて大量の粒子を実際にシミュレートするのは実用的でないと結論付けた。

コスモス誌の編集者、アンドリュー・マスターソンは、コンピューターサイエンスに対する現時点の理解を当てはめれば、たかだか数百個の粒子でさえも、シミュレートするには宇宙全体にあるよりも多くの原子が必要になるため、「私たちが知らないうちに『マトリックス』の巨大版に住んでいるかもしれない、と恐れるのはもう終わりにして構わない」という。(70)

同様に、コンピューターサイエンスの教授で著名なSF作家でもあるルーディ・ラッカーも、次のように指摘する。仮想の地球をシミュレートするには、現実の地球を作るのと同じ数の粒子が必要になるだろう。そうだとしたら、はたしてわざわざシミュレーションを実行する必要があるだろうか。だから、シミュレーション議論は終わりにして構わない、というわけだ。

だが、本当にそうだろうか。

「宇宙をシミュレートするためには、現存するよりも多くの原子が必要になる」という主張は、高度になってはいるものの、20世紀初期の英国王立天文官の主張を思い起こさせる。人類が月に行くことはないだろう、なぜなら必要な量の燃料を搭載すれば、ロケットが大きくなりすぎて地球の軌道を脱出できないはずだ、というのだ。もちろん、この発言がなされたのは、ロケット工学や宇宙飛行に関する知識が現在の段階まで発達するかなり前だった（そして、誤りであると証明された）。ただし、アポロ計画が、当時最大のロケットである「サターンV」を必要としたのは事実である。

これと同じような論理で、「ビデオゲームの中の3D世界」が不可能であると主張した論者もいた。３Ｄモデリング、テクスチャリング、条件付きレンダリングの技法が高度化する前のことである。この主張を支持する場合、当然ながら、計算を効率化する最適化アルゴリズムが存在していないと仮定している。しかし、本書でコンピューターサイエンスを前面に打ち出した最も重要な理由はここだ。ビデオゲームは必要な内容だけをレンダリングするように最適化されている。「世界」は情報の形で存在しているので、計算リソースは必要にならない限り、そして必要になるまで、消費されない。さらに、先ほど紹介したオックスフォード大学の研究はモンテカルロシミュレーションを用いていた。これはシミュレーションを行うには計算量の多い方法で、最適化の観点からは最善のアルゴリズムとは必ずしも言えない。

サイエンス・アドバンシズ誌に掲載されたオックスフォード大学の研究のまとめで、論文の筆頭著者であるゾハー・リンゲル自身も述べている。

「私たちをシミュレートしている何者かのコンピューティング能力など、誰にわかるだろうか[71]」

実のところ、この宇宙をシミュレートする計算モデルに、量子コンピューティングの枠組みが用いられているエビデンスがあるかもしれない。その場合、情報科学が新たな局面に突入し、一度に保存可能な情報の量が飛躍的に向上する。

条件付きレンダリングのエビデンス

計算の最適化、つまりメモリーや処理能力といったリソースを節約する方法を見つけることが、シミュレーション仮説が真実である可能性と、人類が『マトリックス』のようなシミュレーションを実装できる可能性の両方にとって重要であることは明らかだ。

何人かの物理学者は、私たちがビデオゲームの中にいると証明するための重要な方法は、条件付きレンダリング、つまりプレイヤーに見えるところしか描画していないエビデンスを見つけることだと提唱している。要するにこれは、ホイーラーが提唱した遅延選択実験を高度にしたバージョンであり、第6〜7章で紹介した量子不確定性のテーマが土台になる。「結果をレンダリングする」ために、誰かまたは何かが結果を観測する必要があることを示せれば、それ自体がコンピューターによる計算のエビデンスとなりうる。実際、量子不確定性は、私たちがビデオゲーム的なシミュレーションの一部であり、そのゲームをプレイしている何者かが結果を観測していると考えなければ筋が通らないようにも思える。

観測が量子確率の波の収縮を決定する鍵であることを証明する実験も複数行われている。これらの実験の結果は、ビデオゲームがその時点で必要な情報だけをレンダリングするのと同様に、宇宙でも何らかの形でリソースが最適化されていることを示唆する。

なかでも特に興味深いのは、イタリア宇宙機関直属のマテーラレーザー照準観測所（MLRO）によって行われた実験だ。MLROは、ホイーラーの遅延選択実験（第7章で詳述）を、光子が数千マイルかけて衛星まで到達し、最初のスリットを通ってから戻ってくるような形で実施した。結果は、ホイーラーが当初に提唱した実験の結論と同じだった。つまり、光子の観測が未来に行われたのが明らかでも（この場合、光子が数千マイルの距離を飛んでからでも）、粒子の過去の挙動（スリット通過）に影響を与えるというものだった。

一方、NASAの物理学者トーマス・キャンベルと、カリフォルニア工科大学の物理学者ハウマン・オワーディ、ジョー・サウバジョーは、デイヴィッド・ワトキンソンとともに、シミュレーション仮説をテストするための実験とその文書化を実現するためのクラウドファンディングを行った。

2017年に、キャンベルらは、シミュレーション仮説をテストできるのは間違いないとする論文を発表した。この論文では、シミュレートされた宇宙が「ビデオゲームのように、（機械が検知した瞬間ではなく）プレイヤーが観測できるようになった瞬間にのみコンテンツ（現実）をレンダリングする」システムであることを（実験によって）示すことができる、と推測している。[72]

キャンベルらが提唱したのは、粒子と波動の二重性に関連する実験である。粒子が二重スリットを通った後の、いわゆる量子「消しゴム」または量子「挿入子」に関連する実験だ。これらの実験は、ホイーラーが最初に提唱した遅延選択実験に基づく他の実験と共通点がある。キャンベルの実験で重要な点は、量子論に意識の存在が欠かせないと示すことと、それにより、彼が考えるシミュレーション仮説である、私たち全員が計算に基づく世界の一種におけるプレイヤーである、というエビデンスを示すことだ。本書の執筆時点で、実験の結論はまだ出ていない。

しかし、量子力学が根本的に観測者を必要とすることは、複数の実験で裏付けられている。この観測者に意識が必要かどうかは議論の余地があるが、量子物理学分野におけるこれまでの発見については、おおむね確定的といえるだろう。これ自体が条件付きレンダリング、つまり量子不確定性のビデオゲーム版のエビデンスである。パートⅡで論じたように、このような説明不可能な挙動は、シミュレーション仮説が事実である場合にのみ筋が通るのだ。

ピクセルのエビデンスに関する実験

一方、量子物理学における観測と条件付きレンダリングの議論とはあまり関係ない実験群もある。私たちを取り巻く三次元世界でコンピューターシミュレーションが行われているという証拠品を直接探してみよう、という発想に基づく実験群だ。もし人類が本当に情報のピクセルからなる世界にいるのなら、コンピューティングやコンピューターグラフィックスの理解に基づいて、(少なくとも私たちが理解している)ピクセルの特徴を考察し、それらの特徴の中にいわゆる「現実世界」に当てはまるものがあるかどうかを確認できるかもしれない。私はこの実験群を、シミュレーションの「聖遺物探し」と呼んでいる。

2012年に発表した論文、『数値シミュレーションとしての宇宙の制約』で、サイラス・ビーンと、ドイツ・ボン大学の同僚であるゾーレー・ダボーディ、マーティン・J・サベージは、シミュレートされた3D現実において3Dピクセルを表すと思われる「格子(ラティス)」構造を探し、それらの格子が時間を経てどのように変化するかを観察するべきだと主張した。

ビーンはシミュレーションを用いて、現在の大部分の物理学では時間は連続方程式に基づいているが、時間は不連続のステップ状に進行していると主張した(これは、パートⅡで論じたクロック速度の概念と同様である）[73]。

地球に届く特定の種類の宇宙線は、ある値を超えることはない。この「カットオフ」特性は、グライセン・ザツェピン・クズミン限界またはGZK限界と呼ばれる。GZK限界は、高エネルギー粒子を研究する物理学者のあいだではよく知られているが、カットオフの源については未知である。ビーンらは、格子状の間隔によって与えられている制約が、シミュレーションのいわば「ジオメトリ」を明らかにしているのではないかという理論を立てている。

簡潔にまとめると、格子状の間隔は、現実世界におけるピクセル配置を明らかにするのではないか、ということだ。ビーンらはさらに、最小の格子の角度分布を研究することで、1つの格子から別の格子へとエネルギーが流れていることを発見した。このようなジオメトリからは、レンダリングされた画像や画面における隣同士のピクセルを連想させられる。

計算のエビデンス――エラー訂正コード

シミュレーションにおけるピクセルを発見すればもちろん直接のエビデンスになるが、それだけがエビデンスではない。コンピューターによる計算が物理的宇宙に存在するエビデンスがあれば、それだけでシミュレーション仮説を証明するには十分かもしれない。

メリーランド大学の物理学教授、ジェイムズ・ゲイツは、ひも理論と超対称性を研究している。ゲイツは、物理的宇宙において「エラー訂正コード」に相当するものを発見したと主張している。これは、宇宙が何らかのコンピューターによって生成されていることを強く示唆する。

2016年にゲイツは、超ひもと超対称性の物理特性における「チェックサム」の発見を説明する動画を発表した。動画の説明には次のように書かれている。

「私たちが『マトリックス』の世界に住んでいるかどうかを、どうすれば知ることができるのだろうか。その答えのひとつは『物理学の法則の中にコードの存在を見いだす』ことだろう。（ゲイツが）成し遂げたのは、まさにこれだ」

説明は続く。

「具体的に述べると、ゲイツは超対称性に関する式の中に、『複偶数自己相対線形2進エラー訂正ブロックコード』と呼ばれるものを偶然発見した。これは、コンピューター通信において、電子的に送信されたテキストを表す一連のビットにおける誤りを取り除くために一般的に用いられるコードを表す、長い名前である(74)」

動画では、ゲイツ自身が次のように説明する。

「この予想外のつながりは、このコードが本質的にどこにでも存在し、現実の中に組み込まれていることすらありうるということを示唆している。これが事実なら、人間の経験がすべてVR生成コンピューターネットワークの産物として描かれている、SF映画シリーズ『マトリックス』との共通点があることになる(75)」

ゲイツは、実際に発見したコードについて詳しく説明しているわけではない。しかし、このようにコンピューターによる計算のエビデンスを探すことは、シミュレーション仮説のエビデンスを探すための、きわめて有益な道であると考えられる。

量子コンピューター、エラー訂正コード、量子もつれ

ここまでは、情報、具体的にはコンピューターモデルやシーン内のピクセルをデジタルビットで表す、標準的なコンピューターモデルについておもに考えてきた。

懐疑論者が提唱する議論のひとつに、量子的プロセスをシミュレートするには、宇宙全体で使える以上の計算能力が必要になるのではないか、というものがある。これはもちろん、従来型のコンピュータービットを仮定している。

しかし、もし量子不確定性が自然界の本質的な一部であれば、世界を処理またはレンダリングするために用いられるアルゴリズムまたは処理ユニットがこのことを考慮に入れるのは筋が通る。私たちがより高度なビデオゲームをレンダリングするためにGPUを開発したように、シミュレーション・ポイントに到達し、祖先シミュレーションを実行しようとする文明なら、このタスクに最適化されたプロセッサーを開発するだろうと仮定することができる。

今日、私たちは、量子コンピューティングという新たな種類のコンピューティングの出発点に立っている。これは、1950～60年代のコンピューターサイエンス黎明期から初めての、抜本的な変化かもしれない。量子コンピューターは、物理学者リチャード・ファインマンが初めて提唱した。ファインマンは、物理的世界をシミュレートするのであれば、従来のコンピューターで

はなく量子を用いるべきだと提案した。当初、このアイデアはSF的にも思われていたが、テクノロジーは急激に発展しており、現時点でもすでにプロトタイプ機が稼働している。

量子コンピューターの核心にあるのは量子物理学、具体的には量子不確定性と重ね合わせだ。従来のコンピューターはデジタルテクノロジーに基づいて動作する。単位はビット、つまり0または1で表される情報だ。デジタルコンピューターを詳しく検討すると、トランジスターと、ブール代数による論理ゲート（AND、NOT、OR）が組み込まれている。これらは、コンピューターのプロセッサーの基本的構成要素である。ゲートは入力値と演算内容に基づいて、0または1（1ビット）の値をとるように設定されている。

一方、量子コンピューターは、パートⅡで説明した重ね合わせの概念を利用している。これは、観測者が粒子を観測するまで（観測しない限り）、粒子は複数の状態、またはすべての状態を同時にとることができるという概念である。

同様に、量子ビット（キュービット）は、ビットの重ね合わせである。観測されるまで、0と1の両方の値をとることができるのだ。シュレーディンガーの猫が、生きていて、かつ死んでいるようなものである。量子ビットは重ね合わせられたビットで、量子ビットの列の各量子はそれぞれ、ありうるすべての値を同時にとることができる。これにより、量子コンピューターは、従来のコンピューターにおけるマルチプロセッサーのシリアル処理よりも高速で問題を解くことができる。

量子コンピューターで量子ビットを実装するには、重ね合わせを物理的な形で表す方法が必要になる。量子的特性を示す粒子は、光子や電子など、すでに自然界に存在している。ならば、こうした既存の装置の量子的特性を利用して測定する機械、あるいは装置を開発すればよい。量子コンピューターについて検討すると、1周回って、「現実を模倣する高度なシミュレーション」という考え方に戻ってくる。量子不確定性はこの物理的現実の特徴である。したがって、もし私たちがシミュレーションの中にいるのなら、このシミュレーションは、不確定性と確率の波の両方を処理するためのしくみと、観測に基づいて確率の波の崩壊を強制する方法を備える必要がある。

量子コンピューティングは、基本的な粒子だと思っていたものが、実際には情報であること——したがって、物理的宇宙とは量子コンピューターであることを、私たちに示している。たとえこのシミュレーションに、物理的世界とまったく同じ数の粒子が必要だとしても、量子コンピューターが実現したという事実が、物理的宇宙が超高度な量子コンピューターである可能性が高いというヒントを与えてくれている。

■量子エラー訂正と量子もつれ

前世紀を通じて物理学の謎として残ったことのひとつは、重力を説明するアインシュタインの一般相対性理論と、原子より小さい粒子の挙動を説明する量子物理学をどのように整合させるか、ということだった。両者を統合するエビデンスは見つからなかった——最近までは。両者の重なりは、量子コンピューティングの分野で実現する可能性がある。

量子コンピューターに関する初期の実験を行った研究者たちは、ある問題に遭遇した。量子ビットには、値が「反転」する困った性質があるのだ。これは、量子ビットを表すために用いられる物質の物理的特性である。

量子コンピューティングにおいて、量子コンピューターを実現したイノベーションのひとつは、エラー訂正コードだった。一連の量子ビットに対してエラー訂正を行う最も単純な方法は、量子物理学におけるもうひとつの謎めいた説明不可能な特性、量子もつれであることが判明した。

第8章で言及した量子もつれは、物理的世界における位置関係にかかわらず、2つ以上の粒子が互いに関連する現象である。量子もつれを起こすことができるのと同様に、量子ビットのもつれも起こすことができる。

複数の粒子（あるいは量子ビット）がもつれているのがわかっていれば、ひとつの量子ビットが予想外に反転してしまっても、見つけて元に戻すことができる。コンピューターサイエンスにも物理学にもあまり深入りはしないが、もし宇宙のモデルにエラー訂正コードのエビデンスが見つかれば、宇宙がコンピューター上で稼働している何らかのシミュレーションである可能性はますます高くなる。

アフメド・アルメイリ、チー・ドン、ダニエル・ハーローは、アインシュタインとジョン・フォン・ノイマンもかつて勤めていた米国ニュージャージー州のプリンストン高等研究所に所属している。アルメイリらは、これらの量子エラー訂正コードが単に存在するだけでなく、少なくとも彼らがシミュレートした世界の中ではエラー訂正コードそのものが時空の枠組みを定義している可能性があることを発見した。アルメイリらは、宇宙をスケールダウンしたモデルである「ド・ジッター空間」を使用し、この粒子間の量子もつれによって、すべての情報を必要とせずに、このスケールダウン版の時空におけるさまざまな粒子の位置を再構築することができることを見いだした[76]。

繰り返しになるが、重要なのは、宇宙にある特定の粒子の情報のみを知ることで、時空の枠組みを最適化できることである。一部の粒子に関する情報がわかれば、その粒子に関連する他の粒子の位置も再構築できる。これ自体が、宇宙に何らかの最適化機能が働いていて、時空の枠組みに組み込まれていることを示している。これは、コンピューターグラフィックスの処理と最適化の方法に非常に似ている。

ここでもまた、計算によって物理的宇宙を説明する方法が見つかる可能性があるとわかる。もし、研究チームが生成したスケールダウン版「ミニ宇宙」から、これらの発見を私たちの物理的宇宙に拡大適用することができれば、エラー訂正コードの発見は、コンピューターによって宇宙がシミュレートされている「動かぬ証拠」と言っていい。

量子もつれとシミュレーション

量子もつれ自体が、物理学者が説明できずにいる、量子物理学の謎めいた特性である。前述のようにアインシュタインは、ローゼンおよびポドルスキーとの共著による論文の結果として得られたにもかかわらず、量子もつれの概念を「不気味な遠隔作用」と腐《くさ》した。

しかしその後、量子もつれはたしかに存在することが裏付けられ、量子暗号という新たな分野にも活用されている。量子暗号は、(粒子または量子ビットが読み取られた、または観測されたことにより)量子場が収縮した場合、もつれたもう一方の粒子(または量子ビット)にも影響が及ぶという不思議な特性を利用している。この特性によって、秘密のメッセージが「読み取られた」ことがわかるわけだ。

最近の実験は、量子もつれがさまざまな方法で起こることを示している。その中には、量子ビットを用いて量子をもつれさせる実験が含まれる。2017年に、ノルベルト・カルブらは、実際の粒子と量子ビットのあいだで量子もつれを促進できることを示し、2mの距離でのもつれを確認した。[77] この結果は、量子コンピューティングと、その将来的な量子もつれの利用について重要な意味を秘めている。

本当に量子同士のあいだで情報が光速より速く移動しているのかどうかについては活発な議論がある。また、量子もつれのしくみについても同様だ。

2つの粒子が任意の距離だけ離れていても(理論的には数百万マイルもありうる)、相互に強く関連する場合がある、というこの特性は、どのように説明できるだろうか。

粒子を、前述のようなレンダリングされた世界におけるピクセルとして扱えば、シミュレーションン仮説が興味深いモデルと説明を提示してくれる。コンピューターサイエンスでは、ピクセルのレンダリングは、メモリー内の情報に基づいて行われる。メモリーには、ピクセルの「値」が格納されている。この値が読み取られ、それに基づいてピクセルが画面に表示される。レンダリングされている内容は、シーンの基となっている情報の反映にすぎない。

ビデオゲーム世界における2つのピクセルは、メモリー上の同じ位置に基づいている場合がある。これは、ビデオゲームや画像圧縮で、画像やメモリーの最適化に用いる一般的な技術だ。たとえば、夜空の画像ではほとんどのピクセルが黒なので、同じ値を共有するかもしれない。メモリーに画像を格納する際に、ピクセルごとに異なる値を割り当てた情報グリッドをもつ必要はない。この値を共有するすべてのピクセルを記録しておけばよいだけだ。

たとえば、ピクセルAとピクセルBが、メモリー内の同じ値を共有している（メモリー内の同じアドレスに基づいている）とする。メモリーでこの値を変更すると、同じメモリー位置を共有している限り、両方のピクセルの値が自動的に変更される。その後、ピクセルAに別のメモリー位置を割り当てた場合、値は共通ではなくなる。量子ビットの言葉を借りれば、量子もつれがほどける。

量子もつれでも、量子の干渉性が消失する場合がある。これは、環境の相互作用を起こすか、単純に量子の状態を測定することで発生する。これは、ピクセルBの状態をピクセルAと独立して保存できるように、どのようにピクセルB独自の値をメモリーに格納しているかを、簡単に示している。

ここでは、考えられる量子もつれの働きを、コンピューターグラフィックスとコンピューターサイエンスの、些細ともいえる技法を使って、やや単純化して説明している。

とはいえ、この例もまた、コンピューターによる計算と情報のモデルを採用することが、物理的な説明よりも、私たちを取り巻く現実の基本的領域のいくつかをうまく説明できる可能性を示している。

付け加えれば、ビデオゲームと計算は、量子もつれという謎めいたプロセスの存在理由を提示してくれる可能性がある。そう、最適化だ。ドラマ『ゲーム・オブ・スローンズ』のまるまる1話分をワイヤレス端末にストリーミングできるのは、ピクセルが圧縮されているからだ。全フレームをまるまる送信するとしたら、このようなストリーミングはできない。圧縮は、同じ値を共有するピクセル（夜空における黒いピクセルや、冬景色における白いピクセルなど）を見つけ、この冗長性を考慮に入れて総データ量を削減することで機能する。

実際、わずか数年前でも多くの人に不可能だと思われていた量子コンピューターが実現したことと、物理的世界に量子ビットが存在することそのものが、物理的宇宙が一種のコンピューターであるエビデンスかもしれない。量子ビットが一貫性を保つためにエラー訂正コードを必要とする事実と、その事実が時空そのものの一貫性の根本的なしくみである可能性があることは、今後の調査分野として有望だ。最後に、量子もつれはたしかに謎めいているが、粒子の働きにおける何らかの根本的な役割を果たしていることは明らかだ。これもまた、この宇宙が自己最適化機能を備えたコンピューターであるという、さらなるエビデンスを提示しているのである。

フラクタルと、自然界における計算のエビデンス

量子コンピューターから普通のコンピューターに戻ろう。もし、自然界におけるコンピューター計算のエビデンスを、原子より小さい粒子だけでなく、ありふれた物体のレベルで見つけることができれば、シミュレーション仮説にも弾みがつく。

パートIでビデオゲームの歴史を検討した際、ピクセル化されたデジタル形式で現実世界をシミュレートするために、コンピューターグラフィックスのテクノロジーがどのように活用されたかを見てきた。人間にとって本物らしく見える地形をコンピューターで生成するための概念に、フラクタルがある。

人造のオブジェクトと異なり、自然界に直線はほとんど存在しない。ユークリッド幾何学は、自然界の記述やシミュレーションにはあまり適していない。地平線や樹木、葉など、一見まっすぐな線に見える場合でも、自然界の線を拡大すると、さらに小さなパターンでできていることがわかる。次ページ図32に示すように、フラクタル幾何学を用いると、自然界の作用によくみられるような無限繰り返しパターンが得られる。川や木も、ニューロンなどの生物学的作用も、フラクタルパターンに従っているように見える。

フラクタル図形には、同一のパターンが次々と小さくなって現れる。これは、展開対称性とも呼ばれる。これは一般的に、プログラムが自分自身を次々に呼び出す、「再帰」というコンピュ

図32：フラクタルパターンは自然の作用に類似している[79]

ータープログラミング手法によって生成される。

フラクタル財団によれば、「フラクタルは、終わりのないパターンである。さまざまな大きさで自己相似がみられる、無限に複雑なパターンとなっている。継続的なフィードバックループのあいだに、単純なプロセスを何度も繰り返すことで作成される[78]」という。

フラクタルは1980年代から一般的になった。数学者のブノワ・マンデルブロは、さまざまな問題において、大小さまざまな自己相似のパターンを発見した。これは、電話線のノイズから、商品取引所の価格パターン、さらには海岸線の構造にまで当てはまった。

海岸線の例は、フラクタルを理解する最善の方法かもしれない。「海岸線の長さはどれくらいか」という質問の答えは、どれくらいの精度で測定するかによって変わってくる。衛星写真から測定するなら、精度は数マイル単位になるかもしれない。しかし、拡大していくと、上空からでは見えなかった細かい凹凸のディテールが海岸線にたくさんあるのがわかる。こうした細かい凹凸の外周を測ると、値は先ほどより大きくなる。拡大してもさらに凹凸があるので、これを無限に繰り返すことができる（ただしもちろん、原子の大きさに達したところが限界となる）。

この発展著しい科学分野に携わっていたマンデルブロらの研究者は、コンピューターを使用すれば大量の計算ができると気づいた。フラクタルパターンでは、式の実行結果を、次の繰り返しにそのまま入力することが多い。フラクタルの例としてとりわけ有名なのが、マンデルブロ集合である。実数と複素数を繰り返し組み合わせるルールを用いて生成されるが、詳細に描かれたのは、パソコンが発明されてからである。フラクタル財団によれば、これは決して偶然ではない。フラクタルパターンの生成は数千回、さらには数百万回と同じアルゴリズムを繰り返す必要があるので、コンピュータープログラムに最適だからだという。

さまざまな種類のフラクタルパターンが発見されて以来、自然界はフラクタルを生成するコンピューターなのではないか、という説が提示されてきた。はたして、フラクタル図形が自然界に存在するという事実は、自然界に計算的要素が存在するというエビデンスを提示しているのだろうか。

自然な形状を得るための唯一の道が「計算」であるという事実は、私たちを取り巻く現実世界で、ピクセル化されたフラクタルパターンのような形状の計算が進行していることを暗示しているように思える。コンピューター画面に表示されるフラクタルは、限定されたバージョンであって、完全なフラクタルではない。画面上のピクセル数による制約があるからだ。計算結果に小数値（画面のピクセル解像度未満の数）が出現するたびに、生成される画像は、実際のフラクタルパターンの単なる近似となる。

今までのところ、フラクタルは自然の作用や形状（海岸線など）をシミュレートするために人類が発見した最善の手法である。では、フラクタル図形も、自然界自体が計算を経ているという優れたエビデンスだという可能性はあるだろうか。

「単純なプログラム」と「新しい種類の科学」

世界中のエンジニアや科学者が利用する数式処理ソフトウェア「マセマティカ」のチーフデザイナーであったスティーブン・ウルフラムは、２００２年の著書『新しい種類の科学』（未邦訳）で、議論の渦を巻き起こした。ウルフラムは、セルオートマトン［格子状のセルと単純な規則による離算的計算モデル］とその自然との類似性について研究することで、自然界そのものがコンピューターブログラムの集まりである可能性を提唱した。ウルフラムは、これらを「単純なプログラム」と呼び、単純なプログラムはすべての科学の基本構成要素であると信じた。もしそうであれば、科学とは物理現象を研究する学問ではなく、再帰や、情報格納用のレジスタなどが関係する、計算と情報の研究だということになる。

出版当時、同書は賛否両論で迎えられたが、インターネットと、コンピューターによる計算が、人間の努力のあらゆる分野に触れるほど拡大するに及んで、同書が提示するアイデアは出版当初ほど過激なものには思えない。数学が物理学などその他の自然科学の基礎ツールと考えられているように、コンピューターサイエンスも基礎的な存在になるかもしれない。ウルフラムは、これらの単純なプログラムとその結果を実験によって検討するべきだと主張した。その主張は基本的に、私たちを取り巻く物理的世界は、実のところ一連のコンピューターアルゴリズムであるということを暗示している。

シミュレーション仮説とビデオゲームに明確に触れたわけではないが、コンピューターンシミュレーションの必要性については述べている。ウルフラムは、自然界における計算既約性の考え方を一般に広めた先進的な思想家のひとりだ。この考え方によれば、結果を求めるためには「計算」しなければならない。これこそが、シミュレーションを実行する根拠なのである。

この意味合いは非常に強力だ。もし、自然界で何らかの計算が進行しているのであれば、人類は本当に、私が「グレート・シミュレーション」と呼ぶ、一種の全世界用コンピュータープログラムの中にいるのかもしれない。

結論――計算のエビデンスを求めて

章のまとめに移ろう。この章では最初に、シミュレーション仮説に懐疑的な主張を検討した。これらの主張は、リソースか意識のいずれかに基づいていた。前者は、宇宙のシミュレートに必要な粒子の数はあまりに膨大であり、少なくとも宇宙に存在する粒子と同じだけの数は必要だという論点である。どちらの主張も、綿密な検討には耐えられない。まず、前者に関して言えば、コンピューターによって生成されるほとんどの現実における中核的な手法は最適化である。意識に基づく議論も、シミュレーション仮説を否定するものではない。実際、神秘主義的および宗教的な伝統を扱うパートⅢ全体の主なねらいは、ビデオゲーム的世界にプレイヤーキャラクターの意識をダウンロードすることは可能だと示すことだった。「ダウンロード可能な意識」は、シミュレーション・ポイントへの道のりにおけるステージのひとつである。

さらに、量子コンピューターの存在は、実のところ懐疑論者の主張の正反対が成り立つ証明かもしれない。宇宙にある粒子の数と同じだけの量子ビットが必要だということこそ、宇宙がひとつの大きなコンピューターシステムであることを示している可能性がある。

量子物理学の多くの実験は、量子不確定性の特性を示している。すなわち粒子は、観測されるまで、かつ観測されない限り、可能なあらゆる値をとることができる。この観測者に意識が必要かどうかは意見が分かれるが、ホイーラーの遅延選択実験のさまざまなバージョンを見る限り、量子不確定性が作用するには、意識（言い換えればプレイヤー）が不可欠であることを示しているように思われる。このことは、この宇宙がプレイヤーまたは観測者にとってのシミュレーションであるというエビデンスをさらに補強するように思える。というのも、観測者と無関係に存在する、決定論的かつ機械的な、純粋に物理学的な宇宙では、このようにはならないはずだからだ。

幾何学的に配置された格子の存在は、プランク定数すら超える、物質の量子化のエビデンスとなっている。量子コンピューターと量子ビットの不思議な特性により、新たな種類のエラー訂正コードが明らかになった。これは、時空が量子もつれを用いて自らを一連のビット（あるいは量子）から構築するための、最も正確な（かつ、最適化された）道である可能性がある。量子もつれそのものが未解明であり、計算という視点で考えないと筋が通らない。

最後に、ミクロからマクロに目を移すと、自然界のいたるところに、計算が存在するエビデンスを見てとることができる。フラクタル図形は「自然の図形」と呼ばれている。このことは、自然界や生物界がアルゴリズムに基づいている可能性を明らかにする。物理的な物体は、レンダリングされた世界の外でコード化され、フラクタル生成のルールによく似た一連の命令に従うことで作成されているのかもしれない。

ひとつの実験あるいは主張だけで、シミュレーション仮説を決定的に証明できるわけではない（逆に否定することもできない）が、以上すべての要素は、この宇宙が一種のコンピューターであるという考え方を、力強く指し示している。だとすれば、これまで物理的だと考えていたことは、すべて情報と計算の問題だったのだ。

これらすべてを駆動する、総合的なコンピュータープログラムとは、どのようなものだろうか。私はそれを「グレート・シミュレーション」と呼びたい。

第12章 グレート・シミュレーションとその意味

この章では、本書で探求したさまざまな要素、すなわちコンピューターサイエンス、量子物理学、そして東洋・西洋の神秘主義を統合し、「運営しているのは誰か」「人類にとってどのような意味があるのか」など、グレート・シミュレーションに関する大枠の問いを検討する。

また、この新しい理論の支持者のあいだで特に議論の的になっているひとつの論点を、もう一度取り上げたい。私たち人類は、シミュレートされた意識なのか、本物の意識なのか、ということだ（ビデオゲームの用語で言い換えれば、私たちはプレイヤーキャラクターなのか、AIによるNPCなのか、ということになる）。

最後に、シミュレーション仮説が、人類の歴史上最も重要な2種類の真実の探求、すなわち科学者のコミュニティと、世界の宗教を担う神秘主義者のあいだの、初めての適切な架け橋となりうる可能性を説明して締めくくる。

全体的なまとめに移る前に、まず、西洋の哲学的伝統の中で、シミュレーション仮説的に言及している最も古い例を見てみよう。

プラトンの「洞窟の比喩」とシミュレーション仮説

古典『国家』でプラトンが提唱した洞窟の比喩とは、次のような物語である。囚人たちが洞窟の中で、鎖で壁につながれている。見えるのは、入口の反対側にしつらえられた何もない壁だけだ。洞窟の入口を何かが通ると、何らかの光源に照らし出された影が壁に映る。しかし、囚人たちは鎖につながれているので、光源が火なのか、太陽なのか、月なのか、その他のものなのかはわからない。

プラトンはこの比喩を、師ソクラテスと兄グラウコンとの対話として著し、人間の状態はこの鎖につながれた囚人と同じだと説く。囚人たちは現実を直接認識することができず、せいぜい現実の「影」を見ることしかできない。自分たちで話し合い、影の正体について意見をまとめ、「人間」「本」「馬」などと名前をつけることはできる。このようにして名づけた語彙《ごい》を用いて、自らの視点からの世界——あるいは現実——を説明することは可能だ。しかし、見ているものの本質については間違っている。彼らが名づけ、説明しているのは、現実世界の影にすぎない。囚人が鎖をちぎって洞窟の外に出たら、単なる影ではない、本物の人間や物を見ることができる。

そしてプラトンは、一生にわたって「鎖につながれて」いる我々人間にとって、その状態を脱し、新たな現実を見つめることは容易ではないのではないか、という仮説を立てる。太陽や月でさえ、まったく新しい概念になるだろう。実際、プラトンは、囚人が初めて太陽を見たら、さぞかし苦痛だろうと指摘している。生まれてからずっと洞窟の中で過ごしていた人は、目が光に慣れていないからである。

おそらくこれは、西洋哲学の分野で「見えているものが現実ではない」という考え方に言及した、最も有名かつ最も古い例ではないかと思われるが、グレート・シミュレーションの全体像とその意味について考えるため、私はここまで言及を避けてきた。もし私たちがビデオゲームのようなシミュレーションの中に住んでいるとしたら、洞窟の壁に映る影は、シミュレーションの中にいる私たちの目に映る、レンダリングされたピクセルに相当する。

では、影を照らしている光源は何だろう。ビデオゲームでは、レンダリングされた世界は何らかの電磁電荷に基づいて照らされるピクセル群である。レンダリングされた世界を一度も出たことがないので、目に映るものをすべて生成しているプロジェクター、あるいは光源をイメージするのはきわめて難しいが、存在するのは間違いない。もし、誰かがレンダリングされた世界を離れてから戻ってきたら、おそらく、「世界の外に行ってきた」と主張する神秘思想家のビジョンに対する科学者のコミュニティと同じような反応を示すだろう。また、シミュレーション仮説に対する、多くの人の当初の反応とも似るだろう。そんな話が本当であるわけがない、というのだ。

もし、プラトンの囚人たちが高い視点から影を見ることができれば、全体像を把握できるようになる。要するに、前のモデルよりうまく適合する新たな現実のモデルを見つけたことになる。これこそ、数千年にわたって神秘思想家が私たちに伝えてきたことだ――私たちを取り巻く現実は一種の幻想で、目に映る範囲の外に現実があるのだと。

これまでの章で示したように、コンピューターサイエンスの進化、ビデオゲームという形のシミュレーションがどのように構築されているかという理解、量子物理学の中心的な謎、古代の東洋哲学からのメッセージ、西洋宗教による説明、そして未解明の超自然現象、これらすべてが、プラトンの洞窟の比喩に登場する囚人のように、私たちがシミュレーションの中に住んでいることを示唆している。そのように仮定して、私たちが住んでいるこの「グレート・シミュレーション」の全体像に関する疑問を検討しよう。

グレート・シミュレーションの正体と運営者

グレート・シミュレーションを一言で表すと、私たちが住んでいるハイパーリアルなシミュレーション、あるいはビデオゲーム、つまり、われらの『マトリックス』だ。シミュレーションの中にいる限り、現実とシミュレーションの一部を区別することはできない。ただし、私たちの視点でこのシミュレーションが現実ではない、という意味ではない。私たちがプレイしているビデオゲームは、プレイしているあいだは現実であるのと同じだ。

シミュレーションの外に何があるのかを断言できないのと同様に、いくつのシミュレーションが存在するのかも断言できない。もし、この世界が10万件のシミュレーションのうちのひとつだとしたら、グレート・シミュレーションどころか、こちらにとっては数十億年の月日でも、シミュレーションの運営者にとってはまばたきに等しい時間で運営されているのかもしれない。

もし、私たちを取り巻く世界がシミュレーションなら、レンダリングされた世界の外には何があるのかという疑問が自然に湧いてくる。

誰が参加しているのか。

誰が創ったのか。

誰が（あるいは何が）運営しているのか。

なぜ創ったのか。

これらの問いへの決定的な答えを知ることはできないが、最も一般的な可能性には次のようなものがある。

■他のシミュレーション

もし、私たちがシミュレーションの中に住んでいるのなら、私たちが作成するあらゆるシミュレーションは、高度なMMORPG（マルチプレイヤー・オンライン・ロールプレイングゲーム）やビデオゲームも含めて、すべて「シミュレーション内のシミュレーション」であると考えられる。

もし、私たちの文明がシミュレーション・ポイントに到達することができたら、物理的現実と見分けがつかないシミュレーションを構築することができるだろう。このような関係が永遠に繰り返されるということはありうるのだろうか。この疑問は、ウィリアム・ジェームズと亀の逸話に似ているかもしれない。ある女性が、著名な心理学者であるジェームズに、地球は亀の背中に支えられているると語った。では、その亀は何に支えられているのか、とジェームズが問うと、女性は当たり前のように答えた。「もちろん、一番下までずっと亀ですよ」

ここで難しいのは、無限の再帰と同じように、無限の数のシミュレーションを実行するには、無限に近い計算能力が必要になることだ。何らかの基盤がなければ、再帰アルゴリズムは結果を返さないまま永遠に終わらない（各レイヤーは、下のレイヤーの結果を待ってから結果を出力する）。しかし、実用的な有限のコンピューティング環境では、再帰アルゴリズムでさえも永遠に続くことはない。メモリーがなくなったり、リソースエラーに陥ったりする。ボストロムは当初の論文で、これを防ぐ方法のひとつとして、シミュレーション内でシミュレート可能なものと不可能なものについて制約を課すことが考えられる、と述べている。

シミュレートされた文明が達成できる内容に制限をかけるというこの考え方は、既知の宇宙のシミュレーションには計算リソースがかかりすぎるので、私たちがシミュレーションの中にいることはありえない、という懐疑論者の主張に信用を与えるようにも思える。この説をシミュレーション仮説に対する反論ととらえるのではなく、「私たちがシミュレーションの中にいるのは事実だが、シミュレートできる内容には有限のリソースによる制約が課されている」という議論を展開することもできる。

もちろん、量子コンピューティングなど、従来と異なる、より高度なコンピューティング手法を検討することで、リソースに関する議論は瓦解する。また、従来型のコンピューティングを用いる場合でも、このような懐疑論は最適化手法の重要性を軽視している。たとえ、シミュレーションの外がもうひとつのシミュレーションだったとしても、どこかに最初の基底現実があるはずなのは間違いない。したがって、この可能性は興味をそそるが、当初の質問の完全な答えにはなっていない。

■人間／祖先

次は、シミュレーションを実行しているのが私たちと同じ「人間」である可能性だ。

ビデオゲームは、ごくシンプルで図案化された、人間以外のキャラクターで始まった（パックマンやインベーダーなど）が、やがて、一般的になった「アバターエディター」モデルを用いて性別や体のタイプなどを指定し、人間に似たキャラクター（アバター）を作成できるようになった。

もし、私たちが祖先シミュレーションの中にいるのなら、創造主が私たちをある程度自分に似せる、少なくとも人間型に創ることは妥当な考えだろう。祖先シミュレーションの目的は先祖をまねることなので、シミュレートされる生命は、創造主、つまりシミュレーションを作成した生命に似たDNAを持つことになる。よく似たDNAを組み込むなど、自らについてその時点でわかっているだけの忠実度で再現することは十分にありうる。また、わかっている内容の部分集合に基づいて創った可能性もある。ひょっとすると、私たちが「人間」だと思っているものは、シミュレーションの上の基底現実に生きている「原型人間《プロトヒューマン》」を簡略化したアバターなのかもしれない。

■未来からのタイムトラベラー

もうひとつのSF風シナリオでは、数百万年後の未来に生きる私たちの子孫が、シミュレーションを通じて私たちの歴史を観察していることが考えられる。

実際、これはフィリップ・K・ディックの信条に近い。つまり、時間軸の進行に応じて、私たちの歴史が監視、修正されているというのだ。たとえば、ディックの作品『高い城の男』は、枢軸国が第二次世界大戦に勝利し、ナチス・ドイツと大日本帝国がアメリカを分割統治している世界を描く。本人と妻テッサの言葉によれば、ディックはこれが本当に起こった時間軸で、自分にはその記憶があると信じていた。何者か、おそらく未来から訪れた生命が、この時間軸が最善の結果にならなかったと考え、同盟国が戦争に勝つように「変更」したのだという。

さらにディックは、ケネディ暗殺を阻止しようとした生命と交信していたとも信じていた。彼らは1963年にケネディがダラスで暗殺されないように調整を繰り返したが、何度やり直しても、他の場所で暗殺されたり、他の望ましくない結果、つまり核戦争が起こったりした。そこで彼らはシミュレーションを、ケネディがダラスで暗殺された時間軸に戻したのだという。

■人間以外の地球の生物

ダグラス・アダムスの人気SF小説『銀河ヒッチハイク・ガイド』では、地球は超知性を備えたネズミが行っている実験場だった。地球のネズミは、実験の進行に伴って私たち人間を監視するために来ていたのだった。これはありそうにないシナリオだが、地球にいる何らかの生物が、シミュレーションの創造主に似せて創られていて、元の形のアバターでシミュレーションに参加しているということは考えられる。もちろん、地球上では人間以外にテクノロジーを持てるほど高度な知性は発見されていないため、たとえばチンパンジーやイルカに近い生物なら、地球にいるのは、シミュレーションを創造もしくは監視している生物、「プロトチンパンジー」「プロトイルカ」の簡易版ということになる。こうして、創造主がシミュレーションでのできごとを内部から監視する方法が生まれる。

映画『スター・トレックⅣ　故郷への長い道』では、エンタープライズ号のクルーが、地球に接近する異星人の宇宙船を発見する。その異星人が唯一知っていた地球上の知的生命、ザトウクジラからの信号を待っていたのだ。しかし、ザトウクジラは、作中の時代にはすでに絶滅していた。カーク提督、スポック船長らクルーは時間をさかのぼり、現代世界でザトウクジラのつがいを捕まえてから自分たちの時代に戻る。未来でクジラと異星人のプローブがつながり、地球は救われたのだった。

■エイリアン

ここで登場するのが、イーロン・マスクからスティーブン・ホーキングまで誰もが提唱しているひとつの可能性だ。創造主は一種のエイリアンだ、というのである。もちろん、「人間ではないのに知性を備えている」という特徴自体が、私たちの「エイリアン像」を表している。「地球外生命体」(extraterrestrial) は、地球の外にある他の星から来た生命を表す言葉だが、現実の他の次元から来た生命にも、この概念を容易に当てはめることができるだろう。

今日、地球外のエイリアンを表す最も一般的なイメージは、「グレイ」だ。何十年ものあいだ、『Xファイル』から『未知との遭遇』まで、さまざまなSFやUFO体験談に登場し続けている。しかし、エイリアンが人間型ではなかったり、私たちの自己像とは似ても似つかない姿だったりすることもありうる。

もしシミュレーションの創造主がエイリアンだったとしたら、なぜ私たちを「人間」として創ったのだろう？　この問いに対しては、どのようなレベルの確証をもって答えることもできないが、想像は可能だ。『ワールド・オブ・ウォークラフト』で、文学作品やイマジネーションに基づくファンタジー系の種族を創れるように、人間も彼らの社会において、実在または架空の世界で何らかの役割を果たしていたのだろう。一方、UFOに誘拐され、宇宙船に連れ込まれたという多くの体験談を検討すると、共通するひとつの特徴は、エイリアンが私たちの遺伝子を何らかの形で収集していたように見えた、というものだ。エイリアンと共存できる、あるいはなんらかの役に立つ段階まで人類のDNAを進化させるのが、シミュレーションの第一の目的である、ということは考えられるだろうか。

■超知性を備えた機械

シミュレーションを実行している「専制君主」として機械が君臨している、という説も人気がある。実際、これは映画『マトリックス』の設定となっている。

AIは、シミュレーション仮説を貫く糸である。NPC（ノンプレイヤーキャラクター）は基本的に、私たちが制作するビデオゲームの中に存在するAIだ。AIの技術は、現実世界における私たちのさまざまなタスク（電話をかける、情報を検索するなど）を補助するインテリジェントなエージェントを開発できるところまで進化した。一部の専門家によれば、私たち自身も実はシミュレーション内のAIである可能性があるという。これは「インテリジェントな機械によって創られたシミュレーション」とはまた別の説である。

SFと科学的予測の両方で人気のあるテーマは、人類が開発した機械が十分な知性を備えたらどうなるか、というものだ。機械は自らが生き残るために人間はもはや不要だ、と判断するのではないか。あるいは、たとえ人間を必要とするにしても、機械は人間に何かをさせて無為に生かしておこうとするのではないか（これも『マトリックス』の筋書きだ）。こうした「キラーAI」シナリオは、テクノロジーの高度化とともに、多くの科学者が懸念するようになっている。現時点では、機械がチューリングテストに合格する段階にも、機械が高度なシミュレーションを制作する段階にも達していない。しかし、機械学習とAIの進歩のスピードを考えれば、それほど遠い未来でもないのかもしれない。

■神と天国

最後に、神秘思想的な説明を取り上げる。

グレート・シミュレーションは、意識ある生命のテストの場として創られたというものだ。東洋と西洋、両方の神秘的伝統で、私たちを取り巻く世界は何らかの形で現実ではなく、訓練あるいは試験の場だという考え方が共有されている。東洋の伝統では一般的に、ひとつの「魂」が複数の「人生」を過ごす（複数のキャラクターをプレイする）。西洋の伝統では、神と天使がいて（その中には守護天使も含まれる）、永遠の天国と地獄がある。どちらの場合でも、この世での行動によって、この世を去った後の運命が決まるという概念は共通している。

　これらのさまざまな可能性は、必ずしも相容《あいい》れないわけではないことに注意してほしい。たとえば、神や天使が存在するという考え方は、シミュレーションの外に超知性を備えたＡＩやエイリアンがいて、それが人間には神や天使に見えている、という考え方と矛盾しない。『新スター・トレック』のクルーたちは、想像できる限り最も全知全能に近いエイリアン種族、「Ｑ」と出会う。Ｑは時間と空間を操り、エンタープライズ号を物理的宇宙のある場所から別の場所へ一瞬で移動させたり、新たな生命体を創ったり、神のような体をたやすく操ったりできた。人間のような姿になって、コミュニケーションを取ることもできる。私たち人間から神のように見える存在も、実はエイリアン、あるいは単にシミュレーションの外にいてシミュレーションの操作権限を持つスーパーユーザーなのかもしれない。

　シミュレーションの外に誰が、あるいは何がいるのかにかかわらず、シミュレーションの姿は十分に理解できるようになったのではないだろうか。誰かがシミュレーションの外に出ない限り、グレート・シミュレーションの目的を知ることはできないが、本書で明らかにしたような基本要素と、物理的世界の「性質」に関するさまざまな理論との関連性は、理解することができる。

グレート・シミュレーションの主な構成要素

本書の大部分では、コンピューターサイエンス、量子物理学（および相対論的物理学）、そして東洋の神秘思想（および若干の西洋の神秘思想）がすべて、シミュレーション仮説を採用することで説明しやすくなる世界を示しているように思えることを論じた。

私たちは、ビデオゲームの現在までの発展に関する情報とトレンドを将来的なテクノロジーのトレンドに投影し、どうしたらそのようなシミュレーション――数十億人、あるいは数兆人に及ぶプレイヤーを擁する巨大なビデオゲーム――を、現実と区別のつかない形で構築することが可能かを理解することができる。

ではグレート・シミュレーションを構成する中核的要素は何だろうか。それを見ていこう。

■ピクセル化された高解像度の世界

ビデオゲームやコンピューターグラフィックスは、8ビットのピクセルでレンダリングされたアーケードゲームによる粗いシミュレーションから、数千万色と4K以上の解像度による高度なコンピューターグラフィックスに進化した。実際、コンピューターによって生成されるオブジェクトやキャラクターの解像度は大幅に向上したため、同じコンピューターモデリングやテクスチャーレンダリングの手法を用いて、ビデオゲームと映画の特殊効果の両方が制作されている。

わずか数十年前のゲームと比べて現代のゲームがどれほどリアルかを考えると、現実的な世界とキャラクターをレンダリングする能力はこれから数年、いや数十年のあいだにどれほど進歩するだろうか。これは、コンピューターがハイパーリアルなキャラクターを生成できる可能性を示している。仮想現実（VR）の登場により、私たちは目や脳に作用するようにレンダリングされた世界が奥行きや現実感をもたらすことができるのを理解した。そして、拡張現実（AR）や複合現実（MR）によって、物理的なものと、コンピューターによって生成されたものの境界は薄れ始めている。

ならば、数十年以内に、私たちの文明は物理的現実と区別のつかない世界をレンダリングできるようになるだろう、と考えるのが論理的な帰結である。銀河系が誕生してから現在までの数百億年間に、私たちよりずっと進んだ高度な文明が存在する可能性は、きわめて高い。

■超大規模なマルチプレイヤーオンラインゲーム

私たちのビデオゲームも、1台のコンピューターで稼働する（そして画面にレンダリングされる）1人用ゲームから、数人に始まり数十人、そして今では数百万人のプレイヤーがログインできる、共有された体験に進化した。現時点のサーバーテクノロジーでは、数十億人のプレイヤーの同時接続ができるほどの規模は実現できないが、近未来に可能にならない理由はない。なぜなら、すでに数十億人のユーザーが利用している「フェイスブック」などのウェブサイトが存在するからだ。

マルチプレイヤーゲームには、ゲーム時の状態があり、個々のプレイヤーがそれぞれのキャラクターを操作している。ゲームの唯一のレンダリングがあるわけではない。クラウドに存在している情報があるだけだ。各プレイヤーのコンピューターはグラフィックスをレンダリングし、他の各プレイヤーへの情報を送信する。これは私たちと、物理的に共有されているように見えるこの世界とのやりとりを推測するための、力強い例となる。超大規模なオンラインロールプレイングゲームと同様に、シミュレーション仮説は、私たちがそれぞれキャラクターを操作していること、そして、ゲームが共有され、各自の脳の認識に従ってレンダリングされていることを打ち出している。

■無限大に思える、アルゴリズムで生成された世界

ビデオゲームは、世界のすべてがピクセルによる定義として格納されていたビットマップ画像の時代から、世界の一部だけが各プレイヤーに表示される、アルゴリズムによって生成された世界に進化した。プレイヤーに見えていない世界も存在はするが、ゲーム内でその場所に移動して初めて表示される。レンダリングは、必要に応じてしか行われない。大きな世界を持つビデオゲームでは、ある場所の向こうにある「残りの世界」もアルゴリズムによって生成される。これにより、訪問可能な膨大な数の惑星や世界を、それぞれ観測したときに生成されるようにすることができる。制限事項は保存領域だけになり、それすらも最適化できる。

私たちの世界には、最も妥当な推定として1700億個の銀河があり、恒星や惑星の数は数兆個にのぼる。これらのそれぞれが、いつの日か恒星間の距離を飛行できるようになったら訪れる可能性のある世界である。ビデオゲームとは異なり、これらの惑星の多くを私たちが訪問できることはおそらくない。そこで持ち上がるのは、これらの星々がどのように生まれているのか、そして星々は実在するのか、あるいは何らかのシミュレーションなのか――私たちが世界の果てを遠くまで眺めれば眺めるほど送信されるシミュレーション信号なのか――という疑問だ。このことを検討すると、私たちを取り巻く物理的プロセスに、コンピューターによる計算を示すような特徴があるのではないかという考え方も持ち上がる。単純な再帰アルゴリズムに基づくフラクタル図形は、樹形、葉の形、惑星の地形など、自然界の特徴をシミュレートするのに驚くほど効果的だ。

■プレイヤーキャラクター、NPC、AI

ビデオゲームには、プレイヤーキャラクターと、ゲームのアルゴリズムで制御される人工のキャラクターであるNPC（ノンプレイヤーキャラクター）がいる。AIの高度化に伴い、チューリングテストに合格するコンピュータープログラムの登場も近づいている。チューリングテストとは、第3章で述べたように、人間が、本物の人間とコンピュータープログラムのどちらとやりとりしているかを見分けられない場合に合格とするテストである。ゴールに到達こそしていないものの、AIが進歩するペースを見ると、間違いなく今後100年以内に、おそらくわずか数十年で到達するだろう。もし私たちのコンピューターテクノロジーによって、シミュレートされた人工知能（SAI）をアンドロイド型のボディに搭載できるようになったら、知性と意識に関する問いは、コンピューターサイエンスの概念、そして「生」の概念とともに、徐々にぼやけ始める。『スター・トレック』などのSFのように、この重要な段階に到達したら、私たち自身が一種のAIでないと誰が言えるだろう。

当初のシミュレーション議論で、ニック・ボストロムは、人類はシミュレーションの一部であるだけではなく、本物の生命ではないシミュレートされた意識である可能性が高いと主張した。これは、神秘思想家による、レンダリングされた世界を意識が出入りしているというモデルとは対立するが、どちらも可能性としては除外できない。

■ダウンロード可能な意識

現在の私たちは、意識と脳は不可分だと思っている。しかし、人の脳内で行われている何兆回もの神経系のやりとりを捉えることができれば、その人が亡くなった後の意識や考え方をシミュレートできると考える科学者もいる。ダウンロード可能な意識というゴールは、今のところ私たちの手の届く範囲をはるかに超えているが、数十年後には実現すると考える向きもある。

一方、神秘思想家は、そもそもダウンロードによって私たちの意識は肉体に入ったのだと主張する。生まれたときに、魂から分かれた意識が、肉体にダウンロードされたというわけだ。ダウンロード可能な意識の概念は、ほとんどの宗教的・神秘的伝統でほのめかされており、私たちが本物の生命なのか単なる情報なのかということについて、興味深い問いを提示してくれる。

■量子化され、ピクセル化された現実

量子物理学は、私たちは実のところマクロの物体からなる固体の物理的世界ではなく、小さな物体で構成される世界に住んでいる、という考え方に基づいている。物質の構成要素の大きさには実用的な限界があるようで、ある値未満だと測定ができない。ここでの考えは、物理的現実は連続的ではなく、量子化されている（不連続である）ということだ。量子は当初、エネルギー量であると考えられていたが、実のところ原子レベルでは、私たちが物理的な物体と思っているものはほとんど、何もない空間で構成されている。空間が量子化されているという性質と、光速が固定であるという性質は、「量子化された時間」もまた、物理的時間の一部であるという考えに寄与する。

つまり、この物理的現実はアナログではなく不連続の情報によるデジタルな現実として表したほうが適切ということだ。コンピューターゲームのピクセルや、デジタル情報として格納されたビットと変わりない。ビットは、このモデルにおける単純なデジタルの0と1ではなく、おそらく量子ビットだろう。それでも、量子化された現実の中に住んでいるという事実は、ピクセルによってレンダリングされた世界を思い起こさせる。現実が3次元に見えることは、これまでならシミュレーションであることの反論になっていたかもしれないが、この世界のピクセルが2次元の画面に表示されるものではない、という意味しかもたないだろう。3Dプリンターは、3次元の物体ですら、3Dモデルとピクセルによって、最小単位の「ピクセル」あるいは「オブジェクト」を用いてレンダリングできることを示してくれている。

■量子不確定性に基づくレンダリングエンジン

ほとんどのビデオゲーム（そして他のコンピュータープログラム）は、計算リソースの最適化を必要とする。そして、プレイヤーの視点からレンダリングする必要のあるものだけをレンダリングする。これは、物理的世界は誰かが観測したときにのみ存在しているのかもしれない、という最新の考え方である「量子不確定性」に直接関連する。だとすれば、量子不確定性は一種の最適化手法だということになる。レンダリングされた唯一の世界があるわけではなく、各自のコンピューターでレンダリングが行われるビデオゲームと同じように、グレート・シミュレーションにおける「ハードウェア」とは私たちの意識であり、共有された現実は存在しているが、必要に応じて部分的に表示されているだけなのかもしれない。このようにして、物理的世界は誰かが観測したときにのみ存在しているのかもしれない、という最新の考え方である「量子不確定性」を説明できる。

■古典物理学と量子物理学に基づいた物理演算エンジン

仮想世界がある現代のビデオゲームにはすべて、仮想世界の中の物理法則を定義する物理演算エンジンが搭載されている。これが仮想世界の外の法則と同じであるかどうかはわからない。私たちを取り巻く世界の「物理演算エンジン」では、光速は物理的時空における定数であることがわかっている。もし時空がピクセル化されているとすれば、一定の速度を用いて量子化された時間、つまりシミュレーションのクロック速度を得ることができる。ビデオゲームでも、点Aから点Bへの移動にかかる速度には制約がある。ただし、世界のある場所から別の場所へテレポートする場合は例外だ。

アインシュタイン・ローゼン・ブリッジ（ワームホール）は、私たちを取り巻くシミュレートされた時空の現実において、これを実行する方法を示している。さらに、量子もつれと量子非局所性（量子同士が離れていても、もつれ状態を保つこと）は、光速より速く（もっと言えば一瞬で）システム内の異なる場所のあいだで情報を転送する方法があるかもしれないことを示している。

そうであれば、通常の時空を通過する制約にとらわれずに情報を伝達する手段があるはずだ。これらはすべて、通常の時空の外側に何かがあることを示している。つまり、時空はシミュレーションと変わらない構築物であるということだ。量子もつれは、情報を少なくとも共有することは可能だと証明しているように思われる。これは、物理学の現在の理解よりも、シミュレーション仮説を通じて、より適切に説明できる。

これらすべての要素によって、現代のビデオゲームで使われているさまざまなアイデアが、数十億人が共有するMMORPG（マルチプレイヤー・オンラインロールプレイングゲーム）に適用できるようになる。いや、適用できるだけではない。本書全体にわたって見てきたように、物理学によって発見されコンピューターサイエンスによってモデル化された物理的世界の性質は、シミュレーション仮説を、非常に可能性の高いシナリオとして指し示している。

意識のある生命なのか、意識のないシミュレーションなのか
――プレイヤーキャラクターかＮＰＣか

シミュレーション仮説の理論家のあいだで議論になっている内容のひとつは、私たちは全員、シミュレーションの中でシミュレートされている生命にすぎないのか、ということだ。ボストロムが最初に提唱したシミュレーション議論は、このことを暗示している。

しかし、私がシミュレーション仮説の主な説明としてビデオゲームのメタファーを使うことにした理由は、個人的にボストロムの説を信じていないからだ。ビデオゲームでは、ゲームの外にプレイヤーがいて、ゲーム内のキャラクターを操作している。あるいは、キャラクターに宿っているともいえるだろう。ビデオゲームのメタファーを意識的に選んだのは、シミュレーション仮説が神秘思想と科学の橋渡しになっているとはいえ、東洋の神秘思想家のほうが、多くの科学者よりもグレート・シミュレーションの本質に迫っていると思うからだ。これは、グレート・シミュレーションがテクノロジーに基づいていない、という意味ではない。実際、シミュレーション・ポイントへの道のりにおいて特に重要な段階のひとつは、ステージ10の「ダウンロード可能な意識」である。

パートⅢでは、シミュレーション仮説が、「〈シミュレーション〉の外を見たことがある」と述

べる神秘思想家――仏陀や、ヴェーダの著者たちの経験と似ているだけではなく、科学的根拠を提示することを見てきた（西洋宗教の創始者であるモーゼ、イエス・キリスト、ムハンマドら、いわゆる「アブラハムの宗教」に連なる預言者たちについても同じことが当てはまるのは、言うまでもないだろう）。

■夢のような現実

あらゆる宗教の神秘思想家が、私たちが現実だと思っているものは、一種の夢に過ぎないと教えてくれている。これは、ヒンドゥー教と仏教で特に有力な考え方だ。

ヒンドゥー教のヴェーダには、人間たちが中に捕らわれている巨大な演劇、リーラの概念がある。このマーヤー、すなわち幻が、仏教の礎となった。タントラ仏教の中には、自分が夢の中にいることを認識することを学ぶ「夢ヨガ」関連の修行をする一派がある。夢を見ているときは、ベッドの中で自分の体が眠っていることに気がつかず、夢の中の要素が本物に見える。実際、「夢」がすでに、シミュレーション・ポイントへの道のりとして提示したテクノロジーのほぼすべてを満たしていることは前述した。

■魂、輪廻転生、カルマ、クエスト

「ダウンロード可能な意識」という現代的な考え方を踏まえると、東洋の宗教は、私たちが肉体にダウンロードされた魂あるいは意識であることを教えてくれる。ダウンロード期間は、夢の状態が続く限り。この夢を、私たちは「人生」と呼んでいる。これが複数回起こるので、複数のライフを経験する。これはビデオゲームで起こることとよく似ている。

これらの宗教では、自分の一部はシミュレーションの外にいて、自分というキャラクターをプレイしているあいだ、あらゆることが記録される。ビデオゲームで経験値、レベル、クエストの内容が記録されるのとそっくりだ。

これは、カルマ（因果律）の概念に基づく。実のところカルマは、止まることのないビデオゲームのクエストエンジンのようなものである。私たちのアチーブメントやゴールを記録し、過去のカルマを解決するために求められる、他のプレイヤーと共有される状況を生成する。仏教によれば、終わりなきカルマの輪があるからこそ、私たちは何度もこの世に戻ってくる。それは、進行中のクエスト一覧のようなものだ。クエストは、私たちの行動によって作成される。

では、クエストはどこに保存されるのだろうか。マルチプレイヤービデオゲームと同様に、クエストはレンダリングされた世界の外に保存され、これらを保存するために使用される何らかのロジックによって、人生は続く。

いかなる生命あるいは存在が、何十億ものカルマや経験を管理できるのだろうか。最もありうるのが何らかのコンピューターあるいはＡＩだが、この説をとった途端、メタファーとしての「カルマの神々」が不要になる。

■神のようなＡＩ、天使、死後の世界

西洋の宗教では、人は一般的に神に祈り、神が遣わした天使が人の行動を記録する（イスラム教

における「行動の帳簿」を記録する天使、あるいは聖書に書かれた「いのちの書」)。これは、数十億の人間あるいはプレイヤーとその行動を管理できる、一種の神のようなものが、グレート・シミュレーションの外にいることを示している可能性がある。

西洋宗教による天使と、物理的世界での行動に基づく永遠の魂の審判も、シミュレーション仮説と整合性がとれている。ビデオゲームの中と同じように、私たちの行動は(記録天使や守護天使によって)記録され、スコアをつけるために使われる。

以上のように、宗教や神秘思想が行う現実の本質の説明によれば、この物理的世界は、私たちが「ダウンロード」され、行動が記録される場所だということになる。そして私たちは、物理的世界の外にあるどこかに帰るのである。現代のコンピューターサイエンスの用語で言い換えると、グレート・シミュレーションはこれを完璧に説明する。もし古代にコンピューターやビデオゲームがあれば、宗教家も本書と同じような用語を使って説明していたであろうことは十分に考えられる。

全体像——すべての科学の裏には「計算」がある

私自身、ビデオゲームデザイナーとして、子供時代に遊んだごく単純な8ビットのアーケードゲームから、無限の可能性を秘めた、きわめて複雑なマルチプレイヤー・オンラインロールプレイングゲームまでどれほど速く進化したかということに驚かされてきた。

初めてシミュレーション仮説について耳にしたときは、他の人と同じように私も懐疑的だった。しかし、コンピューターサイエンス分野の経験を用いて深く検討してみると、シミュレーション仮説はテクノロジーの未来予測と整合性がとれていることがわかった。そのうえ、科学にとどまらず哲学と宗教も含め、究極の真実を探すためのさまざまな道を統合していることに気づいた。

さらに、情報科学は年々、コンピューティングに関する私たちの単純な理解を超えて拡大しているように思える。ネットスケープ創業者のマーク・アンドリーセンの言葉を借りれば、ソフトウェア分野は他の科学分野やさまざまな取り組みと統合されつつあるだけではなく、それらを食い尽くしつつあるのだ。

これは現代世界の至るところでみられる。通信テクノロジーは当初、電信装置や電話機などの機械を用いて、物理的な信号を電線で送信していた。それがいまや、何層ものアルゴリズムに束ねられて送信される、ビット単位の情報で構成されるデジタルフィールドになっている。物理的なフィルムのコマ送りで始まったエンターテインメント分野は、いまやパケット単位で無線送信できる情報だ。放送も従来型のテレビから完全にデジタルな世界へと移行している。

世界の情報はデジタル化されつつある。そして、3Dプリンティングの普及によって、三次元世界の物理的ピクセルに情報を変換するコンピューターモデルと機械を使って、物理的な物体をたやすく造れることが明らかになってきている。この流れはCAD（コンピューター支援設計）あたりから始まっているが、物理的な物体とプロセスは情報として表すほうが優れていることはいまや明らかだ。より高度なデジタル機械を用いることで、産業革命以降の従来型機械よりもはるかに効率よく、この情報から物理的物体を製造できるようになる可能性がある。

まったく縁のない分野と考えられていた生物学すら、ゆるやかに情報科学と重なりつつある。生物の世界も、情報に基づいていることが明らかになった。ただしもちろん、機序は異なる。DNAに組み込まれた命令により、さまざまな生物学的プロセスを通じて、細胞が形成される。コンピューターサイエンスとAIの分野では、生物学的プロセスを活用して、さらに高度で独自性のある結果を得られることがわかった。現在の機械学習の大半は、生物学的アルゴリズムに基づくニューラルネットワークの調整に基づいている。急成長中のバイオインフォマティクス分野と、生物学的プロセスのモデリングにはまだ成長の余地があるが、情報と計算は、生物学の世界と切り離せなくなった。

そして最も重要な点として、古典物理学の時代には連続的な道を動く一連の物理的物体と考えられていた、物理的世界の概念がアップデートされた。量子物理学によって、物理学的な物体など存在せず、ほとんどの物体は真空と電子で構成されていると判明したことで、私たちは、この世界の中で何が現実なのか、という形而上学的な問いに踏み込む。量子化された空間と時間は、人類が現代のコンピューターのために発明したデジタルピクセルやクロック速度と、サイズこそ極小だが、ますますよく似ているように思えてくる。量子コンピューティングに用いられる量子の情報、または「状態」は、量子を実際に定義できる唯一の方法かもしれない。ここでもまた、情報と計算は、物理学において、さらに重要な役割を占めてきている。

伝説的な物理学者であり、本書で取り上げた量子物理学に関する多くの概念で重要な役割を果たしたジョン・ホイーラーも、最終的に物理学の大部分は情報に基づいているという結論に達し、これを「ビットからイットへ」と呼んだ。ホイーラーは自伝で、物理学界における長いキャリアを3つの段階にまとめている。「すべてが粒子である」から「すべては場である」に進化し、最終的に「すべては情報である」に至った。[80]「イット」とは物理的世界で、「ビット」とは情報だ（自伝を著した時点では、量子コンピューターは実用化されていなかったが、ホイーラーは量子スピン内の情報に関するアイデアに言及している。これはのちに、量子コンピューターで利用される量子ビットの基になった）。

ほとんどあらゆる科学分野は、現実世界の謎を探求する道として始まり、進歩してきたが、コンピューター計算と情報に関する内容に変わりつつある。世界最高峰の私立工科大学MITには最近まで5つの学部があったが、つい最近、あらゆる人間の努力にコンピューター計算が影響を与えているという認識のもとに、新たなカレッジが設立された。10億ドル規模の寄付を受けたシュワルツマン・カレッジ・オブ・コンピューティングは、コンピューターサイエンス全般、特にAIは、一群のコンピューターサイエンティストだけの領域ではなく、あらゆる科学分野と業界に影響を与える領域である、という考え方に明確に基づいて設立された。

かつて、シミュレーション仮説は、ほとんどの科学者によってSFだと思われていた。まじめな研究よりも、フィリップ・K・ディックの小説の題材がふさわしいというわけだ。しかし、もはやそうではない。現代になって、シミュレーション仮説がまじめに取り上げられている理由の一端は、ビデオゲームの進化、さらには情報科学とコンピューター計算の進化にある。他の科学分野が実際には独立した分野ではなく、情報と計算のレイヤーによって統合できることが、ますます明確になりつつある。つまり、コンピューターサイエンスは、数学と同様に、私たちを取り巻く宇宙の基本的な構成要素なのかもしれない、ということだ。この傾向はひたすら加速している。今後数年、あるいは数十年のうちに、さらに大勢の科学者がシミュレーション仮説に真剣に注目するようになるだろう。

おわりに
——「巨大な断絶」に橋をかける

過去500年にわたって活発な議論が交わされてきたテーマのひとつに、科学界が主張してきた現実の物理的本質と、宗教界や神秘思想界が主張してきた霊的（物理的でないことの婉曲表現だ）本質の二項対立がある。人類の歴史の大半は宗教的な視点が優勢だったが、19世紀から20世紀にかけて、世界を説明する有力な方法として科学が台頭すると、宗教は倫理性や霊性に関する副次的な流れに降格し、物理的世界のまじめな研究から永遠に取り除かれた。

かつてアインシュタインは、「宗教のない科学は不自由で、科学のない宗教は盲目だ」と述べた。両者のあいだに対立があるという考え方を否定したともいえるだろう。しかし、20世紀も後半になると、多くの科学者は、宗教に何らかの科学的意味がある、あるいは神秘思想家が文字どおり真実を語っているかもしれないといった考えを拒否するようになった。かくして、意識の研究は化学に矮小化《わいしょう》され、宗教や霊的体験の研究は社会科学に分類された。その結果、ほとんどの研究者は、宗教的な世界観と一致する科学的モデルの作成をあきらめた。具体的には、私たちを取り巻く物理的現実だけがすべてではなく、意識が重要であるとする世界観だ。物理学の巨人、マックス・プランクも、「意識こそが根源だと思う」と述べている。

実のところ、コンピューター計算と情報科学の発達と進化は、私たちに新たなモデルを提示するとともに、すべての科学、意識、そして多くの宗教的概念のあいだのギャップを埋める方法を提供してくれた。プランクと同様にノーベル賞を受賞している量子物理学のパイオニアであるウェルナー・ハイゼンベルクは、本書パートⅣの冒頭で引用したとおり、異なる文化に由来する2つの思考の系統が出会えば、「新たな興味ある発展が続いて起こることが期待できる」と教えてくれている。

シミュレーション仮説は、この「新たな興味ある発展」のひとつだ。これこそが、ただひとつの枠組み、科学と宗教を統合する首尾一貫したモデルを提示する「答え」なのかもしれない。

アインシュタインはかつて、「神は謎だ。ただし、理解可能な謎だ」と述べた。いまや私たちは、この謎を理解し、説明し、やがてシミュレーションテクノロジーの発達に伴い、謎の多くの要素を再構築できる立ち位置にいるのかもしれない。

謝辞

本書の執筆に直接、あるいは間接的に貢献してくださった多くの方に感謝したい。ビデオゲームとシミュレーション仮説に関する問いには生まれてからずっと取り組んできたとも言えるので、自分の思考に「影響した」体験と、「影響しなかった」体験を線引きするのは簡単ではない。

まず第一に、このプロジェクトを手伝ってくれた編集者に感謝したい。ジェノヴィーヴァ・ローザ、シャロン・カプラン、デボラ・ラップ、エイダ・アリス・マッキムは原稿の整理・編集・校正、ダイアナ・ハートは索引作成を担当した。

より優れた宇宙の「モデル」を追求するための自信をもたらしてくれた、ＭＩＴでお世話になったすべての教授に感謝したい。そして、ＭＩＴゲームラボの教職員にも。ここでは、ビデオゲーム研究は真剣に取り組む対象であること、その一方で、「遊び」の精神に基づいてできることを教えてもらった。

この流れに乗って、Ｐｌａｙ　Ｌａｂｓ＠ＭＩＴの運営に協力してくれた皆様、創業したビデオゲーム企業の共同設立者になってくれたミッチ・リウとイルファン・バーク、そしてもちろん、長年のあいだに協力関係を築いた、あるいは投資先となってくれた、ビデオゲーム業界の起業家の皆様にも感謝したい。

また、激励してくれたダニオン・ブリンクリーとビル・グラッドストーン、そして亡き夫フィリップ・Ｋ・ディックと彼のシミュレーション仮説に対する信念について快く話してくれたテッサ・Ｂ・ディックに、とりわけ感謝したい。

最後に、シミュレーション仮説の話をひたすら続けるあいだずっと我慢し、どんなときも変わらず助けてくれたエレン・マクドノーに感謝したい。

解説

すべてはシミュレーションだ！

本書は、この宇宙そのものが（高次の）コンピューター内のシミュレーションだ、と主張している。そんな荒唐無稽なと、笑う読者がいるかもしれないが、本書の強みは、実際にコンピューター・サイエンス（情報科学）を修めた著者が、現代物理学の最新の成果を「傍証」として繰り出してくる点にある。いいかえると、現代物理学が明らかにした森羅万象を（高次の）コンピューター・シミュレーションの観点から解釈してみせるのである。

われわれは、この宇宙で起きていることを物理学の数式に基づいて、コンピューターでシミュレーションすることに慣れている。宇宙探査船の軌道計算も、自動車の空洞実験のシミュレーションも、地球温暖化の計算も、すべて物理学の数式とコンピューターから成り立っている。

でも、ここで素朴な疑問が湧いてくる。

「いったいどうして、物理学の数式は、この宇宙の森羅万象をうまく記述できるのか」

そう、なぜ、数式だけで、宇宙探査船が無事に目的地の小惑星に到着し、最高の走行性能を持つ自動車が完成するのか。数式は、そもそも「どこから来た」のか。

物理学の方程式は「発見」なのか「発明」なのか、という議論がある。もしも「発見」なのだとしたら、人類より先にそれを発明した、超越的かつ知的な存在が……ああ、すみません、解説なのに、なんだか難しくなりつつありますね。小難しい議論は、本文をつぶさに繙《ひもと》いていただくとして、もっと実感のこもった話にいたしましょう。コホン。

実は私はシミュレーション仮説を信じている。それには理由《わけ》がある。

幼い頃から厳格なカトリックの家に育ち、物心ついたころには、聖書の記述とサイエンスとの矛盾に悩まされた。私は次第に、聖書に書いてあることを字義通り解釈することを止め、サイエンスの視点から再解釈するようになった。そして、気がつくと、科学哲学を修め、高エネルギー物理学で博士号を取得していた。自分の中では、素粒子物理学と宇宙論の数式が理解できるようになった時点で、宗教とサイエンスの相克から、ようやく解き放たれたのだ。

神、天地創造、天使、天国、地獄、魂、身体、物体、空間、時間……そういったものがすべてシミュレーションなのだと考えると、そもそも宗教とサイエンスの対立も消滅する。

この「奇妙な境地」に達したのは、私が大学院を終えて社会に出た30代前半だったかと思う。当時はシミュレーション仮説という言葉も存在しなかったが、この世界観で私は生き続けてきた。

実際、仕事で失敗したり、不運が続いたりすると、私は、私というプレーヤーを動かしている（外部の）プレーヤーに毒づくことにしている。

「そろそろヒットポイントを補充してくれないと頑張れませんよ」

「本腰を入れてプレーしてくれないと、対戦相手にやられっぱなしじゃないですか」

そして、この宇宙、すなわち情報空間を統括しているデーモンには、手を合わせてお願いをするのだ。

「家族の安寧を。お金の心配から解放してください。猫の病気が治りますように」

本文にも出てきたが、組織内のコンピューター（サーバー）群を統括する役割の人を「デーモン」と呼ぶ。私の大学院時代の物理学科のデーモンは、同い年の学生だった。教授の誰ひとりとして敵わないし、彼がいなくなると物理学科は崩壊するため、彼の身分は准教授だった！　事ほど左様にデーモンは絶対的な力を持っている。要は情報空間における神みたいな存在だ。だから私は、担当プレーヤーには毒づくが、デーモンには手を合わせるのである。

ところで、著者が引用するSFや物理学の書物などは、馴染み深いものだらけで、かなり驚いた。物理学者のファインマン（量子コンピュータの提唱者）、ホィーラー（選択遅延実験、ビットからイットへ）、心理学者のユング（シンクロニシティ）、哲学者のプラトン（洞窟の比喩）などは、私の長年の心のヒーローだったし、かなり著作を読み込んでもいる。著者とは読書傾向がかなり近いようだ（笑）。

私は大学で科学哲学を専攻し、卒論は『ゼノンのパラドックス』であり、本書とほぼ同じ内容になるが、時間と空間に最小単位があると主張し、その後、足りない知識を補充するために物理学科に再入学した経験がある。また、「境地」に達してからは、10年ほどコンピューター・プログラマーとして生計を立ててもいた。

本書の監修を依頼されたのと、ほぼ同じタイミングで、私は『そこまで言って委員会NP』という番組で臨死体験について語る機会があり、シミュレーション仮説の観点から、死後の世界がありうるとコメントしていた。本文にあるようにユングのシンクロニシティである。

てなわけで、本書の主張のほとんどを私は「うん、うん」と頷きなら肯定的に受け止めることができる。ただし、私は自分については「オレはAI搭載型のNPCにすぎないのではないか」と感じているので、だから死後の世界を垣間見た経験がないのだと考えている（笑）。

本書は、人々の世界観をがらりと変える可能性がある。

２０２１年12月

竹内　薫

追記

本文中の「量子不確定性」という訳語は扱いが難しい。quantum indeterminacy（＝量子の非決定性）という概念だ。猫が生きている状態と死んでいる状態の重ね合わせにある場合、その状態は、生死のどちらかに決定されてはいない、というような意味である。スリットであれば、どちらのスリットを通ったかは決定されていないわけだ。生きていて死んでいる、両方のスリットを通った、と解釈してもいい。

本来なら「量子の非決定性」と訳すべきかもしれないが、状態が不確定であるという意味で「量子不確定性」のままとした。

なお、ハイゼンベルクの不確定性原理（uncertainty principle）も、（広義の）量子の非決定性の一部と考えていいが、重ね合わせの原理とはまた別の概念なので、混乱なきようご注意いただきたい。

また、本文中で、重ね合わせの状態を「観測」すると確率の波が収縮し、状態が決定するという言及部分で、観測者が「意識」を持っている点が強調されているが、これについては、観測機器によって観測されても波は収縮するので、物理学の立場からは少々受け入れ難いと感じた。

シュレーディンガーの猫も、放射性物質の崩壊については確率的だが、その後、機器による観測で崩壊したかどうかが「決定」されてから毒が放出されるので、猫そのものが重ね合わせ状態にあると考える物理学者は存在しないだろう。こういった量子物理学の細かい論点は、専門の書物にあたっていただきたい。

71. 同上。
72. Thomas Campbell et al., “On Testing the Simulation Hypothesis.”, International Journal of Quantum Foundations (March 2017) http://www.ijqf.org/wps/wp-content/uploads/2017/03/IJQF-3888.pdf
73. https://www.technologyreview.com/s/429561/the-measurement-that-would-reveal-the-universe-as-a-computer-simulation/
74. https://www.sott.net/article/301611-Living-in-the-Matrix-Physicist-finds-computer-code-embedded-in-string-theory
75. https://youtu.be/cvMIUepVgbA【訳者コメント：リンク切れ。現在は https://www.youtube.com/watch?v=57Xab0ZFykA で視聴できます】
76. https://www.quantamagazine.org/how-space-and-time-could-be-a-quantum-error-correcting-code-20190103/
77. American Association for the Advancement of Science, “Entangle, Swap, Purify, Repeat: Enhancing Connections between Distant Nodes.” Science Daily (June 1, 2017) http://www.sciencedaily.com/releases/2017/06/170601151921.htm
78. https://fractalfoundation.org/resources/what-are-fractals/
79. 写真：Shutterstock.com
80. Rachel Thomas, “It from bit?”, (December, 2015) https://plus.mat hs.org/content/it-bit

Practice" (Wisdom Publications, 1999)
46. 写真：Shutterstock.com
47. https://en.wikipedia.org/wiki/Karma
48. Fritjof Capra, "The Tao of Physics" (New York: Bantam, 1975), 85-86.（邦訳『タオ自然学』工作舎、1979年）
49. In Brad Steiger, In My Soul I Am Free (Eckankar, 1968), 95
50. Thomas Ashley-Ferrand, Healing Mantras (New York: Ballantine Wellspring, 1999), 3-7
51. Brad Steiger, In My Soul I Am Free, 92.
52. Mattheiu Ricard, The Quantum and the Lotus, (New York: Crown, 2001), 179-81.
53. www.al-islam.org
54. http://www.vatican.va/archive/ccc_css/archive/catechism/p123a12.htm【訳者コメント：リンク切れ。現在は https://www.vatican.va/archive/ENG0015/__P2L.HTM で閲覧できます】
55. https://insightswithbillyvee.wordpress.com/2010/02/19/question-is-god-keeping-a-record-rev-2012-heb-812/
56. https://en.wikipedia.org/wiki/Recording_angel
57. 同上。
58. 同上。
59. https://en.wikipedia.org/wiki/Near-death_experience
60. https://dannionandkathrynbrinkley.com/dannions-ndes/【訳者コメント：リンク切れ。現在は http://dannionandkathryn.com/dannions-ndes.html で閲覧できます】
61. https://www.history.com/topics/paranormal/project-blue-book
62. https://www.nytimes.com/2017/12/16/us/politics/pentagon-program-ufo-harry-reid.html
63. https://www.technologyreview.com/s/612232/the-8-dimensional-space-that-must-be-searched-for-alien-life/
64. Jacques Vallee, "A Theory of Everything (Else)," TED Talk ビデオプレゼンテーション、2011、www.jacquesvallee.com
65. https://en.wikipedia.org/wiki/Three_Bodies_Doctrine_(Vedanta)

パートⅣ
66. Heisenberg, Werner, "Physics and Philosophy" (New York: Harper Perennial, 2007) 161.（邦訳『現代物理学の思想』みすず書房、2008年）
67. https://www.nbcnews.com/mach/amp/ncna913926 (Corey Powell)
68. http://serious-science.org/skepticism-and-the-simulation-hypothesis-6189
69. https://www.simulation-argument.com/faq.html
70. Andrew Masterson, "Matrix Phobia? Scientists put fears to rest . we are not living in a computer simulation", Cosmos, October 2017

いうこと』紀伊国屋書店、2019年）
22. https://www.ncbi.nlm.nih.gov/pmc/articles/PMC381274

パートⅡ
23. Ken Wilber, "Quantum Questions" (Boston: Shambala, 1984) 9.（邦訳『量子の公案』工作舎、1987年）
24. In Werner Heisenberg, "Physics and Beyond" (New York: Harper and Row, 1971), 206.（邦訳『部分と全体』みすず書房、1999年）
25. https://commons.wikimedia.org/wiki/File:Particle2D.svg（パブリックドメイン）
26. https://commons.wikimedia.org/wiki/File:Double-slit.svg（パブリックドメイン）
27. Amit Goswami, with Richard E. Reed and Maggie Goswami, The Self-Aware Universe (New York: Tarcher/Putnam, 1995), 39.
28. J. A. Wheeler, in The Physicist's Conception of Nature, ed. J. Mehra (Dodrecht, Holland: D. Reidel, 1973) 244.
29. Goswami, The Self-Aware Universe, 78.81.
30. http://www.thealmightyguru.com/Wiki/index.php?title=File:King% 27s_Quest_-_DOS_-_Map_-_Daventry.png
31. https://commons.wikimedia.org/wiki/File:Wheeler_telescopes_set-up.svg (Source: Patrick Edwin Moran).
32. https://www.sciencealert.com/wheeler-s-delayed-choice-experiment-record-distance-space
33. David Toomey, The New Time Travelers (New York: W.W. Norton, 2007), 254.
34. http://en.wikipedia.org/wiki/Image:Minimax.svg（Source：Nuno Nogueira, user: Nmnogueira）
35. Thomas Campbell, My Big TOE, (Lightning Strike Books, 2003), 201.
36. John Wheeler, Geons, Black Holes and Quantum Foam (Norton, 1998).
37. George Johnson, "How is the Universe Built? Grain by Grain," The New York Times, December 7, 1999
38. https://en.wikipedia.org/wiki/Planck_time
39. https://www.space.com/20881-wormholes.html
40. https://www.smithsonianmag.com/science-nature/would-astronauts-survive-interstellar-trip-through-wormhole-180953269/
41. 写真：Shutterstock.com

パートⅢ
42. 写真：Shutterstock.com
43. Fred Alan Wolf, "The Dreaming Universe", (Touchstone, 1995), 81
44. Fred Alan Wolf, "The Dreaming Universe, 21"
45. Serinity Young, "Dreaming in the Lotus: Buddhist Dream Narratives, Imagery and

原注

パートⅠ

1. Shannon, “Game Playing Machines,” Journal of the Franklin Institute (December 1955)
2. https://www.brainyquote.com/quotes/alan_kay_875443
3. https://www.independent.co.uk/life-style/gadgets-and-tech/news/elon-musk-ai-artificial-intelligence-computer-simulation-gaming-virtual-reality-a7060941.html
4. https://commons.wikimedia.org/wiki/File:Atari_Pong_arcade_game_cabinet.jpg（提供：Rob Boudon）
5. https://commons.wikimedia.org/wiki/File:Mandelbrot_island.jpg（Source：Alexis Monnerot-Dumaine）
6. https://commons.wikimedia.org/wiki/File:Sark-aerial.jpg（提　供：Phillip Capper, Sark, Channel Islands, 17 September 2005）
7. https://www.displaydaily.com/article/display-daily/light-field-displays-are-coming
8. https://www.psychologytoday.com/us/basics/false-memories
9. http://news.mit.edu/2013/neuroscientists-plant-false-memories-in-the-brain-0725
10. https://news.harvard.edu/gazette/story/2016/04/hawking-at-harvard/（ホーキングがハーバード大学で行った講演より）
11. https://www.nytimes.com/2002/11/24/books/on-writers-and-writing-it-s-philip-dick-s-world-we-only-live-in-it.html
12. https://commons.wikimedia.org/wiki/File:Turing_test_diagram.png（Source：Juan Alberto Sanchez Margallo）
13. Minh, Kavukcuoglu, Silver, et al., “Playing Atari with Deep Reinforcement Learning,” Deepmind Technologies (2013).
14. https://www.theverge.com/2017/11/10/16617092/sophia-the-robot-citizen-ai-hanson-robotics-ben-goertzel
15. https://commons.wikimedia.org/wiki/File:Sophia_at_the_AI_for_Good_Global_Summit_2018_(27254369347).jpg
16. https://en.wikipedia.org/wiki/Three_Laws_of_Robotics
17. Ray Kurzweil, “The Singularity Is Near,” (New York: Penguin, 2005), 10.（邦訳：『シンギュラリティは近い――人類が生命を超越するとき』ＮＨＫ出版、2012年）
18. Vernor Vinge, “Technological Singularity” (1993), https://www.frc.ri.cmu.edu/~hpm/book98/com.ch1/vinge.singularity.html
19. https://www.technologyreview.com/s/612257/digital-version-after-death/
20. Nick Bostrom, “Are You Living in a Computer Simulation?” Philosophical Quarterly (2003) Vol.53, No.211, pp.243-255.
21. Max Tegmark, “Life 3.0: Being Human in the Age of Artificial Intelligence” (New York: Alfred A. Knopf, 2017) 281.（邦訳『LIFE 3.0――人工知能時代に人間であると

【著者プロフィール】

リズワン・バーク（Rizwan “Riz” Virk）

起業家、投資家、ビデオゲームパイオニア、インディーズ映画プロデューサー。また、MIT ゲームラボによってキャンパス内に設立された〈プレイ・ラボ〉（www.playlabs.tv）の創始者でもあり、ベイビュー・ラボを運営している。

マサチューセッツ工科大学（MIT）でコンピューターサイエンス学士号、スタンフォード大学経営大学院で経営学修士号を取得。

23歳のときに起業家精神に目覚めて以降、Gameview Studios（DeNA に売却）、CambridgeDocs（EMC に売却）、Tapjoy、Funzio（GREE に売却）、Pocket Gems、Disrupt など、シリコンバレー内外の多くのスタートアップに対し、共同創業者、投資家、アドバイザーを務めている。

ビデオゲームプロデューサーとしては、3000万ダウンロードを達成した「タップフィッシュ」や、テレビ番組をモチーフにした「ペニー・ドレッドフル」など。さらにインディーズ映画のプロデューサーとしては、インターネットで大いに評判を呼んだ“Thrive: What On Earth Will It Take?”ほかを手がけている。

著書に、“Zen Entrepreneurship”“Treasure Hunt”（いずれも未邦訳）がある。

現在、カリフォルニア州マウンテンビューおよびマサチューセッツ州ケンブリッジ在住。

個人用サイト www.zenentrepreneur.com
事業用サイト www.bayviewlabs.com

【監訳】
竹内　薫（たけうち・かおる）
サイエンス作家。1960年東京生まれ。８歳から10歳までニューヨークの現地校に通う。東京大学教養学部教養学科、理学部物理学科卒業。カナダのマギル大学にて博士課程修了。Ph.D.（高エネルギー物理学専攻）。科学雑誌『ネイチャー』の翻訳にも携わる。
著書に40万部のベストセラー『99・9%は仮説』（光文社新書）、ロングセラー『「ファインマン物理学」を読む』『「ネイチャー」を英語で読みこなす』（講談社）、翻訳書に『奇跡の脳』（新潮文庫）、『科学の終焉』（監修：筒井康隆、徳間文庫）、『WHAT IS LIFE?（ホワット・イズ・ライフ？）生命とは何か』（ダイヤモンド社）などがある。2016年、人工知能社会の到来を見据え、英語と日本語とプログラミングの先進グローバル教育に注力する「YES International School」を開校。2018年に東京校を開校 。

【翻訳】
二木 夢子（ふたき・ゆめこ）
国際基督教大学教養学部社会科学科卒。ソフトハウス、産業翻訳会社勤務を経て独立。訳書に『OKR ―シリコンバレー式で大胆な目標を達成する方法』『TAKE NOTES! ――メモで、あなただけのアウトプットが自然にできるようになる』（日経 BP）、『Creative Selection ― Apple 創造を生む力』（サンマーク出版）、『オリンピック全史』（共訳、原書房）、『EMPOWERED ―普通のチームが並外れた製品を生み出すプロダクトリーダーシップ』（日本能率協会マネジメントセンター）がある。

【翻訳協力】リベル

【装幀】山之口正和＋沢田幸平（OKIKATA）

われわれは仮想世界を生きている
AI社会のその先の未来を描く「シミュレーション仮説」

第1刷　2021年12月31日

著　者　リズワン・バーク
監　訳　竹内　薫
訳　者　二木夢子
発行者　小宮英行
発行所　株式会社徳間書店
〒141-8202　東京都品川区上大崎3-1-1
目黒セントラルスクエア
電　話　編集（03）5403-4344／販売（049）293-5521
振　替　00140-0-44392
印刷・製本　大日本印刷株式会社

ISBN978-4-19-865393-4